GUIDE DU VIN

Du même auteur

Le Grand Livre des Confréries des Vins de France. Ed. D. Halevy, 1971, épuisé.
Le Grand Livre des Confréries Gastronomiques. Ed. D. Halevy, 1973, épuisé.
Circuits touristiques en Alsace - La Route du Vin d'ALsace, Solar, 1975.
Circuits touristiques dans les Vosges, Solar, 1976.
Comment reconnaître 30 bons vins, Hatier, 1978.
Comment réussir 30 menus, Hatier, 1980.
Dictionnaire des Appellations de tous les vins, Marabout, 1986.
30 Plantes pour se soigner (pseud. Savagnin), Hatier, 1987.
Atlas des Vins de France, Olivier Orban/J.-P. de Monza, 1987.
Guide des cépages d'Europe, M.A./Solar, 1990.
La véritable histoire du champagne, Favre, 1990.
Le vin sans peine, Robert Laffont, 1991, épuisé.
Le vin jaune du Jura, Henri Maire-Arbois, 1994.

Fernand Woutaz

GUIDE DU VIN
à l'usage de tous

Préface de Karine Valentin

Éditions Bornemann

Dessins de Denis Fauvel,
Photographies : Corel Draw

Éditions Sang de la terre - Bornemann : 62, rue Blanche, 75009 Paris.

PRÉFACE

Pour une jeune journaliste comme moi, qui n'ai commencé à écrire qu'au début des années 90, il est des plumes qui ont laissé des traces; Fernand Woutaz est l'une d'elles. Systématiquement précédé de son nœud papillon, le monsieur ne manque jamais d'élégance, comme son écriture toujours empreinte de courtoisie et d'un respect profond pour le vin. Fort d'une vingtaine d'ouvrages sur le monde viticole et de multiples collaborations dans la presse, le «jeune homme» entame sa 70e année avec le sourire d'un jeune «primeur». À l'époque où je l'ai rencontré pour la première fois, mes connaissances dans le domaine de la presse étaient balbutiantes. Mais à l'inverse, étant fille de vigneron, je reconnus dans ses propos le profond respect d'un homme pour celui qui travaille en osmose avec la terre.

Si j'osais, je dirais que Fernand a de la bouteille. Il a une connaissance, une passion pour le «milieu» du vin qui lui ont permis de tenir un rang dans la société lilliputienne des journalistes spécialistes de la dive bouteille.

Pourtant, à l'époque où Fernand Woutaz avait 20 ans, le vin n'était pas aussi médiatisé. Désormais le litre étoilé quasiment banni des tables françaises, s'est vu remplacé par des vins de qualité. Les progrès ont dépassé les attentes des buveurs de vins en quête d'une éducation. À l'aube du XXIe siècle, le vin se présente en acteur privilégié du bien-vivre. Hommes, femmes, jeunes ou vieux s'intéressent à l'alchimie sublime qui conduit de la terre à nos verres. Et ce afin de pouvoir élire en toute sérénité leur vin quotidien ou de fête. Prenons l'exemple des femmes: leur table sera mise en valeur par une belle bouteille qu'il faudra savoir choisir. Les jeunes en servant à leurs amis un vin original peuvent briller en société. Et pour les moins jeunes, le vin c'est le patrimoine français. Et cocorico! Il y a de quoi pavoiser.

Pour bien choisir et offrir, encore faut-il connaître les vins. Voici résumé tout l'intérêt de cet ouvrage. Un enième guide pratique sur les vins, serait-on tenté de dire! Et bien non justement; cet ouvrage est différent: radicalement moderne, il a l'intelligence de rester à la portée de tous; empruntant à la méthode Assimil, il éduque dans le même temps esprit et palais. Il sera le «sésame» d'une caverne qui n'est autre que le vignoble français. Vaste sujet. Certes, mais il faut du temps et de la patience pour faire un vin, de même il faut du temps et de la patience pour connaître les vins.

Pour l'auteur, et je le rejoins sur cette définition, le vin est un symbole. Il relève de la trinité – qui n'est pas sainte bien que reprise par toutes les religions – liant la terre, l'homme et la plante.

Élémentaire pourrait-on penser à première vue. Mais non, histoire de compliquer les choses, et la nature s'y connaît en la matière, tous les vins, selon leurs terroirs et leurs cépages, seront différents et ceci sans compter les méthodes de vinification particulières à chaque région ou producteur.

En passant en revue l'ensemble des vignobles français, l'ouvrage tente et parvient à expliquer les différences. On ne s'ennuie jamais dans le vignoble tant la diversité est grande.

Au delà de la connaissance du vin, sa mise en scène fait partie de la fête. On ne peut boire du vin – surtout s'il est grand – sans y avoir pensé au préalable. Avec qui le boire, sur quoi le boire et de quelle façon le présenter... Fernand Woutaz vous apprend comment ne pas passer à côté de ce moment privilégié. Vous saurez aussi ce qu'il faut dire ou ne pas dire, les contre-vérités et les idées reçues.

Enfin l'ouvrage didactique est ponctué de traits d'humour de l'auteur qui, sur le sujet, n'est pas avare. Mais c'est surtout sur les sentiments, et leur correspondance subjective avec les vins que la vraie nature de l'auteur se révèle. On apprend ainsi que l'Hermitage, ce superbe vin de la Vallée du Rhône qui s'épanouit après plusieurs années, exprime un amour inavoué; que le Sancerre vif et impertinent pourrait être un caprice; que l'on doit avoir de la déférence à la dégustation d'un noble Château-Chalon, ce vin du Jura élevé sous voile, ou encore que le champagne rosé s'insinue dans un rapport érotique empreint de sensualité... Merveilles du langage associées à celles de la nature.

Le vin suscite le lyrisme, soit, mais c'est avant tout grâce à la simplicité d'écriture de l'ouvrage que le futur amateur entrera dans le monde magique du vignoble.

Karine Valentin
Chef du service «vins» à
Cuisine et Vins de France

AVANT-PROPOS

De nombreux amateurs, débutants ou déjà initiés mesurent mal la complexité et l'étendue du sujet : la connaissance du vin n'est pas une science ou un art si facile, mais ce qui peut l'être en revanche, facile, c'est l'art et la méthode de l'enseigner. Apprendre à connaître le vin ne doit pas être un pensum! Comme la comédie qui corrige les mœurs en riant, l'enseignement doit se faire en souriant.

Le présent ouvrage, complet, précis et volontairement didactique, se veut d'autant plus souriant que le sujet s'y prête. Rien de tel que la vue d'une bouteille de vin fin pour voir les sourires illuminer les visages, et, s'il s'agit par exemple de champagne, voir les yeux aussitôt pétiller tandis que les discussions ennuyeuses s'enferment en pointillé dans les bulles. C'est qu'en réalité le vin n'est pas un sujet banal, un produit comme tant d'autres qu'on peut consommer distraitement en parlant de n'importe quoi.

Le vin est lui-même un heureux sujet de conversation, voire de méditation. Son étude nous entraîne sur des chemins insoupçonnés qui se croisent et se recroisent sans cesse avec ceux de l'art, de la philosophie, de l'histoire, des sciences, de l'amour et de la religion... C'est dire que le vin est un sujet suffisamment sérieux pour être abordé avec le sourire de l'homme heureux d'apprendre!

Une connaissance approfondie du vin qui ne saurait être que théorique, conduit à entrevoir certaines analogies entre les caractéristiques d'un vin et les sentiments humains. Ces affinités, ou ces rapprochements ne sont pas interchangeables et c'est là sujet d'étonnement qui confirme le bien fondé de la réflexion. Il ne s'agit en aucune façon de science plus ou moins occulte, d'horoscope de pacotille, bref, d'un charlatanisme séduisant mais sans aucun fondement objectif. Après tout, si on s'accorde, même de façon large et parfois subjective sur l'harmonie des vins et des mets, pourquoi ne pourrait-il en être de même avec les sentiments et les vins, selon l'humeur du moment? N'admettons-nous pas l'envie d'un vin plutôt qu'un autre en telle circonstance, à tel moment de la journée ou à l'occasion de telle rencontre? Certes, l'esprit ludique n'est pas éloigné de ces rapprochements, mais il est plaisant de jouer avec les mots pour mieux jongler avec les idées.

Amis lecteurs, abordez ce livre avec la même bonne humeur que celle dispensée par l'usage modéré du vin. Si vous accompagnez vos études de quelques travaux pratiques, vous découvrirez rapidement que, selon Boileau,

> *On est savant quand on boit bien*
> *Qui ne sait boire ne sait rien.*

PREMIÈRE PARTIE

LA VIGNE ET LE VIN

« La vigne, le vin sont de grands mystères. Seule dans le règne végétal, la vigne rend intelligible ce qui est la vraie saveur de la terre. »
« Quelle fidélité dans la traduction ! Elle ressent, exprimés par la grappe les secrets du sol. »

Colette

LE CÉPAGE

♦ Le cépage est le plant de vigne. Le cep est le pied de vigne.

♦ On distingue deux grandes catégories de cépages :
– ceux donnant des raisins bons à manger, mais plus ou moins inaptes à faire du bon vin ;
– ceux donnant des raisins moins agréables à manger, mais aptes à faire un bon vin.

♦ Ces deux catégories sont classées respectivement en :
– raisins de table ;
– raisins de cuve.

♦ Certains cépages possèdent les deux aptitudes. Le chasselas, par exemple, délicieux raisin de table (moissac, fontainebleau, etc.) peut donner un assez bon vin blanc : AOC Pouilly-sur-Loire, certains vins de Savoie ; il est le principal cépage du vignoble de la Suisse romande.

♦ Chaque cépage possède ses caractéristiques particulières : forme de la feuille, de la grappe, couleur, époque de maturité, teneur en sucre, en acidité, précocité, etc.

♦ Il y a autant de différences entre des raisins du cépage gamay et des raisins du cépage cabernet, par exemple, qu'entre une pomme golden et une autre pomme reinette !

♦ On observera une aussi vive différence entre les vins issus de ces cépages.

♦ Pour que toutes les qualités spécifiques d'un cépage atteignent leur plus haut niveau, il doit croître dans un terroir particulièrement favorable.

♦ Une parfaite adéquation entre le cépage et le terroir permet d'obtenir le meilleur vin possible avec ce cépage, dans le cas naturellement d'une vinification convenable.

♦ Les qualités des vins de différents cépages peuvent être complémentaires, d'où leur assemblage possible en proportions étudiées afin d'obtenir un vin d'une qualité supérieure à celle de chacun des composants.

Notes : Le nom d'un cépage comporte généralement un ou plusieurs synonymes, par exemple le cabernet franc est dit « breton » en Val-de-Loire, « bouchet » sur les rives de la Dordogne, « bouchy » dans le Sud-Ouest, etc.

On compte, en France, une trentaine de cépages « principaux » en rouge, et à peu près autant en blanc. Ces chiffres triplent avec les cépages « secondaires ». Pour certains vins d'AOC, la réglementation peut prévoir un pourcentage minimal de cépages principaux et tolérer un complément de cépages secondaires.

LE CÉPAGE (SUITE)

♦ Depuis l'invasion phylloxérique, à la fin du XIXᵉ siècle, tout pied de vigne est composé de deux éléments : le porte-greffe et le greffon.

♦ Introduit involontairement en France par l'importation de vigne américaine à titre expérimental, le phylloxéra ravagea en quelques décennies le vignoble européen. Les racines des vignes américaines restaient insensibles aux attaques du puceron.

♦ Le remède consista à greffer nos cépages sur des plants américains. Tout pied de vigne comprend donc aujourd'hui un porte-greffe et un greffon, l'un étant en terre, l'autre hors de terre portant tiges, feuilles et fruits : c'est ce dernier qui est le véritable cépage.

♦ Les recherches s'avérèrent complexes. Le porte-greffe doit être adapté au sol, et le greffon au porte-greffe, intermédiaire plus ou moins neutre entre le sol et le cépage greffé.

♦ Les cépages européens appartiennent tous au genre *Vitis vinifera* alors que les cépages américains n'en sont pas : *Vitis riparia, Vitis rupestris, Vitis berlandieri*, ils ne sont que quelques-uns à être uvifères, un seul d'entre eux étant cultivé, à l'Est des États-Unis et au Canada, le *Vitis labrusca*, qui donne un vin foxé, « framboisé » pour certains, déplaisant pour la plupart!

♦ En Extrême-Orient, on cueille sur les rives de l'Amour les raisins de la vigne sauvage *Vitis amurensis*. Au Japon, la *Vitis coignetiae* et d'autres, certaines épineuses, sont toutes sensibles au phylloxéra.

♦ Bien que l'essentiel fût acquis dès 1900, les recherches continuent et par croisements divers on obtient de nouveaux cépages qui essaient de concilier l'inconciliable : qualité et quantité, résistance aux maladies de la vigne et du vin, etc.

♦ En viticulture, on appelle «hybride» un plant provenant du croisement de deux espèces distinctes (un *Vitis riparia* et un *Vitis vinifera*), et «métis» un plant issu du croisement de deux cépages de même espèce (deux *Vitis vinifera*, par exemple).

Notes : Il existe encore, en Champagne notamment, quelques parcelles de pinot noir «franc de pied», c'est-à-dire non greffé. Ces vignes curieusement épargnées sont conduites à l'ancienne, en foule et non palissées sur fil de fer («Clos-Saint-Jacques» à Aÿ, «Croix-Rouge» à Bouzy, appartenant à Bollinger). En Grèce, les vignes non greffées ne sont pas rares; la plupart des vignobles du Péloponnèse sont francs de pied.

◆

LE RAISIN

◆

◆ La forme de la grappe, la grosseur des raisins, variable de 1 à 4, et leur couleur différencient de la plus évidente façon les cépages entre eux. Il en est de même quant à la nature des raisins, plus ou moins riches en sucre et pauvres en acides, ou l'inverse.

◆ Les raisins de tous les cépages fins ont leur jus incolore.

◆ Il existe des cépages à raisins noirs et à jus noir, dits « teinturiers ». Ils donnent des vins très foncés, noirs et grossiers. Aucun vin d'appellation d'origine n'est issu de tels cépages.

◆ Si la pulpe est incolore, c'est donc que la couleur provient de la peau du raisin (pigments anthocyaniques). Cette matière colorante se dissoudra lors de la fermentation alcoolique et teintera le jus. Nous aurons dès lors du vin rouge.

◆ Le jus du raisin noir étant incolore, on devine qu'il est possible d'obtenir un vin blanc si l'on presse les grains sitôt cueillis, avant tout commencement de fermentation. C'est le cas du « blanc de noirs », fréquent en Champagne.

◆ Il va de soi qu'à partir de raisins blancs, on ne peut obtenir que du vin blanc.

◆ La pulpe du raisin comprend trois zones :
– celle en contact avec la peau ;
– celle en contact avec les pépins ;
– celle entre ces deux zones, qui donne le premier jus sortant du pressoir et considéré comme celui donnant le meilleur vin (tête de cuvée).

C'est toutefois dans la pellicule que se trouvent les principales substances aromatiques qui communiquent au vin ses senteurs particulières.

◆ La composition du grain de raisin varie selon les conditions climatiques : température, pluviométrie et ensoleillement influent directement sur les caractéristiques du raisin. C'est pourquoi la notion de millésime est plus importante en région septentrionale que méridionale.

◆ Le cépage donne la race, le caractère du vin ; le terroir affine sa personnalité ; la bonne vinification harmonisera ses deux composantes fondamentales.

◆ Chaque cépage, quel que soit le niveau de perfection possible du vin en fonction de son adéquation au terroir, du bon millésime et d'une parfaite vinification, possède ses limites propres de qualité et ses propres aptitudes gastronomiques.

Notes : Les soins apportés à la vigne conditionnent aussi la qualité du raisin et par conséquent du vin.

Le rendement est un élément important : il y a généralement incompatibilité entre quantité et qualité.

Cela dit, une faible récolte n'est pas forcément preuve de qualité. Il arrive, lorsque les conditions climatiques ont été favorables, que quantité et qualité soient au rendez-vous.

CLASSEMENT DES VINS D'APRÈS LEUR CÉPAGE

♦ Selon leur potentialité qualitative, la vocation gustative et l'aptitude gastronomique des vins qu'ils génèrent, il est objectivement possible de classer les cépages en trois catégories.

♦ *Première catégorie :* il s'agit des cépages dont le vin révèle les arômes primaires, tels, ou presque, qu'on les trouve dans le fruit frais, le raisin! Les vins ne sont pas destinés à vieillir mais à être appréciés dans la fraîcheur de leur jeunesse : muscadet, maccabeu, gamay primeur, etc.

♦ *Deuxième catégorie :* cépages dont les vins présentent des arômes qui ne sont pas ceux du raisin; ils se sont formés au cours de la fermentation et se trans-formeront en bouquet avec un peu de temps. C'est le cas des crus du Beaujolais, des Beaujolais-Villages, des Côtes-du-Rhône, Côtes-de-Provence, des vins du Languedoc-Roussillon, des vins du Sud-Ouest sauf exceptions.

♦ *Troisième catégorie :* cépages (de réputation mondiale) dont les vins ne révèlent leur richesse et leur complexité, ne trouvent leur équilibre qu'après un temps plus ou moins long, de quatre ou cinq ans à dix ou quinze ans et souvent plus. Leurs arômes sont dits «tertiaires», parce qu'ils résultent d'une lente évolution biochimique, lors de leur séjour en bouteilles, longtemps après la vinification et l'élevage en barrique ou en cuve.

♦ Il existe un moyen aussi objectif que précis de contrôler le classement des cépages : mesurer en temps (en secondes) la durée de l'empreinte aromatique que laisse tout vin ingéré. Cette durée de « persistance aromatique » est dite également «caudalies» (du latin *cauda,* la queue).

Première catégorie : une ou deux secondes.

Deuxième catégorie : deux ou trois secondes.

Troisième catégorie : cinq à douze secondes et plus.

♦ Chaque cépage possède ses propres limites et sa propre courbe d'évolution, et ni le terroir ni la vinification ne peuvent les modifier de façon très sensible.

♦ Chaque cépage confère au vin des limites spécifiques dans le temps pour atteindre sa maturité et sa plénitude, au-delà desquelles le vin décline, se décharne, devient de moins en moins agréable à boire pour finir par devenir détestable.

♦ Mieux vaut boire un vin trop jeune que trop vieux, le sage le boit au juste milieu.

♦ D'une façon générale, on boit trop tôt les très grands vins. Rares sont les amateurs ayant eu la patience d'attendre dix à quinze ans avant de questionner les bouteilles qui avaient besoin d'attendre cet âge avant d'atteindre leur apogée !

«Les civilisations du vin sont fines et délicates. C'est qu'elles représentent les plus précieuses valeurs humaines : le temps, la patience, le goût, le jugement.»

André Maurois
de l'Académie française

Notes : Certains cépages peuvent se rattacher à deux catégories, selon le terroir et la vinification appropriée. Mais ce sera généralement à deux catégories se suivant, la première et la deuxième ou la deuxième et la troisième. Il est rare qu'un même cépage puisse donner ici un vin de garde et là un vin de primeur, par exemple, la syrah, à Cornas (AOC) vin de garde, et près de Béziers, vin de pays primeur, mais selon deux vinifications différentes.

D'un très grand vin, dans sa plénitude, dont la persistance aromatique est intense et semble s'amplifier en se prolongeant, on dira «qu'il fait la queue de paon»!

On ne peut en revanche mesurer les caudalies d'un «primeur» qui n'est qu'un vin de bonne soif.

◆
VIGNOBLES ET CÉPAGES SEPTENTRIONAUX
ET MÉRIDIONAUX DE FRANCE
◆

♦ La vigne prospère entre les vingt-huitième et cinquantième degrés de latitude, dans les deux hémisphères, les saisons étant inversées.

♦ Le vignoble français se situe entre les quarante-neuvième et quarante-troisième parallèles, la Corse se situant approximativement entre le quarante-troisième et le quarante et unième.

♦ On peut distinguer en France deux zones. L'une, septentrionale, comprend les vignobles du haut Poitou, du Val de Loire, de Bourgogne, de Champagne, d'Alsace, du Jura, de Savoie, du Dauphiné, du Nord de la Drôme et des Côtes du Rhône (justement dites «septentrionales») jusqu'à Valence. L'autre, méridionale, comprend la vallée du Rhône à partir de Montélimar, le Tricastin, la Provence et la Corse, le Languedoc-Roussillon, le Sud-Ouest, le Bordelais et le Bergeracois.

♦ La production de vin blanc domine au Nord, celle de vin rouge au Sud, chaque zone disposant de ses propres cépages, plus nombreux au sud qu'au nord.

♦ Malgré de notables exceptions, d'une façon générale les cépages des deux zones ne sont guère interchangeables.

♦ En principe et en dépit des exceptions, les vins septentrionaux sont généralement issus d'un cépage unique, tandis que les vins méridionaux le sont d'un assemblage de plusieurs cépages.

♦ Avec les réserves de prudence nécessaires en la matière, on peut dire que les vins de la zone septentrionale, issus généralement d'un seul cépage, sont plus acides qu'alcooliques et tanniques, tandis que les vins méridionaux sont plus alcooliques et tanniques qu'acides.

♦ En conséquence, dans le premier cas (sauf microclimat et vendanges tardives), on pourra remédier si nécessaire à la faiblesse alcoolique par un enrichissement à sec (chaptalisation) ; dans le second cas, sans exclure la chaptalisation, on équilibrera le vin en acidité par l'assemblage judicieux de vins complémentaires.

♦ Pour ces différentes raisons on peut avancer que la notion de millésime est beaucoup plus significative en pays «froid» qu'en pays «chaud»... à Jasnières qu'à Bandol!

♦ Avec toutes les réserves d'usage et sauf exceptions (vins moelleux voire liquoreux de Loire, vendanges tardives, sélection de grains nobles en Alsace), on peut dire que les vins septentrionaux présentent plus volontiers des bouquets floraux, avec des notes minérales ou animales, que fruités, alors que les vins méridionaux offrent davantage des bouquets plus puissants de fruits mûrs, de fruits confits ou cuits.

Notes : Sur quelque 20 millions d'hectolitres que comprend en moyenne la production totale de vins d'appellations d'origine, la répartition, selon la couleur, est la suivante : en zone septentrionale, la production de vins blancs, y compris champagne, est de 5,2 millions d'hectolitres, les vins rouges n'atteignant pas les 3 millions d'hectolitres.

En zone méridionale, les vins blancs font moins de 1,8 million d'hectolitres alors que les rouges dépassent les 10 millions d'hectolitres.

ZONE SEPTENTRIONALE	
Blancs	**Rouges**
ALSACE	
Auxerrois, chasselas, pinot blanc, pinot gris (tokay), sylvaner, riesling, gewurztraminer, muscat, chardonnay.	Pinot noir.
LORRAINE	
Aligoté, aubin, auxerrois, pinot blanc, pinot gris, sylvaner, riesling, gewurztraminer.	Pinot noir, pinot-meunier, gamay noir à jus blanc.
CHAMPAGNE	
Chardonnay.	Pinot noir, pinot-meunier.
BOURGOGNE	
Chardonnay, aligoté, pinot blanc, pinot gris (beurot), sacy, melon.	Pinot noir, gamay, césar, tressot.
BEAUJOLAIS	
Chardonnay, pinot blanc, aligoté.	Gamay noir à jus blanc, pinot noir, pinot gris.
FRANCHE-COMTÉ	
Savagnin, chardonnay, pinot blanc vrai, pinot gris.	Poulsard, trousseau, gros-noirien (pinot noir).

ZONE SEPTENTRIONALE	
Blancs	**Rouges**
SAVOIE-BUGEY	
Aligoté, altesse, jacquère, chardonnay, malvoisie, mondeuse blanche, molette, chasselas, marsanne, roussanne, verdesse.	Pinot noir, gamay, mondeuse, persan, cabernet franc, cabernet-sauvignon, étraire de l'Adui.
CÔTES DU RHÔNE SEPTENTRIONALES	
Viognier, roussanne, marsanne.	Syrah.
VAL DE LOIRE	
Gros-plant ou folle-blanche, melon ou muscadet, chenin ou pineau de Loire, chardonnay, sauvignon.	Cabernet-franc, cabernet-sauvignon, pineau d'Aunis, cot, gamay, grolleau pinot-meunier, pinot noir.
HAUT POITOU, OUEST DE LA FRANCE	
Sauvignon, chenin, chardonnay, pinot blanc.	Pinot noir, gamay, cabernet-sauvignon cabernet franc, merlot, cot, negrette, grolleau.

ZONE MÉRIDIONALE	
Blancs	**Rouges**
CÔTES DU RHÔNE MÉRIDIONALES	
Clairette, picpoul, roussanne, marsanne, bourboulenc, viognier, grenache blanc.	Syrah, grenache, mourvèdre, terret noir, cinsaut, picardan, carignan, counoise, vaccarèze.
PROVENCE	
Clairette, vermentino, sémillon, sauvignon, ugni blanc.	Carignan, cinsaut, grenache, mourvèdre, tibouren, syrah, barbaroux, cabernet-sauvignon, calitor, rolle.

ZONE MÉRIDIONALE	
Blancs	**Rouges**
CORSE	
Vermentino, ugni blanc, codivarta, muscat à petits grains (malvoisie).	Nielluccio, sciaccarello, grenache, cinsaut, mourvèdre, barbarossa, syrah, carignan.
LANGUEDOC-ROUSSILLON	
Bourboulenc, clairette, grenache blanc, maccabeu, picpoul, terret, ugni, muscat, blanquette de Limoux, mauzac, chenin, chardonnay.	Carignan, grenache noir, lladoner, pelut, cinsaut, mourvèdre, syrah, counoise, terret noir.
SUD-OUEST	
Mauzac, ondenc, petit et gros manseng, courbu, sauvignon, sémillon, muscadelle, baroque, ugni, colombard, arrufiat.	Cot, duras, fer, jurançon noir, negrette, gamay, syrah, cabernet franc, cabernet-sauvignon, merlot, tannat, mérille.
BORDELAIS	
Sauvignon, sémillon, muscadelle, colombard, mauzac, ondenc, ugni blanc.	Cabernet-franc, cabernet sauvignon, carmenère, malbec, merlot, petit-verdot.
COGNAC	
Ugni blanc, folle-blanche, colombard, blanc ramé, jurançon blanc, montils, sémillon, select.	
CENTRE	
Sauvignon, chardonnay, tressalier, saint-pierre doré.	Gamay, pinot noir, jurançon noir, fer, merlot, negrette.

LE TERROIR

◆

♦ Le terroir est l'endroit où croît la vigne et cet endroit, ce lieu, prend aussi le nom de cru.

♦ La notion de terroir, ou de cru, n'est pas limitée à la nature du sol ou du sous-sol, mais à tous les éléments qui le rendent parfois unique : composition du sol et du sous-sol, ensoleillement, exposition, pluviométrie, vents dominants, moyenne des températures diurnes et nocturnes, etc. Cet ensemble d'éléments peut déboucher sur la notion de microclimat s'il est constant. Il influence grandement la personnalité du vin.

♦ C'est un abus de langage que de donner le nom de cru à un vin : on ne saurait «boire» un cru, pas plus qu'un «château» château (figure de rhétorique appelée «synecdoque», pour les petits curieux...).

♦ La vigne craint autant les fortes chaleurs que l'excès d'humidité.

♦ On peut affirmer que dans une large mesure la qualité d'un vin est inversement proportionnelle à la fertilité d'un sol.

♦ Les coteaux bien exposés sous un climat tempéré font les meilleurs terroirs à vigne.

♦ La nature du sol et du sous-sol, en interaction avec les autres éléments du terroir, y compris l'ensoleillement et la pluviométrie, a une influence directe sur la composition chimique naturelle du raisin et par conséquent du vin.

♦ La qualité, la ponctualité des soins prodigués à la vigne conditionnent aussi la qualité du raisin, donc du vin.

♦ La vinification doit être adaptée à chaque vendange : la bonne conduite de la vinification permettra de tirer le meilleur parti du raisin marqué par le «millésime»...

Notes : Une «bonne» année, un «bon» millésime résulte d'un bon équilibre entre les diverses composantes, soleil, pluie, vents, etc. L'homme, dans une certaine mesure, peut corriger les défaillances de la nature.

Il faut toutefois accepter les différences d'expressions d'un vin d'une année sur l'autre.

Il n'y a pas de «bonnes» et de «mauvaises» années, mais des vins différents ; présentant des aptitudes variées, notamment concernant l'époque de leur maturité, leur durée de conservation, leur vocation gastronomique, etc.

◆
LA VINIFICATION
◆

◆ La définition communautaire du vin est la suivante : «Le vin est le produit obtenu exclusivement par la fermentation alcoolique, totale ou partielle, de raisins frais, foulés ou non, ou de moûts de raisins.»

◆ Pour obtenir un litre de vin de bonne qualité, il faut un kilo et demi de raisin.

◆ L'ensemble des opérations par lesquelles le jus du raisin se transforme en vin s'appelle la vinification.

◆ Il existe trois grands processus de vinification, selon qu'on désire obtenir des vins rouges, rosés ou blancs.

◆ Les raisins noirs, provenant de cépages fins, ont tous leur jus blanc ; à partir de ces raisins noirs à jus blanc il est donc possible d'obtenir :

– du vin blanc, si on presse de suite les raisins ; c'est le seul jus qui fermentera, donnant un vin blanc ;

– du vin rosé, si on laisse macérer un temps compté le jus avec les peaux noires, contenant les pigments colorants ;

– du vin rouge, en laissant macérer le temps nécessaire pour que l'alcool et la chaleur de la fermentation puissent dissoudre les pigments colorants de la peau.

◆ Il est absolument interdit de «fabriquer» du vin rosé par mélange de vin rouge et de vin blanc. Une seule exception : le champagne rosé.

◆ On ne peut qu'obtenir du vin blanc à partir de raisins blancs.

◆ Selon les régions, les cépages, les modes opératoires diffèrent et expliquent la grande diversité des vins.

◆ Avec les raisins à peau noire et à jus rouge on ne peut obtenir que du vin rouge, plus ou moins coloré selon le temps de macération ; le vin sera de toute façon ordinaire, commun.

◆ La fermentation alcoolique est la transformation, sous l'action de levures, principalement les saccharomyces (du grec *saccharum*, sucre, et *mukès*, champignon), du sucre en alcool éthylique avec dégagement de gaz carbonique. Seize à dix-huit grammes de sucre donnent un degré d'alcool (ou 1 %).

◆ La fermentation alcoolique dégage des calories ; la maîtrise de la chaleur est une des conditions de bonne réussite de l'opération.

Note : La réglementation des AOC concernant le titre alcoométrique des vins prévoit un minimum et un maximum en cas d'enrichissement autorisé. Pour le minimum, le critère est la teneur en sucre par litre de moût qui est indiquée ; par exemple, pour le beaujolais 162 grammes et pour le sauternes 221 grammes.

LA VINIFICATION TRADITIONNELLE EN ROUGE

♦ Les grappes sont mises en cuve, soit entières, soit partiellement ou en totalité éraflées. L'éraflage consiste à éliminer les parties ligneuses de la grappe qui contiennent des tannins amers, aux goûts herbacés.

♦ Les grains de raisin seront ensuite foulés, de façon à les faire éclater.

♦ Sous l'action des levures, la fermentation va commencer, le moût va s'échauffer et des bulles de gaz carbonique vont se dégager. La température doit être maintenue entre 25°C et 30°C.

♦ Au-dessous de 25°C l'extraction des substances aromatiques, tannoïdes, colorantes, etc., serait insuffisante : le vin manquerait de corps, de couleur. Au-dessus de 30°C les levures seraient détruites et la fermentation stoppée, laissant du sucre non fermenté : le vin rouge serait sucré !

♦ La fermentation est conduite en fonction du ou des cépages et du type de vin recherché.

♦ Il se forme à la surface du moût en fermentation une sorte de croûte de marc, dite «chapeau»; soit on l'enfonce, soit on la «coule» en l'arrosant avec du jus prélevé à la base; le but est le même, extraire au mieux couleur et tannins.

♦ Quand on juge la macération suffisante, on sépare la partie liquide (le vin) des parties solides, peaux, pépins et autres : c'est l'opération de soutirage. Le vin finira de fermenter, ce sera le «vin de goutte». Le marc sera pressé et donnera le «vin de presse». Éventuellement les deux vins peuvent être assemblés, en totalité ou partiellement.

♦ La fermentation alcoolique est suivie d'une deuxième fermentation, dite «malolactique» : sous l'action de certaines bactéries, l'acide malique se transforme en acide lactique, avec, en corollaire, dégagement de gaz carbonique. Le vin se sera affiné, assoupli, et son acidité devenue moins agressive.

♦ Les phases suivantes de soins relèvent de «l'élevage», terme consacré : le vin peut séjourner en cuve, à l'abri de l'oxydation avant une mise en bouteilles avec filtration préalable. Il peut être mis en fût pendant un délai variable, de trois à dix-huit mois selon le vin, puis être mis en bouteilles pour achever le cycle de lent mûrissement.

Note : Avec la même qualité de raisins, trois vignerons feront trois vins différents, trois vins à la personnalité différente. Un imbécile est incapable de faire un bon vin. À certains stades de la vinification, un vigneron passera la nuit au pied de sa cuve, un autre ira se coucher : le lendemain l'un aura fait un vin parfait, l'autre un vin quelconque... Le premier parce qu'il aura décuvé au bon moment, le second parce qu'il a laissé faire et laissé passer le moment idéal.

VINIFICATION PAR MACÉRATION CARBONIQUE, FERMENTATION INTRACELLULAIRE

♦ Le procédé permet d'obtenir des vins aromatiques, de type primeurs. La vendange doit être intacte, non éraflée, ce qui exclut la cueillette mécanique.

♦ La vendange est versée dans une cuve saturée de gaz carbonique.

♦ Une fermentation se produit alors à l'intérieur du grain de raisin ; par des phénomènes enzymatiques, sans intervention des levures, le sucre se transforme en alcool éthylique, avec dégagement de gaz carbonique, ainsi que divers éléments.

♦ Dans la cuve vont bientôt se trouver des raisins entiers en anaérobiose gazeuse, d'autres en anaérobiose liquide et du moût provenant des raisins écrasés par la masse, par tassement.

♦ À un moment donné, le jus (de goutte) sera mis en cuve ; les raisins seront pressés et leur jus mélangé au jus de goutte ; ici, le jus de presse est supérieur en qualité au jus de goutte. La fermentation se poursuivra avec le seul jus en cuve.

♦ Une solution « mixte », type vinification beaujolaise, consiste à interrompre la fermentation intra-cellulaire sous CO_2, à fouler les raisins et poursuivre la vinification de façon classique.

♦ La vinification par macération carbonique n'est pas recommandée pour les vins de garde. Toutefois certains gamays de Touraine ainsi vinifiés se sont révélés délicieusement mûris après une dizaine d'années d'âge...

♦ Les vins de macération carbonique sont moins colorés et moins tanniques que les vins obtenus par vinification fermentaire.

♦ La vinification par macération carbonique peut s'appliquer aux raisins blancs ; le vin blanc obtenu ainsi présente des qualités aromatiques que n'aura pas le vin obtenu à partir des raisins du même cépage par vinification fermentaire.

Note : La vinification par macération carbonique permet d'obtenir, à partir de raisins de syrah (région de Béziers), un vin de primeur, fruité, léger et très agréable.

Cette technique n'est pas recherchée pour son économie : elle exige au contraire une bonne installation, de l'espace, un matériel approprié d'une propreté rigoureuse. Les cuves sont mobilisées plus longtemps que dans la vinification classique, et cela souvent en nécessite un plus grand nombre.

◆
VINIFICATION EN BLANC
◆

◆ Le vin est obtenu par la fermentation du seul jus de raisin, sans macération des parties solides de la grappe (rafle, peau, pépins).

◆ Le vin blanc, obtenu généralement à partir de raisins blancs, peut également s'obtenir à partir du jus de raisins noirs à jus blanc. C'est le cas, à titre d'exemple, du champagne obtenu des cépages pinot noir et pinot-meunier, (blanc de noirs).

◆ Le moût et le vin blanc jeune sont très sensibles à l'oxygène, à l'oxydation qui dénature les arômes, le fruité et ombre la couleur. L'anhydride sulfureux (SO_2) était la seule parade, mais une installation moderne qui permet de placer le vin sous atmosphère d'azote, donne le même résultat sans les inconvénients du SO_2.

◆ La richesse en sucre naturel de certains moûts, provenant des cépages chenin en pays de Loire, sémillon en Bordelais, gewurztraminer en Alsace, etc., est telle que tout le sucre ne peut être transformé en alcool. La fermentation a été volontairement ou naturellement incomplète : le sucre résiduel est parfois évalué en degrés potentiels (17 grammes = 1° ou 1 % d'alcool).

◆ Les vins destinés à être bus jeunes sont stockés en cuve (d'acier inox de préférence, d'acier émaillé, de ciment verré ou revêtu d'un enduit spécial) ou encore en foudre. Les vins de garde sont élevés en fûts de chêne.

◆ Un procédé à la fois très ancien et très moderne consiste à laisser les vins blancs sur leur lie (muscadet, gros-plant). Les vins sont tirés directement de la cuve en bouteille par simple gravité, avec ou sans filtrage au moment du tirage. La mise sur lie confère au vin une plus grande finesse et un perlé délicat.

Note : Les vins blancs secs sont généralement acides, raison pour laquelle ils doivent être bus assez frais. Plus un vin est vif, plus il doit être frais! Plus un vin est tannique (vin rouge) plus il doit être pris «chambré». (Ce qui ne veut pas dire tiède!) Plus un vin est froid, moins ses arômes apparaissent. Il en est de même pour les vins blancs moelleux ou liquoreux : c'est une erreur de les prendre «frappés», à 5°C ou 6°C. Un grand sauternes doit être dégusté entre 10°C et 12°C.

24

LES DIVERSES CATÉGORIES DE VIN
(GAMME ASCENDANTE)

♦ **Vins de table**

« Vins de consommation courante, aptes à donner des vins de table » (définition de la CEE), soit des vins provenant d'un seul pays (vin de table français), d'un pays étranger (vin de table italien) ou de plusieurs États de la Communauté (selon la mention légale : « mélange de vins de différents pays de la Communauté européenne »).

Vins de pays, soit des vins de table répondant à certaines conditions de production, encépagement et rendement. Ils peuvent utiliser le nom du cépage dont ils sont issus (à 100 %) ainsi que le millésime.

♦ **Vins d'appellation d'origine**

Vins d'appellation d'origine vin délimité de qualité supérieure (AOVDQS) : cette classe n'est représentée que par quelques vins, la plupart des anciens VDQS ayant été promus au statut d'AOC.

Vins d'appellation d'origine contrôlée (AOC).

Ces deux classes de vins obéissent à des textes réglementaires très voisins, portant sur l'ensemble des conditions de production : aire délimitée, encépagement, rendement, alcoométrie, etc.

AOVDQS et AOC font partie de la catégorie définie par la CEE des VQPRD (vins de qualité provenant d'une région délimitée).

En France, les deux catégories AOVDQS et AOC dépendent, en ce qui concerne l'attribution des appellations et la vérification de l'application de la législation, de l'organisme créé à cet effet dès 1935 : l'Institut national des appellations d'origine des vins et eaux-de-vie (INAO).

♦ **Les autres vins** entrant dans la catégorie des AOC sont les suivants :

Vins de liqueur (pineau des Charentes, floc de Gascogne). Le pineau des Charentes provient du jus de raisins d'origines et de cépages conformes à l'appellation, dans lequel on a ajouté du cognac rassis, avant tout commencement de fermentation. Le vin doit titrer entre 16° et 22°, en général 17° ou 18°, avec une teneur en sucre naturel, non fermenté donc, comprise entre 125 et 150 grammes par litre.

Les conditions de production pour le foc de Gascogne sont identiques, à l'origine du jus de raisin et de l'alcool près (armagnac).

Vins doux naturels (VDN) : rivesaltes, maury, banyuls, muscat de Beaumes-de-Venise, de Mireval, frontignan, etc. La différence essentielle avec le vin de liqueur est que dans le VDN on ajoute de l'alcool neutre de vin dans le moût en pleine fermentation (et non pas avant fermentation). Le vin terminé doit titrer entre 15° et 18° et posséder une richesse en sucre non fermenté de 45 à 100 grammes pour les muscats.

Note : Le but de la législation est double : d'une part assurer la conformité du vin à ce qu'en attend le consommateur (type de vin selon le terroir et la tradition), d'autre part veiller à la «santé» du vin. Une liste restrictive des produits autorisés est établie, et ceux qui n'y figurent pas sont interdits. La Direction du contrôle de la qualité et de la répression des fraudes, au sein du ministère de l'Économie, reste très vigilante.

LES DIFFÉRENTS CONSTITUANTS DU VIN

♦ Le principal constituant, par son volume, est l'eau! Provenant directement du grain de raisin, cette eau est donc essentiellement végétale. Elle représente environ 90 % du volume, selon le vin.

♦ Le deuxième constituant, en importance, est l'alcool, qui représente environ 10 %. Il provient de la fermentation alcoolique des sucres que contenait le raisin.

♦ Selon la nature du vin (blanc, rouge ou rosé), le cépage, le terroir et la vinification, on trouve du sucre résiduel (vin blanc liquoreux), des pigments colorants (vins rouge et rosé) et jusqu'à trois cent cinquante composants différents tels esters, tannins, sels minéraux, oligo-éléments (calcium, magnésium, sodium, aluminium, fer, cuivre, zinc, manganèse, fluor, brome, iode), des vitamines, des acides aminés...

♦ L'alcool du vin est l'alcool éthylique, dont le poids moléculaire est d'environ 0,8. Le «degré» est en réalité le volume : un vin de table doit contenir un minimum de 8,5 % d'alcool et un maximum de 15 %. Une bouteille de 0,75 litre d'un vin titrant 12° (12 % du volume) contiendra donc 9 centilitres d'alcool ou 72 grammes (un litre à 12° contiendra 96 grammes d'alcool).

♦ Dans la mesure d'une absorption raisonnable, l'action du vin sur le système nerveux périphérique n'est pas sans influencer le tonus musculaire : le vin a des vertus toniques.

♦ Le vin facilite la digestion et peut éviter la constipation. Il augmente la production du liquide gastrique dans l'estomac, facilite l'assimilation des protéines. Le tannin des vins rouges agit sur la musculature intestinale, régule le fonctionnement du côlon.

♦ Le vin est un diurétique, particulièrement les vins blancs acides riches en tartrates et sulfates de potassium.

♦ Les vins de garde dans leur plénitude (après sept ans) ont un pouvoir bactéricide.

♦ L'absorption de 1,2 gramme d'alcool par jour et par kilogramme de poids est exagérée et dépasse les possibilités d'oxydation de l'alcool par l'organisme. L'alcool devient alors toxique.

Note : Il existe plusieurs ouvrages voués au vin et à la santé : du Dr E. Maure, *Soignez-vous par le vin* (Éditions Universitaires), *La Médecine par le vin* (Éditions Artulen), *Le Vin authentique* du Dr Sylvain Bihaut (Éditions Sang de la terre). Le Dr Martine Baspeyras a soutenu sa thèse sur ce thème et publié aux Éditions Minerve *Le Vin médecin, propriétés bénéfiques des vins rouges du Bordelais.*

DEUXIÈME PARTIE

LES GRANDS VIGNOBLES DE FRANCE

*Notre itinéraire à travers les vignobles de France
suit l'ordre géographique suivant :*

L'ALSACE
LA CHAMPAGNE
LA BOURGOGNE
LE BEAUJOLAIS
LE JURA
LA SAVOIE ET LE BUGEY
LA VALLÉE DU RHÔNE
LA PROVENCE
LA CORSE
LE LANGUEDOC-ROUSSILLON
LE SUD-OUEST
BORDEAUX
LE BERGERACOIS
COGNAC
LE PAYS NANTAIS
L'ANJOU ET SAUMUR
LA TOURAINE
LE BERRY ET LE NIVERNAIS
LE MASSIF CENTRAL

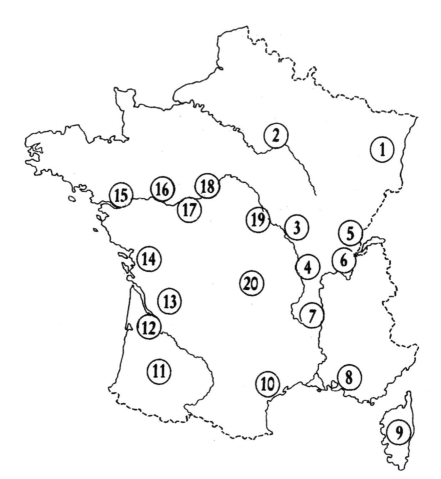

1 – L'Alsace
2 – La Champagne
3 – La Bourgogne
4 – Le Beaujolais
5 – Le Jura
6 – La Savoie et le Bugey
7 – La vallée du Rhône
8 – La Provence
9 – La Corse
10 – Le Languedoc-Roussillon

11 – Le Sud-Ouest
12 – Bordeaux
13 – Le Bergeracois
14 – Cognac
15 – Le Pays Nantais
16 – L'Anjou
17 – Saumur
18 – La Touraine
19 – Le Berry et le Nivernais
20 – Le Massif central

L'ALSACE

« ...Talia vineta on vidit in orbe poeta »
Un si grand vignoble aucun poète n'en vit nulle part au monde.

L'évêque Godefroy de Viterbo (XIIe siècle)

« Les vins généreux qui mûrissent sur les coteaux escarpés des Vosges sont conduits avec beaucoup de peine et à grands frais, soit sur des bateaux, soit par charrois chez les Souabes, les Bavarois, les Bataves, les Anglais et les Espagnols qui les paient à hauts prix. »

Jérôme Guebwiller (XVIe siècle)

« Un souffle bienvenu à travers tout le pays, des raisins à chaque pas et chaque jour meilleurs. Chaque maison paysanne avec des vignes jusqu'au toit, chaque cour avec une grande tonnelle pleine de raisins, un air céleste, tendre, chaud, un peu humide, on devient, comme les raisins, mûr et doux dans l'âme. »

Goethe (lettre à Madame von Stein - 1799)

Appellations d'origine contrôlée

ALSACE OU VIN D'ALSACE
ALSACE GRAND-CRU
CRÉMANT D'ALSACE

Liste des grands crus d'Alsace

ALTENBERG DE BERGBIETEN
ALTENBERG DE BERGHEIM
ALTENBERG DE WOLXHEIM
BRAND (Turckheim)
BRUDERTHAL (Molsheim)
EICHBERG (Eguisheim)
ENGELBERG (Dahlenheim)
FLORIMONT (Ingerskeim)
FRANKSTEIN (Dambach-la-Ville)
FROEHN (Zellenberg)
FURSTENTUM (Kientzheim
  et Sigolsheim)
GEISBERG (Ribeauvillé)
GLOECKELBERG (Rodern
  et Saint-Hippolyte)
GOLDERT (Gueberschwihr)
HATSCHBOURG (Hattstatt
  et Voegtlinshoffen)
HENGST (Wintzenheim)
KAEFERKOPF (Ammerschwihr)
KANZLERBERG (Bergheim)
KASTELBERG (Andlau)
KESSLER (Guebwiller)
KIRCHBERG DE BARR
KICHBERG DE RIBEAUVILLÉ
KITTERLÉ (Guebwiller)
MAMBOURG (Sigolsheim)
MANDELBERG (Mittelwihr)
MARCKRAIN (Bennwihr)

MOENCHBERG (Andlau et Eichhoffen)
MUENCHBERG (Nothalten)
OLLWILLER (Wuenheim)
OSTERBERG (Ribeauvillé)
PFERSIGBERG (Egulsheim)
PFINGSTBERG (Orschwihr)
PRAELATENBERG (Orschwiller
  et Kinaheim)
RANGEN (Thann)
ROSACKER (Hunawihr)
SAERING (Guebwiller)
SCHLOSSBERG (Kaysersberg
  et Kientzheim)
SHOENENBOURG (Riquewihr)
SOMMERBERG (Niedermorschwihr
  et Katzenthal)
SONNENGLANZ (Beblenheim)
SPIEGEL (Bergholtz et Guebwiller)
SPOREN (Riquewihr)
STEINERT (Pfaffenheim)
STEINGRUBLER (Wettolsheim)
STEINKLOTZ (Marlenheim)
VORBOURG (Westhalten et Rouffach)
WIEBELSBERG (Andlau)
WINECK-SCHLOSSBERG (Katzenthal)
WINZENBERG (Blienschwiller)
ZINNKOEPFLÉ (Soultzmatt
  et Westhalten)
ZOTZENBERG (Mittelbergheim)

LES VINS D'ALSACE

◆

◆ Les vins d'Alsace sont généralement présentés sous le nom du cépage dont ils doivent être issus à 100 %.

◆ En réalité, on ne compte en Alsace que trois appellations d'origine contrôlée : Alsace, ou Vin d'Alsace, Alsace Grand Cru, Crémant d'Alsace.

◆ La mention de l'un des sept cépages suivants peut figurer sur l'étiquette du vin d'Alsace : a) sylvaner, pinot blanc ou klevner, pinot noir ;
b) riesling, muscat d'Alsace, pinot gris ou tokay, gewurztraminer.

◆ La mention «edelzwicker» indique un vin d'Alsace issu du mélange des cépages nobles ci-dessus.

◆ L'appellation «Alsace» sans autre précision indique qu'il s'agit d'un vin issu du mélange de divers cépages y compris du cépage chasselas, voire des derniers ceps de muller-thurgau (en voie de disparition en Alsace).

◆ Seuls les vins issus des cépages énumérés en b) peuvent prétendre, s'ils en remplissent les conditions, à l'appellation Alsace Grand Cru, ainsi qu'éventuellement à l'une ou l'autre des mentions «vendanges tardives» et «sélection de grains nobles»

◆ La superficie du vignoble alsacien est d'environ 13 000 hectares.

◆ La production moyenne annuelle est d'environ 1 million d'hectolitres, soit 133 millions de bouteilles, représentant un chiffre d'affaires de plus de 1,8 milliard de francs.

◆ 93 % des vins sont blancs.

◆ La mise en bouteilles dans la région de production (Bas-Rhin et Haut-Rhin) est obligatoire. La bouteille type flûte d'Alsace contient 0,75 litre.

◆ Le marché national absorbe près de 70 % de la production, l'exportation les 30 % restants.

◆ L'AOC Crémant d'Alsace couronne l'alliance d'un ou plusieurs vins des cépages alsaciens et de la méthode dite «champenoise» ou «de deuxième fermentation en bouteille».

◆ Blanc de blancs, blanc de noirs, le rosé ne peut être que le fruit du pinot noir, vinifié en rosé.

Note : Le vignoble alsacien occupe les collines sous-vosgiennes situées sur la zone de rupture du massif qui jusqu'au quaternaire ne formait qu'un bloc avec la Forêt Noire. La plaine d'Alsace s'est façonnée par affaissements successifs, et les différentes couches géologiques horizontales de l'ancien terrain se sont trouvées morcelées en «lanières». La plupart des communes viticoles disposent ainsi de quatre ou cinq formations de terrains différents, convenant aux différents cépages.

33

LES VINS ET LES CÉPAGES

♦ Le sylvaner : sec et frais, léger, peut « perler » agréablement ; notes de tilleul, d'acacia, parfois finement citronnées. Meilleurs crus : le Zotzenberg (à Mittelbergheim), le Wiebelsberg à Andlau, etc. À boire avec fruits de mer, hors-d'œuvre alsaciens, quiche, charcuterie, etc.

♦ Le pinot blanc, ou klevner : sec, nerveux, il est cependant plus souple que le sylvaner ; même usage.

♦ Le riesling : sec, racé, subtil ; on décèle selon les années des arômes de coing, de citron, de tilleul, d'acacia, de miel... Un goût particulier, minéral, dit « de pétrole » est assez fréquent et nullement désagréable, il donne un accent curieux de terroir... C'est le vin préféré des connaisseurs alsaciens ! Il accompagne poissons fins en sauce ou grillés, choucroute, viandes blanches, terrines de poissons, tourte, etc.

♦ Le muscat d'Alsace : vin sec, développe de façon étonnante le parfum caractéristique du raisin frais de muscat croqué à cru... Il se boit à l'apéritif, ou bien avec asperges, entremets, moka, etc.

♦ Le pinot gris dit « tokay d'Alsace » : est sec, puissant et fin, opulent, corsé, ses arômes, floraux dans sa jeunesse, évoluent avec le temps vers ceux d'agrumes confits. Un vin digne des mets les plus raffinés, fins pâtés, confits, dinde de Noël, gibier à plume, foie gras...

♦ Le gewurztraminer : assez aromatique, il est généralement sec, charpenté, puissant, présentant un bouquet floral (violette, rose), de fruit (lychee, poire) ; toujours élégant avec ampleur. Il est très séduisant, surtout avec des mets typés : daurade à l'orange, volaille aux cinq parfums, aux câpres, foie frais aux raisins et les fromages forts, munster, par exemple.

♦ Le pinot noir : longtemps vinifié en rosé, on le rencontre aujourd'hui en vin rouge ; de charpente élégante, il est bouqueté et « pinote » avec un admirable accent alsacien. Il est tout indiqué pour prendre le relais des blancs sur les viandes rouges, les viandes rouges cuisinées (daube, etc.) et le gros gibier.

♦ Le klevener d'Heiligenstein : ce « klevener » est un savagnin rose, rapporté au XVIIIᵉ siècle d'Italie par Erhard Wantz, prévôt de la commune. Ce vin est donc différent des habituels klevners, il est plus fin, agréablement fruité mais évidemment rare ! Un joli piège à tendre à un dégustateur présomptueux !

♦ L'edelzwicker : ce n'est pas un cépage, mais le vin issu de l'assemblage de vins de plusieurs cépages. La nature et la proportion des cépages entrant dans sa composition font que chaque vin a sa propre personnalité : on peut le considérer comme « un vin d'auteur » !... Il est parfois vendu plus cher que sylvaner ou klevner. Malheureusement trop de producteurs le considèrent comme un... débouché pour leurs excédents.

Note : Certains vins jeunes, sylvaner ou klevner, peuvent présenter un « perlé » qui leur confère une légèreté et une fraîcheur exquises. La présence d'un peu de gaz

VIN D'ALSACE
APPELLATION ALSACE CONTRÔLÉE

PINOT NOIR D'ALSACE
CUVÉE À L'ANCIENNE

MIS EN BOUTEILLE À LA PROPRIÉTÉ
LES PROPRIÉTAIRES-RÉCOLTANTS A TURCKHEIM HAUT-RHIN FRANCE   70 cl
PRODUCT OF FRANCE

DOMAINES SCHLUMBERGER
ALSACE GRAND CRU

MARQUE DÉPOSÉE   PRODUCE OF FRANCE

KITTERLE 1985
RIESLING   "e" 750 ml
APPELLATION ALSACE GRAND CRU CONTRÔLÉE

MIS EN BOUTEILLE AUX DOMAINES SCHLUMBERGER
VITICULTEUR A GUEBWILLER (HAUT-RHIN) FRANCE

VIN D'ALSACE
APPELLATION   CONTROLÉE
ALSACE GILG
Sylvaner de Mittelbergheim
12% Vol.   ZOTZENBERG 1988   750 ml
MISE D'ORIGINE
ARMAND GILG et Fils Propriétaires-Viticulteurs
F - 67140 MITTELBERGHEIM

ALSACE GRAND CRU
APPELLATION ALSACE GRAND CRU CONTRÔLÉE
Grand   Cru   0,35 L
andré Blanck
RIESLING SCHLOSSBERG
Ancienne Cour des Chevaliers de Malte
GAEC ANDRÉ BLANCK et FILS PROP - VITIC À 68420 KIENTZHEIM - FRANCE
MISE EN BOUTEILLE À LA PROPRIÉTÉ

VIN D'ALSACE
APPELLATION ALSACE CONTRÔLÉE

W. GISSELBRECHT
FRANKSTEIN GRAND CRU
12% Vol.   RIESLING   700 ml
MIS EN BOUTEILLE PAR
WILLY GISSELBRECHT, A DAMBACH-LA-VILLE 67 ALSACE FRANCE
PRODUCT OF FRANCE

VIN D'ALSACE
APPELLATION ALSACE CONTRÔLÉE

GEWURZTRAMINER DE TURCKHEIM
Réserve du
Baron de Turckheim
LES PROPRIÉTAIRES-RÉCOLTANTS A TURCKHEIM HAUT-RHIN FRANCE

Vin d'Alsace
Wolfberger
RIESLING
APPELLATION ALSACE CONTRÔLÉE
1983
12% alcohol   750 cl

Alsace
Appellation Alsace contrôlée
Dopff
Gewurztraminer 1985
Vendange tardive
de nos propres vignobles de Riquewihr
4% Alc./Vol.   75 cl
Mis en bouteille aux domaines
Dopff, propr.-récoltant à au Moulin » à Riquewihr Haut-Rhin

carbonique résulte d'une mise en bouteilles précoce, pour des vins justement destinés à être appréciés dans leur prime jeunesse.

♦

ALSACE GRAND CRU, VENDANGES TARDIVES, SÉLECTION DE GRAINS NOBLES

♦

♦ L'appellation d'origine contrôlée Alsace Grand Cru concerne des vins issus de vendanges récoltées à l'intérieur de l'aire de production du vignoble alsacien, dans des terroirs préalablement délimités.

♦ On compte cinquante et un grands crus, situés tout au long de la route des vins d'Alsace, de Marlenheim à Thann.

♦ Les vins doivent être issus des quatre cépages : riesling, gewurztraminer, tokay pinot gris et muscat d'Alsace.

♦ Le degré minimum naturel est de 10° pour riesling et muscat, de 11° pour gewurztraminer et tokay pinot gris. Le rendement doit être au maximum de 70 hectolitres à l'hectare.

♦ Les mentions du cépage et du millésime sont obligatoires. L'AOC Alsace Grand Cru est généralement accompagnée du nom du lieu-dit.

♦ La mention « vendanges tardives », celle de « sélection de grains nobles » concernent les AOC Alsace et Alsace Grand Cru, issus de l'un des quatre cépages, obligatoirement mentionné (riesling, tokay pinot gris, gewurztraminer, muscat d'Alsace), présentant les richesses naturelles minimales respectives en sucre par litre de moût indiqués

dans le tableau page suivante. Ces vins, qui ne doivent faire l'objet d'aucun enrichissement, doivent présenter le titre alcoométrique volumique total correspondant à la richesse en sucre précisée (17 grammes = 1°).

♦ Les vins doivent avoir fait l'objet d'une déclaration préalable lors de la vendange auprès des services locaux de l'INAO (Institut national des appellations d'origine des vins et eaux-de-vie) et être présentés, dégustés et agréés à l'examen analytique et organoleptique sous leur mention particulière.

♦ Les vins « vendanges tardives » sont issus de raisins surmaturis. Les vins « sélection de grains nobles » sont obtenus par tris successifs des raisins atteints de « pourriture noble », c'est-à-dire de *Botrytis cinerea* (comme en Sauternais).

♦ Les Alsace Grand Cru représentent environ 10 % de la surface et 6 à 7 % de la production (moyenne d'environ 1 million d'hectolitres, soit sur plus de 133 millions de bouteilles, près de 8 millions de bouteilles d'Alsace Grand Cru).

♦ La production de vins « vendanges tardives » et « sélection de grains nobles » est évidemment plus irrégulière et plus difficile à chiffrer : il n'y en a pas chaque année. En 1985 et en 1988, elle a représenté respectivement 3 000 et 7 000 hectolitres. En 1989, ces chiffres seront probablement doublés. Ils restent modestes en volume tout en représentant une valeur non négligeable.

Note : Les Alsace Grand Cru portent au plus haut les vertus conjuguées d'un terroir et des hommes. Ils sont le fruit mystérieux de la rencontre des vins et de la gastronomie régionale suscitée par le terroir, expression matérielle d'un art de vivre.

Désignation	Mention « Vendanges tardives » (en g/l)	Mention « Sélection de grains nobles » (en g/l)
Gewurztraminer	243	279
Pinot gris	243	279
Riesling	220	256
Muscat	220	256

◆

HARMONIE DES METS ET DES VINS D'ALSACE
◆

◆ Apéritif
Deux vins sont particulièrement adaptés : le Crémant d'Alsace et l'Alsace-muscat. Le premier facilite mieux le service des vins suivants lors du repas. Le muscat, sec, rafraîchissant, est un vin de plaisir séduisant, à déguster dans la journée...

◆ Hors-d'œuvre, entrées
L'Alsace-sylvaner, léger, parfois perlant, frais, l'Alsace-pinot blanc, le Klevener (deux vins équilibrés, simples, souples et nerveux au bouquet typique et discret) font trois vins convenant sur les entrées, plateau de fruits de mer, coquillages, crudités, salades de toutes sortes, fritures et tous mets nécessitant le service d'un vin blanc sec.

◆ Entrées riches, foie gras, pâté en croûte truffé, etc.
Le tokay d'Alsace, qui appartient à la famille des pinots, est en réalité un pinot gris. Les grandes années lui confèrent un certain moelleux, un velouté qui fait merveille sur un foie gras. Vin généreux, corsé, ample, charnu, il peut éventuellement tenir la place d'un vin rouge tout au long d'un repas, notamment sur une viande blanche en sauce (coq, faisan, etc.).

♦ **Viandes blanches, volailles, petits gibiers, choucroute**

Spirituel, racé, triomphe du terroir alsacien, le riesling est le vin d'équilibre, voué à la plus fine cuisine. Son bouquet, sa puissance le destinent aux mets harmonieux du terroir. La truite au bleu, au beurre fondu comble l'amateur de riesling, le vin d'Alsace par excellence. Issu d'un grand cru, de vendanges tardives ou de sélection de grains nobles, il atteint les sommets du raffinement gourmand.

♦ **Viandes rouges, gibiers à poil**

Le pinot noir d'Alsace, vinifié en rosé et de plus en plus en vin rouge, n'est pas une nouveauté : il est connu de longue date et sa production fut à une époque beaucoup plus importante qu'aujourd'hui. Plus ou moins coloré, il est apprécié pour sa fraîcheur, son charme et son originalité. Il convient sur les viandes rouges, grillées ou rôties au four, sur le bækehof (même à base de viandes marinées dans le riesling), le gibier, etc.

♦ **Fromages, desserts**

Le gewurztraminer est certainement le plus célèbre et le plus apprécié des vins d'Alsace, les mauvaises langues disent «des non-connaisseurs»... Racé, corsé, avec parfois un fond de moelleux dans les grandes années, son bouquet puissant, élégant et affirmé laisse la bouche séduite par son parfum finement épicé. Il accompagne le homard à l'américaine, par exemple, mais surtout les fromages forts, roquefort et munster. Délicieux sur les tartes aux quetsches ou au fromage blanc, desserts typiquement alsaciens.

Les vins d'Alsace, de grand cru, de vendanges tardives ou de sélection de grains nobles, de millésimes fameux, seront réservés soit au service des desserts, soit à la dégustation libre, pour le plaisir, pour l'amitié... entre connaisseurs!

LES SENTIMENTS ET LES VINS D'ALSACE

Bonheur

Alsace tokay-pinot gris sélection de grains nobles.

Certes le bonheur ne se vend pas en bouteille, toutefois si vous avez la chance d'en partager une, d'un bon millésime, d'un grand cru d'Alsace, tokay-pinot gris sélection de grains nobles, avec la femme de votre vie ou entre bons amis également sélectionnés, le bonheur ne sera pas loin et vous en garderez longtemps le souvenir! Selon Épicure, le bonheur est fait du souvenir des jours heureux... Revenons à notre vin : symphonie de miel et de vanille, puissant dans la douceur exquise des parfums de fleurs, de fruits mûrs ou confits, il reste viril, tendre et charmeur. Un avant-goût de paradis. C'est un vin à déguster en fin de soirée, à l'heure si propice des confidences...

Extravagance

Alsace gewurztraminer sélection de grains nobles.

«L'extravagance du parfait» est une expression qu'on avait réservée à un grand Sauternes et plus particulièrement au plus grand, à une époque récente, mais antérieure à la bonne connaissance d'un vin d'Alsace Gewurztraminer, sélection de grains nobles. Pair d'Yquem, l'expression illustre fort bien ce vin d'Alsace grandiose, tout à fait extraordinaire au point qu'il mérite d'être dégusté pour lui-même, comme on le ferait d'une eau-de-vie rarissime. Il sera alors de mise lors d'une soirée prolongée, favorisera les confidences, les plus généreuses réflexions philosophiques, jusqu'à laisser entrevoir les félicités paradisiaques!

Constance

Alsace riesling vendanges tardives

Il est le vin préféré des connaisseurs; alsaciens ou non, de tous ceux qui aiment trouver dans un vin comme dans un être cher, un caractère solide, ferme et souple à la fois, avec un certain parfum, celui de la vertu. Nerveux, charpenté avec élégance, minéral, il présente une délicieuse persistance en bouche. Il accompagne tous les mets qui appellent un vin blanc de bonne structure : poissons en sauce, de mer ou de rivière, crustacés et fruits de mer, foie gras, gibier à plume, et forcément, la choucroute...

LA CHAMPAGNE

« Cloris, Eglé, me versant de leur main
d'un vin d'Aÿ dont la mousse pressée
De la bouteille avec force élancée
Comme un éclair fait voler son bouchon.
Il part, on rit ; il frappe le plafond,
De ce vin frais l'écume pétillante
De nos Français est l'image brillante. »

Voltaire

« ... Le vin de Beaune inspire plus de couplets d'amour, mais celui de Reims fait chanter en meilleure musique. Pour se porter d'or et demeurer joyeux, il faut à l'homme ces deux vins là, comme il lui faut ses deux jambes. »

D'après *le Marquis Friands*

« Ivre de Champagne
Je bats la campagne
Et vois de Cocagne
Le Pays charmant. »

Béranger

◆
APPELLATIONS EN CHAMPAGNE
◆

CHAMPAGNE
COTEAUX-CHAMPENOIS
ROSÉ DES RICEYS

♦
LE CHAMPAGNE CHIFFRÉ
♦

♦ La superficie du vignoble est actuellement de 29 502 ha, soit 21 700 hectares sur la Marne, 5 220 sur l'Aube, 1800 sur l'Aisne, plus quelques hectares sur la Seine-et-Marne et la Haute-Marne.

♦ Les trois cépages sont répartis de la façon suivante : 74 % de la surface en raisins noirs, avec autant de pinot noir que de pinot-meunier; 26 % de la surface en raisins blancs avec le chardonnay.

♦ La propriété du vignoble se répartit pour 87 % entre 18 000 déclarants de récolte (dont 14 900 vignerons) et pour 13 % entre soixante maisons de négoce, qui complètent leurs besoins en achetant des raisins auprès des vignerons.

♦ Sur les 14 900 vignerons :
- 55 % cultivent chacun moins de 1 hectare, soit 15 % du total,
- 20 % cultivent chacun de 1 à 2 hectares, soit 20 % du total,
- 12 % cultivent chacun de 2 à 3 hectares, soit 20 % du total,
- 9 % cultivent chacun de 3 à 5 hectares, soit 24 % du total,
- 4 % cultivent chacun plus de 5 hectares, soit 21 % du total.

♦ Plus de 4000 vignerons, directement ou par coopérative interposée, vinifient et commercialisent leur champagne, à leur marque. Ils totalisent près de 30 % des vendanges globales.

♦ Il existe 150 coopératives, réparties sur l'ensemble du vignoble champenois.

♦ Le négoce est constitué de 100 maisons de champagne, la plupart situées à Reims et Épernay ou aux environs.

♦ Les ventes en 1988 se sont élevées à 237 309 millions de bouteilles.

♦ Les stocks de vin en cave représentent en moyenne trois années de vente, soit environ 711 millions de bouteilles, qui reposent dans les quelque 200 kilomètres de caves champenoises.

♦ La défense des intérêts des vignerons est assurée par le Syndicat général des vignerons de la Champagne délimitée. Celle du négoce est assurée, d'une part, par le Syndicat de grandes marques et, d'autre part, par le Syndicat de négociants en vin de Champagne, l'un et l'autre groupés dans l'Union des maisons de Champagne, dont le siège est à Reims.

♦ Le Comité interprofessionnel du vin de Champagne (CIVC) a son siège à Épernay, 5, rue Henri-Martin (tél. 26.54.47.20). Il a pour mission d'assurer l'harmonie des rapports entre les vignerons et les négociants, de gérer leurs intérêts communs dans les domaines économique, technique et social et de veiller à la prospérité de l'interprofession et à la pérennité du vin de Champagne.

Note : En chiffres ronds et donc approximatifs, les maisons de Champagne et les récoltants se partagent presque par moitié le marché national (+ 12 % pour le négoce). Quant à l'exportation, les maisons de Champagne expédient douze à treize fois plus que les récoltants.

43

CHAMPAGNE, VIGNOBLES ET CRUS

♦ L'ensemble du vignoble champenois est divisé en plusieurs secteurs, subdivisés en quelque 300 crus, hiérarchisés selon une échelle allant de 100 à 80 % ; ce classement prend toute son importance puisqu'il sert de base pour le prix du kilo de raisins, lors des achats aux vignerons à la vendange par les maisons de négoce.

♦ La Montagne de Reims est l'un des trois premiers secteurs, situé entre Villers-Allerand et Bouzy, avec 8 grands crus (sur dix-sept). Des considérations d'ordre historique ne sont pas étrangères à cette situation particulièrement favorisée. Dans ce secteur, le pinot noir domine nettement.

♦ La vallée de la Marne va de Tours-sur-Marne (grand cru pour le pinot noir seulement) à Ay, grand cru ; le secteur se prolonge jusqu'à Damery, en passant par l'excellent terroir de Cumières, et s'achève au-delà de Château-Thierry (Aisne).

♦ La Côte des Blancs comprend les grands crus de Chouilly, Oiry, Cramant, Avize, Le Mesnil-sur-Oger et Oger, tous terroirs voués au chardonnay, donc au champagne blanc de blancs (vin blanc issu de raisins blancs).

♦ Au vignoble de l'Aube on reproche d'être loin du berceau du vin de Champagne ! Terroir éloigné, climat, altitude, sol différents n'empêchent nullement de produire d'excellents raisins qu'apprécient les maisons sparnaciennes et rémoises, d'excellents champagnes aussi, satisfaisant une clientèle fidèle.

♦ Les vignobles de la périphérie se trouvent dans la Marne, la Côte de Sézanne, la vallée du Petit-Morin, de l'Ardre et de la Vesle, la région de Château-Thierry, sans oublier de-ci de-là quelques îlots vineux comme celui de Bassuet, près de Vitry-le-François !

♦ C'est sur l'arrondissement de Bar-sur-Seine que se situent les trois hameaux formant la commune des Riceys, qui bénéficie de l'appellation Rosé des Riceys AOC, et par conséquent l'unique commune champenoise susceptible de présenter les trois appellations : Champagne, Coteaux-Champenois et Rosé des Riceys !

♦ La dispersion des terroirs à vin de Champagne justifie pleinement l'échelle des crus. Au fur et à mesure que l'on s'éloigne du « cœur » Reims-Épernay, la nature géologique se modifie. L'ensemble a toutefois, en quelques décennies, été tiré vers le haut... puisque le taux « plancher » de classement des crus, à l'origine de 50 %, est aujourd'hui de 80 %.

Note : La moyenne des températures pendant le cycle végétal ressort à 10°C, minimum nécessaire à la vigne. Les gelées printanières sont fréquentes. Si l'ensoleillement est suffisant, la richesse des raisins en sucre naturel est faible, d'où le faible titre alcoométrique des vins, et le choix historique de les faire blancs, plutôt que rouge pâle !

LA MÉTHODE CHAMPENOISE

♦ La vigne demande autant de soins que le plus beau jardin. Labours, amendements, le cycle commence avec la taille, en plein hiver...

♦ La floraison a lieu en juin, et la vendange cent jours après. La cueillette se fait à la main (vendanges mécaniques interdites) avec éventuellement élimination des grains verts ou abîmés.

♦ Sitôt cueilli, sitôt pressé! C'est la raison des nombreux vendangeoirs au milieu des vignes. C'est primordial pour les raisins rouges, le jus ne doit pas se teinter au contact des peaux noires des grains.

♦ Le raisin est pesé, l'unité traditionnelle de pressurage est de 4 000 kg. On en extraira au total 2 500 l. de moût.

♦ Généralement les moûts sont ensuite transportés dans les chais où se déroulera la vinification. Ils sont soigneusement identifiés, la cuvée (première pression), et la taille (deuxième pression) sont séparées, leur origine consignée.

♦ La vinification terminée, le vin devenu clair après soutirage, sa lente métamorphose en champagne va commencer avec la constitution de la «cuvée» : par l'assemblage de vins de différents terroirs et parfois de vins vieux, on recherche à la fois l'équilibre et la fidélité à un style propre à chaque marque.

♦ Si le vin doit porter son millésime, aucun vin vieux, «vin de réserve», ne peut entrer dans la cuvée.

♦ La cuvée constituée, les vins assemblés (jadis dans de vastes foudres, aujourd'hui en cuve de plusieurs milliers d'hecto-

litres), on y ajoutera une quantité calculée de sucre et de levures sélectionnées en vue de la deuxième fermentation, en bouteilles, dans lesquelles le vin est aussitôt tiré.

♦ Les bouteilles sont alors stockées, couchées, empilées horizontalement grâce à des lattes de bois (mises sur lattes). La seconde fermentation se fera lentement, grâce à la fraîcheur des caves (12°C). Le vin séjournera un an au moins à compter de la date du tirage, trois ans pour les vins millésimés.

♦ Le sucre sera transformé en alcool (1 %) sous l'action des levures et en gaz carbonique, les fines bulles qui feront l'un des charmes du champagne.

♦ Cette seconde fermentation aura naturellement provoqué un dépôt qu'il s'agit d'éliminer. Le «remuage» consiste à progressivement placer les bouteilles en position verticale afin d'amener le dépôt derrière le bouchon.

♦ Le goulot est plongé dans une solution réfrigérante : un glaçon se forme, emprisonnant le dépôt expulsé par la pression; le vide en résultant est remplacé par une proportion de vin de même nature, complété par une autre proportion de liqueur : 1 % pour le brut, 2 % à 3 % pour l'extra-sec, de 3 % à 5 % pour le sec, de 6 % à 8 % pour le demi-sec, de 8 % à 15 % pour le doux.

Certains vins de grande qualité ayant perdu leur acidité avec l'âge ne reçoivent aucune dose de liqueur. Ce sont, selon les marques, les « brut sauvage », « brut total», «brut absolu», «ultra brut», etc.

♦ La bouteille reçoit dès lors son bouchon définitif, toujours marqué «Champagne», et son habillage qui signe son authenticité.

Note : Jadis, faire sauter le bouchon faisait partie du cérémonial et «l'explosion» était perçue comme une salve d'honneur! Aujourd'hui ce bruit est devenu vulgaire sinon honteux et doit être évité. Pour ce faire on incline la bouteille qu'on fait tourner d'une main ferme, l'autre tenant le bouchon : il doit se libérer en douceur, dans un soupir!

♦

LES CHAMPAGNES

♦

Sur plus de deux cents millions de bouteilles «expédiées» chaque année désormais en France et dans le monde, quel est le nombre de cuvées différentes en nuances, goûts, accents, styles et degrés divers sur l'échelle conduisant vers l'absolue perfection?

Bilan impossible à dresser, il est plus raisonnable de simplifier le problème en distinguant trois grandes familles de vin de Champagne.

♦ *Champagne de type moderne :* vin léger, de plaisir immédiat, il est jeune, frais et pétillant, d'un esprit volontiers mordant. Il est le champagne des cuvées courantes, non millésimées, de toutes marques et représente la forte majorité de la production totale.

C'est le vin d'honneur, le vin de la fête, des réceptions, de l'apéritif et de tous les moments de détente.

♦ *Champagne de type romantique :* fin, délicat, ses perles microscopiques font partie intégrante de son charme. Alliage fragile de sérieux et de folie, il s'exprime dans une effervescence qui est peut-être l'âme même du vin, comme l'imagination, qui l'emporte souvent sur la raison dans toute œuvre d'art.

Les cuvées «spéciales» ou de prestige, millésimées ou non, relèvent de cette catégorie qui ne représente qu'environ 15 % du volume total. Vin des réunions intimes, des repas fins, des instants privilégiés de la vie.

♦ *Champagne de type classique :* fidèle au passé, il est d'abord un vin reflet subtil de son terroir, des gens et de l'année éventuellement. Conduit à parfaite maturité, il livre les secrets de son origine en des flaveurs délicates soulignées par une effervescence discrète, sorte d'apothéose, couronnement digne de la ville des sacres. Vin d'initié, il peut déplaire au profane, surpris par l'intensité d'expressions inhabituelles : sève, vinosité, flaveurs minérales, épicées, empyreumatiques, etc.

Ces vins, forcément de prix élevé, sont à déguster pour eux-mêmes, entre connaisseurs.

Ils sont le privilège de quelques marques, de quelques cuvées : Krug, Bollinger, Roederer, Salon...

♦ *Les champagnes qui n'en sont pas tout en en étant...*

Rien d'étonnant à ce que l'histoire du champagne fût tumultueuse ! D'abord vin tranquille, ses débuts dans l'effervescence ne furent pas sans remous et son apparition (entre 1668 et 1715) contestée. Aujourd'hui la situation est inversée. L'origine ne suffit pas, encore le vin doit-il être blanc ou rosé mais avant tout d'esprit pétillant.

♦ Coteaux-Champenois AOC vins rouges, rosés et blancs, ils perpétuent la tradition des vins de la consommation régionale. Ces vins, longtemps désignés « vins nature de la Champagne », ne bénéficient de l'appellation d'origine contrôlée que depuis le décret du 21 août 1974.

♦ Les conditions de production sont devenues identiques à celles du champagne, à cette différence qu'un vin déclaré à la récolte Champagne peut devenir Coteaux-Champenois, mais pas l'inverse.

♦ Le volume reste modeste, les producteurs préférant convertir leurs raisins en champagne plutôt qu'en Coteaux-Champenois dont la commercialisation est aléatoire.

♦ Il est en effet exceptionnel que les Coteaux-Champenois présentent un bon rapport qualité prix !... Quand cela est, ils répondent au propos d'un auteur du XVIIIe siècle sur le vin rouge de Champagne : « En fait de vin comme en fait d'esprit, l'union de la solidité et de la délicatesse est le comble de la perfection. »

♦ Rosé des Riceys AOC : située à une quarantaine de kilomètres de Troyes, au sud de Bar-sur-Seine, l'aire d'appellation Rosé des Riceys comprend 350 hectares superposés sur celle d'environ 520 hectares de Champagne. Les parcelles sont toutes situées sur sol kimméridgien, à mi-coteaux. Le raisin doit présenter une richesse minimale en sucre naturel de 170 grammes par litre de moût, soit un potentiel de 10°. On ne fait donc pas du Rosé des Riceys chaque année, mais seulement les meilleures années.

♦ L'élevage, en cuve, en foudre ou en barrique, modifie le type de vin mais non son goût spécifique très identifiable ; le Rosé des Riceys en cela est un vin unique en son genre.

HARMONIE DES METS ET DES VINS DE CHAMPAGNE

♦ **Apéritif**
Le champagne est certainement le plus apéritif, le plus convivial des vins ! On le choisira léger, fin, un blanc de blancs, par exemple, en tout cas un champagne délicat, brut, moderne, vif et servi frais (10°C maximum).

♦ **Entrées, hors-d'œuvre**
L'identique de celui servi en apéritif, ou un autre vin, léger, non millésimé, selon la nature et le plus ou moins grand raffinement des entrées : huîtres nature ou cuisinées avec caviar... dans ce dernier cas un vin millésimé peut s'imposer. Avec un foie gras en croûte, etc., un champagne de cuvée spéciale sera nécessaire.

♦ **Poissons de rivière, de mer cuisinés**
Champagne brut, de bonne cuvée.

♦ **Viandes, rouges ou blanches**
Un vin corsé, de grande cuvée, millésimé, sera choisi ; un rosé sera encore mieux adapté et mieux accueilli ; champagne brut, naturellement, et si possible rosé de macération.

♦ **Fromages** (de préférence champenois ou presque : brie, maroilles, chaource)
Même vin que précédemment.

♦ **Desserts**
Choisi spécialement soit un vin demi-sec avec le sucré, ou mieux, un vin d'un très ancien millésime...

Un repas tout au champagne peut être une véritable fête, mais il est nécessaire de prévoir une succession de saveurs tant dans les vins que dans les mets, en cherchant toujours une progression des richesses d'expressions.

LES SENTIMENTS ET LES VINS DE CHAMPAGNE

Érotisme Champagne rosé

Un guéridon habillé d'une nappe damassée; porcelaine, cristaux et argenterie dont un superbe chandelier faisant scintiller les parures de la table; enfin un seau cristallin à champagne flanqué d'une bouteille translucide aux nuances rosées... Pas besoin de beaucoup d'imagination pour deviner les prémices d'un tête-à-tête amoureux! Le champagne rosé est le vin par excellence voué au culte d'Aphrodite. C'est lui que vous choisirez en de si délicieuses circonstances, car il est le vin magique sachant donner le ton poétique convenant au dîner amoureux! Et que la fête, intime, commence sur un air de caviar ou de foie gras (mais surtout pas les deux) et en tous cas se poursuive sur les mets les plus raffinés... jusqu'au bonheur suprême!

Déclaration (d'amour!)

Champagne d'une cuvée de prestige

Pas de mesquinerie : le flacon doit être à la mesure de votre passion, un magnum au moins, et mieux un mathusalem pour en suggérer la durée... Il s'agira d'une de ces cuvées de prestige dont chaque maison a le secret, cuvée généralement présentée dans une bouteille aux formes anciennes, habillée avec recherche. Un champagne blanc de blancs est tout indiqué, qui sera servi dès l'apéritif, puis sur des entrées choisies à dessein. Normalement, les yeux de l'élue devraient pétiller de bonheur...

51

Fidélité
Coteaux-Champenois

Rouges, rosés ou blancs, les vins de nos coteaux champenois, vins tranquilles, témoignent, avec une fidélité à toute épreuve, du passé quand les vins d'Aÿ étaient dits «clairelets, fauvelets, subtils et délicats» (Maison Rustique, 1658). Ils ignoraient la mousse, évitée comme un vilain défaut. Ces vins d'antan existent toujours en très petite quantité; dans les années chaudes ils sont tout à fait merveilleux et ne peuvent être comparés à nuls autres pareils : secs, nerveux, imprégnés de leur terroir minéral, calcaire, ils présentent un léger fumet de craie et de silex. Cette fidélité au passé n'a pas de prix, ou plutôt en a un, assez élevé il faut l'avouer, comme toute pièce authentique du passé.

LA BOURGOGNE

« Heureuse Bourgogne, elle peut bien s'appeler la mère des hommes, puisqu'elle porte un pareil lait. »

Érasme

« Rien ne me fait voir l'avenir couleur de rose comme de le contempler à travers un verre de Chambertin. »

Alexandre Dumas

« Chère feuillette bourguignonne
Qui loge dans ton sein la vermeille santé,
Les plaisirs innocents, les douces libertés
Et que d'amours badins, une troupe environne,
Je veux te consacrer ces vers,
C'est toi qui d'un muet peut faire un Démosthène,
Qui peut à l'idiot, sans étude et sans peine
Donner en un instant mille talents divers. »

La Monnoye

APPELLATIONS D'ORIGINE CONTRÔLÉE
DES VINS DE BOURGOGNE

◆

ALOXE-CORTON
AUXEY-DURESSES
BÂTARD-MONTRACHET
BEAUNE
BIENVENUES-BÂTARD-
  MONTRACHET
BLAGNY
BONNES-MARES
BOURGOGNE
BOURGOGNE-ALIGOTÉ
BOURGOGNE-ALIGOTE-BOUZERON
BOURGOGNE-CLAIRET
BOURGOGNE-CLAIRET-HAUTES-
  CÔTES-DE-BEAUNE
BOURGOGNE-CLAIRET-HAUTES-
  CÔTES-DE-NUITS
BOURGOGNE-CÔTE
  CHALONNAISE
BOURGOGNE-HAUTES-CÔTES-
  DE-BEAUNE
BOURGOGNE-HAUTES-CÔTES-
  DE-NUITS
BOURGOGNE-IRANCY
BOURGOGNE MOUSSEUX
BOURGOGNE-PASSETOUTGRAINS
BOURGOGNE ROSÉ
BOURGOGNE ROSÉ-HAUTES-
  CÔTES-DE-BEAUNE
BOURGOGNE ROSÉ-HAUTES-
  CÔTES-DE-NUITS
CHABLIS
CHABLIS PREMIER CRU
CHABLIS GRAND CRU
CHAMBERTIN
CHAMBEREN-CLOS-DE-BÈZE
CHAMBOLLE-MUSIGNY
CHAPELLE-CHAMBERTIN
CHARMES-CHAMBERTIN

CHASSAGNE-MONTRACHET
CHASSAGNE-MONTRACHET
  (PREMIERS CRUS)
CHEVALIER-MONTRACHET
CHOREY-LÈS-BEAUNE
CLOS-DES-LAMBRAYS
CLOS-DE-LA-ROCHE
CLOS-DE-TART
CLOS DE VOUGEOT
CLOS-SAINT-DENIS
CORTON
CORTON-CHARLEMAGNE
CÔTE-DE-BEAUNE
CÔTE-DE-BEAUNE, précédé du nom de la
commune d'origine (15)
CÔTE-DE-BEAUNE-VILLAGES
CÔTE-DE-NUITS-VILLAGES
CRÉMANT DE BOURGOGNE
CRIOTS-BÂTARD-MONTRACHET
ÉCHEZEAUX
FIXIN
GEVREY-CHAMBERTIN
GINRY
GRANDS-ÉCHÉZEAUX
GRIOTTE-CHAMBERTIN
LADOIX
LA GRANDE-RUE
LATRRICIÈRES-CHAMBERTIN
MÂCON BLANC
MÂCON ROUGE
MÂCON-VILLAGES
MÂCON SUPÉRIEUR
MÂCON, suivie du nom de la commune
d'origine (43)
MARSANNAY
MAZIS-CHAMBERTIN
MAZOYÈRES-CHAMBERTIN
MERCUREY

MEURSAULT
MONTAGNY
MONTHÉLIE
MONTRACHET
MOREY-SAINT-DENIS
MUSIGNY
NUITS OU NUITS-SAINT-GEORGES
PERNAND-VERGELESSES
PETIT-CHABLIS
PINOT-CHARDONNAY-MÂCON
POMMARD
POUILLY-FUISSÉ
POUILLY-LOCHÉ
POUILLY-VINZELLES
PULIGNY-MONTRACHET
RICHEBOURG

ROMANÉE (LA)
ROMANÉE-CONTI
ROMANÉE-SAINT-VIVANT
RUCHOTTES-CHAMBERTIN
RULLY
SAINT-AUBIN
SAINT-AUBIN (PREMIERS CRUS)
SAINT-ROMAIN
SAINT-VÉRAN
SANTENAY
SAVIGNY OU SAVIGNY-LÈS-BEAUNE
TÂCHE (LA)
VOLNAY
VOLNAY-SANTENOTS
VOSNE-ROMANÉE
VOUGEOT

◆

APPELLATION D'ORIGINE
VINS DÉLIMITÉS DE QUALITÉ SUPÉRIEURE

◆

SAUVIGNON-DE-SAINT-BRIS

♦ La Bourgogne viticole comprend les vignobles de l'Yonne, avec Chablis pour capitale, de la Côte-d'Or avec Beaune pour centre, de la Saône-et-Loire dont Mâcon demeure le chef-lieu. Le Beaujolais ne dépend pas du BIVB, le Bureau interprofessionnel des vins de Bourgogne.

♦ Les trois départements « bourguignons » représentent : 1 million d'hectolitres, répartis en 130 appellations, plus de 4 500 domaines viticoles, 22 caves coopératives, 120 maisons de vin, un chiffre d'affaires de 3,5 milliards de francs.

♦ Les appellations d'origine dans une hiérarchie croissante vont du général au particulier :

– appellation générale : Bourgogne, rouge, rosé ou blanc, produit selon des normes définies sur l'ensemble de l'aire ;

– appellation générale plus indication d'une commune : Bourgogne-Irancy ;

– appellations régionales : Côte-de-Beaune-Villages, Côte-Chalonnaise, Hautes-Côtes-de-Beaune, Hautes-Côtes-de-Nuits ;

– appellations sous-régionales : Côte-de-Beaune, Côte-de-Nuits ;

– appellations communales : Vosne-Romanée, Mercurey, Pouilly-Fuissé ;

– appellations de crus : Chambertin, Richebourg, Montrachet.

♦ Cas particuliers.

Bourgogne-Aligoté : vin issu du cépage aligoté, produit sur l'ensemble de l'aire d'appellation Bourgogne.

Bourgogne-Aligoté-Bouzeron : vin issu du cépage aligoté uniquement et produit sur le territoire délimité de Bouzeron (Saône-et-Loire).

Bourgogne-Passetoutgrains : un tiers pinot, deux tiers gamay, produit sur l'ensemble de l'aire d'AOC Bourgogne.

Crémant-de-Bourgogne : vin blanc ou rosé issu des cépages bourguignon et récoltés sur l'aire d'AOC Bourgogne. Bourgogne Mousseux rouge.

♦ La hiérarchie des crus se vérifie dans celle des prix, sans toutefois suivre une courbe parallèle : le rapport qualité/prix s'améliore au fur et à mesure qu'on rejoint la base !... Si les « grandes » appellations ne sont pas rares, leur volume est réduit et les prix inversement proportionnels.

♦ Cette même hiérarchie se maintient en revanche dans les durées de conservation, à égalité de bonnes conditions : de cinq à vingt-cinq ans... selon appellations et millésimes.

Note : Deux grands cépages font les grands vins de Bourgogne : le pinot noir en vin rouge et le chardonnay en vin blanc. Parmi les autres cépages secondaires, on trouve, en vin rouge, pinot beurot (toléré, version grise du pinot noir), gamay noir à jus blanc (passetoutgrains), césar (dans la région auxerroise) ; en vin blanc, aligoté, pinot blanc, et sacy en région auxerroise.

CHABLIS ET L'AUXERROIS

◆ Situé à une vingtaine de kilomètres à l'est d'Auxerre, le vignoble de Chablis occupe sur 2 000 hectares les coteaux des deux rives de l'affluent de l'Yonne, le Serein; sol de marnes calcaires (kimmeridgien). Un seul cépage le chardonnay, dit «beaunois».

◆ On distingue quatre appellations.

– Chablis Grand Cru : 90 hectares sur les communes de Chablis, Fyé et Poinchy, sur sept lieux-dits : Blanchots, Bougros, les Clos, Grenouilles, les Preuses, Valmur, Vaudésir ; vins de grande garde, évoluant bien, saveurs amples, arômes intenses; plénitude vers dix ans; garde jusqu'à vingt ans, selon le millésime.

– Chablis Premier Cru : 450 hectares sur vingt-sept lieux-dits, à boire dans les cinq à douze ans, selon l'année.

– Chablis : 1 350 hectares sur dix-neuf communes ; vins frais, plus légers ; plénitude entre trois et cinq ans.

– Petit-Chablis : 110 hectares; vif, léger, à boire dans les deux ou trois ans.

◆ Richesse d'expressions, années de garde, prix et vocations gastronomiques suivent des courbes divergentes : du foie gras, poissons en sauce crémeuse, viandes blanches, aux fruits de mer, charcuteries, escargots et fromages de chèvre...

◆ Mis à part Chablis, le vignoble auxerrois est situé principalement au sud-sud-est d'Auxerre, sur les deux rives de l'Yonne, ainsi qu'en quelques îlots vineux, Joigny (côte Saint-Jacques), Vézelay, sans oublier le clos de la Chaînette, à Auxerre même.

◆ Le bourgogne-Aligoté de Chitry et Saint-Bris jouit d'une réputation flatteuse, de même que leur Bourgogne blanc. Les Bourgognes rouges de Saint-Bris, Coulanges et Chitry sont réputés pour leurs arômes floraux, très fins. Le Bourgogne-Irancy (pinot noir et césar) est de bonne garde. À signaler : le VDQS Sauvignon-de-Saint-Bris.

◆ Saint-Bris et Chitry forment un secteur producteur de Crémant de Bourgogne de qualité.

Note : Les vignobles de la vallée du Serein avec Chablis, et de la vallée de l'Yonne de Cravant à Champs-sur-Yonne, en passant par Irancy, Chitry et Saint-Bris-le-Vineux sont tout ce qui reste du vaste vignoble auxerrois qui étonnait tant le voyageur de jadis. Le mildiou puis le phylloxéra en ont eu raison!

◆
CÔTE DE NUITS, HAUTES CÔTES DE NUITS
◆

♦ Le vignoble de la Côte de Nuits s'étend sur 1 300 hectares du sud de Dijon jusqu'à Corgoloin. Sols de silice, calcaire, marnes argiles schisteuses en combinaisons et proportions variables d'où la grande multitude de «climats», ou lieux-dits.

♦ L'échelle des crus est la suivante, par ordre croissant.

– AOC Côte-de-Nuits-Villages : vins récoltés sur les villages ou parties de villages de Fixin, Brochon, Prissey, Premeaux, Comblanchien et Corgoloin ;

– AOC communales : Fixin, Marsannay-la-Côte, Gevrey-Chambertin, Morey-Saint-Denis, Chambolle-Musigny, Vougeot, Vosne-Romanée et Nuits-Saint-Georges ;

– AOC grands crus : aussi nombreux que célèbres ; sur Gevrey-Chambertin : Chambertin, Clos-de-Bèze, Charmes-Chambertin, etc. ; sur Morey-Saint-Denis : Clos-de-la-Roche ; sur Chambolle-Musigny : Musigny, Bonnes-mares ; sur Vougeot : Clos de Vougeot ; à Vosne-Romanée : les Romanée-Conti, Richebourg, etc.

♦ Si les vins de Chambolle-Musigny, Morey-Saint-Denis et Vosne-Romanée sont souples et fins, «féminins», dit-on, la plupart des grands crus allient la puissance, l'équilibre et la complexité des arômes, soutenus par une solide mais élégante charpente. Vins de grandes gardes, selon la hiérarchie des appellations, de cinq à dix ou vingt-cinq ans...

♦ Les vins des Hautes Côtes de Nuits sont la transcription sur un registre plus simple des vins de la Côte. Plus rapidement prêts à la dégustation (trois ou quatre ans) ils réjouissent l'amateur sensible au rapport qualité prix...

♦ La production de vins blancs est insignifiante en Côte de Nuits et ne présente qu'environ 10 % en Hautes Côtes de Nuits. Marsannay-la-Côte présente une petite production d'un rosé très apprécié.

♦ Les rares blancs étant issus du chardonnay, tous les vins rouges de la Côte de Nuits, issus du seul pinot noir, se caractérisent selon les appellations, millésimes et âges par une robe plus ou moins sombre, des arômes de nature animale (fourrure, gibier, viscères), des saveurs fermes relevées par une bonne acidité.

Note : La température des vins en général et peut-être de ceux de Bourgogne en particulier est un élément important au moment du service : les blancs ne doivent pas être servis glacés, mais vers 10°C à 12°C, compte tenu qu'ils se réchaufferont dans le verre. Les vins rouges seront mis sur table ou présentés à 15°C environ. C'est relativement frais, par rapport à la température d'une salle à manger à près de 20°C !... C'est une erreur commune que de les servir soi-disant «chambrés», dans une pièce surchauffée... Buvez frais! disait Rabelais, le bon maître!

N° 003257

CASTEVINAGE

Côte de Beaune 1982
APPELLATION CONTROLÉE

Ce vin, sélectionné en 1984 par les Jurés-Gourmets de la
Confrérie des Chevaliers du Tastevin®
a été tiré et mis en bouteille par
Lycée Agricole & Viticole
VITICULTEUR À BEAUNE (CÔTE-D'OR)

75 cl

Récolte 1986

Pommard Rugiens
1ᵉʳ CRU
APPELLATION POMMARD 1ᵉʳ CRU CONTRÔLÉE

Hubert de MONTILLE
Propriétaire à Volnay (Côte-d'Or)
12% vol.   75 cl

Domaine Laroche
1987
Chablis Premier Cru
LES FOURCHAUMES
APPELLATION CHABLIS PREMIER CRU CONTRÔLÉE
Vieilles Vignes   12,5% VOL.
Domaine Laroche Propriétaire Récoltant
à l'Obédiencerie de Chablis 89800   750 ml

VIN DE BOURGOGNE

PRODUCT
OF FRANCE

Pouilly=Fuissé
Appellation Pouilly-Fuissé Contrôlée

Domaine Corsin

750 ml   13,5% vol.
MISE EN BOUTEILLES PAR
S.C.E.A. Domaine CORSIN, Propriétaire-Récoltant à (Pouilly)
F 71960 Fuissé - Tél. 85 35 83 69

Château de Chamirey
MERCUREY
Appellation Mercurey contrôlée

Marquis de JOUENNES d'HERVILLE
Propriétaire

75 cl e

◆

CÔTE DE BEAUNE, HAUTES CÔTES DE BEAUNE

◆

◆ Le vignoble de la Côte de Beaune s'étend sur près de 3 000 hectares du territoire de seize communes, dont quatorze déclarent vins blancs et rouges, deux seulement du rouge, Volnay et Pommard. La Côte débute à Ladoix et Aloxe-Corton et se prolonge jusqu'à Santenay et le coteau des Maranges.

◆ En parallèle avec la Côte de Nuits, l'échelle des crus propose par ordre croissant :

– AOC Côte-de-Beaune-Villages, pour les rouges seulement ; pas de « premier cru » ; à l'exception des communes de Beaune, Aloxe-Corton, Pommard et Volnay, les vins peuvent provenir de l'une ou l'autre des communes de la Côte ; un producteur, par exemple, de vin rouge sur Saint-Romain peut appeler son vin : Saint-Romain, ou Saint-Romain-Côte-de-Beaune, ou encore Côte-de-Beaune-Villages ;

– AOC communales : Volnay, Meursault, Santenay, etc. ; vins rouges et blancs, les premiers crus sont désignés par le nom de la commune suivi du nom de la parcelle (ou « climat ») ;

– AOC grands crus : en rouge, Corton, uniquement ; en blanc, Montrachet, Bâtard-Montrachet, Bienvenues-Bâtard-Montrachet, Chevalier-Montrachet, Criots-Bâtard-Montrachet, Corton-Charlemagne, Corton.

◆ Les caractéristiques et les vocations gastronomiques de ces vins sont multiples.

En vins rouges : Savigny, Chorey, Ladoix, Pernand-Vergelesses, la plupart des Beaunes et des Volnays, Auxey-Duresses et Saint-Aubin présentent des vins souples et légers, qui représentent assez bien le type de vin de la Côte de Beaune. Aloxe-Corton, Monthélie, Chassagne-Montrachet, Santenay, certains Beaunes et les Maranges sont corsés, assez fermes et de bonne garde.

Pommard et Corton, du moins sur certains climats, sont des vins tanniques, fermes et de longue garde.

◆ Les Hautes Côtes de Beaune se distinguent de la Côte de Beaune en ce sens qu'elles produisent davantage de vin rouge que de blanc. Les vins, rouge sombre, aux arômes de petits fruits, évoluent vers des saveurs plus puissantes relevées par une bonne acidité et des tannins toujours présents. Les vins blancs sont de structure élégante et solide.

◆ C'est en Côte de Beaune que naissent les plus grands vins blancs de Bourgogne. Rendement, terroir, vinification, élevage sont chacun des éléments qui font la différence entre un bon, un très bon, un grandissime vin blanc, entre un Bourgogne blanc et un Montrachet...

Note : Autour des aires rigoureusement délimitées des appellations communales ou de grands crus, de nombreuses parcelles de bonne vigne donnent des vins d'appellation régionale, Bourgogne, Bourgogne-Aligoté selon le cépage. Naturellement cette situation est plus fréquente en Auxerrois et en Saône-et-Loire qu'en Côte d'Or, Côte de Nuits et Côte de Beaune.

◆
LA CÔTE CHALONNAISE
◆

◆ Prolongement de la Côte de Beaune, la Côte chalonnaise a toujours désigné les vignobles situés à l'ouest de Chalon, parmi lesquels se distinguent les appellations communales de Rully, Mercurey, Givry et Montagny. Il faut y ajouter Bouzeron, avec l'AOC Bourgogne-Aligoté-Bouzeron, exemple unique d'appellation où s'additionnent l'appellation régionale, le cépage et la commune productrice.

◆ Le vignoble, dans ce vaste secteur, n'est pas limité à ces appellations communales : la production de vins rouges, blancs et rosés d'AOC Bourgogne est importante.

◆ Un décret a défini les conditions de production des vins bénéficiant de la nouvelle AOC Côte-Chalonnaise, qui concerne 44 communes de Saône-et-Loire.

◆ Une partie de l'aire d'appellation de Santenay comme la nouvelle appellation Maranges, qui concerne les trois communes ayant en commun le coteau des Maranges, sont situées en Saône-et-Loire, mais n'en font pas moins partie intégrante de la Côte de Beaune.

◆ L'appellation Montagny ne concerne que le vin blanc ; issu du Chardonnay, le Montagny fin et léger s'apparente au Pouilly-Fuissé ; sans toutefois en avoir l'ampleur, il en a la finesse et la robe d'or vert.

◆ Rully est à l'origine de la production de mousseux, aujourd'hui appelé Crémant de Bourgogne. L'appellation Rully ne concerne que les vins tranquilles, rouges et blancs en production égale. Givry produit dix fois plus de rouge que de blanc.

◆ Le Bourgogne-Aligoté-Bouzeron présente un niveau de qualité très au-dessus de la moyenne, raison pour laquelle l'appellation particulière lui a été accordée.

◆ On peut dire que dans l'ensemble les vins de la Côte chalonnaise présentent un excellent rapport qualité prix. S'ils n'ont pas la puissance et l'ampleur de ceux de la Côte de Beaune, ils ont autant de richesses aromatiques nuancées et de flaveurs subtiles, propres au vin de pinot noir sur ses terroirs de prédilection.

Note : La Côte chalonnaise va de Chagny à Saint-Gengoux-le-National, soit un territoire d'une quarantaine de kilomètres de long sur dix à quinze de large. Au-delà de Saint-Gengoux commence le Mâconnais, où dominent les vins blancs, tranquilles ou effervescents. Les sols sont calcaires ou argilo-calcaires ; quand ils deviennent granitiques nous sommes dès lors en Beaujolais.

◆

LE MÂCONNAIS

◆

◆ L'aire d'appellation Mâcon commence au sud de Tournus et s'achève dès que le calcaire cède la place au granitique sur lequel règne le Beaujolais.

◆ Les vins blancs dominent en Mâconnais et leur qualité va en augmentant au fur et à mesure qu'on approche et qu'on dépasse Mâcon : c'est au sud-ouest de Mâcon que prospèrent les appellations communales Pouilly-Fuissé (la plus appréciée), Saint-Véran et les Pouilly-Loché, Pouilly-Vinzelles.

◆ Les AOC Mâcon et Mâcon-Supérieur affectent plus les vins rouges que les blancs, Mâcon-Villages davantage les blancs que les rouges.

◆ Le niveau de qualité des vins rouges n'atteint que rarement celui des blancs : secs, vifs sans agressivité, équilibrés, ils présentent des flaveurs florales ou fruitées s'équilibrant avec corps et acidité. Ils sont souvent d'un remarquable rapport qualité/prix.

◆ Les vins issus du pinot noir peuvent porter l'appellation Bourgogne. On trouve plus fréquemment l'appellation Passetoutgrains (un tiers de pinot et deux tiers de gamay).

◆ L'appellation Saint-Véran, créée en 1971, intéresse huit communes autour de Saint-Vérand (avec un "d"). Auparavant les vins blancs de ce secteur étaient pour la plupart commercialisés sous l'appellation Beaujolais, et ces beaujolais blancs constituaient une certaine attraction (naturellement ils sont issus du chardonnay et non pas du gamay!).

◆ Région pittoresque, vallonnée et touristiquement passionnante, le Mâconnais est méconnu et ses vins blancs sous-estimés. Les Crémants de Bourgogne du Mâconnais sont spécialement attractifs.

Note : Rouges ou blancs, les vins du Mâconnais ne sont pas destinés à mûrir, mais à être dégustés dans la fraîcheur de leur jeunesse. Toutefois, les pouillys gagnent à attendre deux ou trois ans et le Pouilly-Fuissé davantage selon le millésime (les 1985 étaient parfaits à fin 1989).

◆

HARMONIE DES METS ET DES VINS DE BOURGOGNE
◆

La gamme des vins de Bourgogne est prodigieuse et permet toutes possibilités, toutes nuances à des prix tout aussi variés Nous avons donc simplifié et proposé par groupe de mets plusieurs vins de classes et donc de prix différents.

◆ Apéritif
Crémant de Bourgogne, Bourgogne-Aligoté, Bourgogne blanc, Petit-Chablis, Hautes-Côtes-de-Beaune blanc, Hautes-Côtes-de-Nuits blanc, Mâcon, Mâcon-Villages, etc.

◆ Entrées, crudités, charcuteries et autres mets simples
Bourgogne-Aligoté, Bourgogne-Aligoté-Bouzeron, Chablis, Bourgogne blanc.
Bourgogne rouge, Bourgogne-Irancy, Bourgogne Hautes-Côtes-de-Nuits rouge, Hautes-Côtes-de-Beaune rouge, Marsannay rosé.

◆ Entrées cuisinées, nécessitant un vin blanc
(Beignets de poisson, crabe mayonnaise, crabe farci, coquillages cuits, coquilles saint-jacques, escargots, grenouilles, cervelas en brioche, etc.)
Chablis Premier Cru, Mercurey blanc, Rully, Montagny, Meursault, etc.

◆ Entrées cuisinées, nécessitant un vin rouge
(Petits pâtés feuilletés, caillette de l'Ardèche ou de Chabeuil – Drôme –, tourte lyonnaise.)
Marsannay rouge, Fixin, Rully, Givry, Passetoutgrains, etc.

◆ Poissons frits, grillés (soles)
Bourgogne blanc, Bourgogne-Aligoté-Bouzeron, Montagny, Pouilly, Saint-Véran, etc.

◆ Poissons cuisinés, en sauce
(Alose, filets de barbue dugléré, brochet, dorade, esturgeon, etc.)
Chablis Grand Cru, Meursault, Corton-Charlemagne, Pouilly-Fuissé.

◆ Crustacés, coquillages, mollusques
Idem.

◆ Volailles, lapin
Certaines préparations s'accommodent aussi bien d'un vin blanc que d'un rouge, voire d'un rosé : par exemple, un caneton braisé aux petits pois nouveaux avec un Pouilly-Fuissé, un Chablis ou un Côte-de-Beaune.

♦ Viande de boucherie, gibiers

Les vins de la Côte de Nuits : Gevrey-Chambertin, Côte-de-Nuits-Villages, les crus, Clos de Vougeot, Chambertin.

Ces vins seront conservés pour le service des fromages.

♦ Desserts

Après les grands bourgognes, il n'y a pas de vin de Bourgogne pouvant convenir ; il faut chercher ailleurs : gewurztraminer de vendanges tardives, Sauternes, etc., sauf Crémant de Bourgogne demi-sec, ou pour créer la surprise un Bourgogne rouge Mousseux, mais sur une rustique tarte aux pommes.

LES SENTIMENTS ET LES VINS DE BOURGOGNE

Phantasme

Romanée-Saint-Vivant
(on peut aussi rêver de la Romanée-Conti

La Romanée-Saint-Vivant et quelques autres voisins immédiats font partie du domaine... du rêve, qui ne peut, à la rigueur, être vécu que par seulement quelque milliardaire chanceux. Les plus grands restaurants du monde n'en ont pas tous à leur carte, et quand ils en ont, c'est à des prix pouvant semer le doute sur votre santé mentale. Cela dit, n'en jamais boire ne saurait empêcher de vivre heureux. La plus petite gorgée à 1500 francs ne pourrait que gâcher le rêve. Ce qui n'empêche nullement d'imaginer leurs richesses en arômes paradisiaques et la perfection de leur bouquet extraordinaire où se mêlent les parfums d'épices les plus rares et les arômes de fruits inconnus. À déguster à la table des fées et autres bons et généreux génies...

**B
O
U
R
G
O
G
N
E**

65

Orgueil
Montrachet

Tout le contraire de la modestie, le sublime Montrachet passe pour le plus grand vin blanc sec du monde. Son prix est en rapport avec sa réputation prestigieuse. Vous étonnerez à coup sûr vos invités, surtout s'ils sont connaisseurs, et c'est pourquoi vous réserverez ce vin à eux seuls! Un vin à servir sur les mets les plus fins, poissons finement cuisinés, poularde demi-deuil, ... Il mérite mieux que le meilleur des mets.

Ambition
Volnay

En dépit de Pommard et Meursault
c'est toujours Volnay le plus haut,

affirme ce dicton parmi d'autres, confirmant une vérité géographique et la supériorité historique de Volnay sur Pommard, jadis moins réputée pour ses vins. C'est la belle consonance qui finalement l'emporta! Pour les vignerons de Volnay, il ne fait aucun doute que leurs vins gagnent à être comparés à ceux de leurs voisins. C'est indiscutable pour les vins de nombreux climats, tels les Champans, les Caillerets, sans oublier les Santenots, ces derniers sur Meursault mais qui n'ont pas hésité à prendre l'appellation Volnay-Santenots! Vins d'une grande finesse, soyeux, ils savent concilier la puissance et la délicatesse. Ils évoluent superbement et sublimement aussi bien des rognons de veau flambés qu'une caille aux raisins! Un vin à offrir au capitaine devant passer commandant, au secrétaire général sur le point d'être nommé directeur général...

Attachement
Maranges

La sympathie, voire l'affection qu'on éprouve pour quelqu'un est sentiment complexe et un peu diffus, à distance plus ou moins égale de l'amitié, peut-être de l'amour, de l'estime, de l'admiration, etc. Appellation récente, elle regroupe les vins, rouges principalement, des communes de Cheilly-lès-Maranges, Dezize-lès-Maranges et Sampigny-lès-Maranges. Les Maranges était le nom d'un climat premier cru que se partageaient les trois villages. Le vin est solide, assez corsé, bien en chair, friand, et en définitive très... attachant, d'autant plus que de prix assez raisonnable pour un vrai bourgogne!

Délicatesse
Meursault blanc

Chassagne-Montrachet, Puligny et Meursault sont vins de grande délicatesse et c'en est une autre de songer à les offrir, même à des non-connaisseurs, car de tels vins permettent de le devenir... Question de tact, il n'est pas nécessaire d'exprimer de telles considérations. Il faut néanmoins songer à un Meursault (si possible des Perrières, ou Charmes) pour des amis ou parents très chers. Meursault ou Puligny et autres sont à servir sur des mets raffinés, soufflés de queues d'écrevisses, de langoustines ou de turbot, poissons en croûte... Bref, dîner fin, mets délicats et vin de même, au bouquet soyeux et suave, genêt, noisette et miel, pour gourmets seulement.

Amour passion   Nuits-Saint-Georges

L'amour passion est un dragon dévorant, que des nuits entières ne peuvent qu'à peine apaiser, malgré le plaisant dicton local qui affirme qu'un verre de Nuits apaise la vôtre !... Un verre ne suffit pas à apaiser la soif d'aimer. Une nuit pas davantage, mais on peut toujours rêver, la nuit est propice à l'affaire. Offrez à la dame de vos pensées, objet de votre passion, une bouteille ou un magnum, plus éloquent encore, d'un vin de Nuits-Saint-Georges que vous saurez commenter avec conviction, talent et ferveur à la mesure de vos sentiments. Si vous réussissez à dénicher une bouteille de Nuits-Saint-Georges-Les Cailles... n'hésitez pas, c'est du raffinement !... Mais que Modération tienne la chandelle...

LE BEAUJOLAIS

«Lyon, capitale de la cuisine française, est parcourus en dehors de la Saône et du Rhône par un "troisième fleuve" : celui du vin rouge, le Beaujolais, qui n'est jamais limoneux ni à sec.»

Léon Daudet

«Avec ce sacré bon vin, ce Beaujolais qui ne fait jamais de mal, plus on en boit, plus on trouve sa femme gentille, ses amis fidèles, l'avenir encourageant et l'humanité supportable.»

Gabriel Chevallier-Clochemerle

«Le Beaujolais, c'est l'éclat de rire de la table!»

Louis Orizet

♦
APPELLATIONS D'ORIGINE CONTRÔLÉE
DES VINS DU BEAUJOLAIS
♦

BEAUJOLAIS
BEAUJOLAIS-SUPÉRIEUR
BEAUJOLAIS suivi du nom
de la commune (31)
BEAUJOLAIS-VILLAGES
BROUILLY
CHÉNAS
CHIROUBLES
CÔTE-DE-BROUILLY
FLEURIE
JULIÉNAS
MORGON
MOULIN-À-VENT
RÉGNIÉ
SAINT-AMOUR

SUR LES CÔTEAUX DU LYONNAIS

◆ Dès que le sol argilo-calcaire rejoint un sol granitique, nous passons du Mâconnais au Beaujolais. Sur un premier secteur, de Juliénas à Villefranche, entre Saône et monts du Beaujolais, se situe l'aire de production des dix crus, et des Beaujolais-Villages. De Villefranche à L'Abresle, presque au niveau de Lyon s'étend le bas Beaujolais, sur des terrains sédimentaires et sols argilo-calcaires. Cette région se prolonge jusqu'à Givors, des coteaux lyonnais à l'ouest et au sud-ouest de Lyon.

◆ Pour tous les vins rouges, le cépage est le gamay noir à jus blanc, pour tous les vins blancs le chardonnay et l'aligoté.

◆ La production totale des beaujolais représente en moyenne un peu plus de 1,5 million d'hectolitres annuels, plus environ 8 500 hectolitres de beaujolais blanc.

◆ La hiérarchie beaujolaise débute par l'appellation Beaujolais, puis Beaujolais-Supérieur, ces derniers devant présenter un volume alcoométrique d'au moins 10,5 % (10 % seulement pour les Beaujolais). En fait, il ne s'agit pas seulement de degré alcoolique, mais bien de terroir. Les Beaujolais-Villages se récoltent sur un secteur bien délimité, autour des dix crus.

◆ Les dix crus du Beaujolais sont, par ordre croissant d'importance quantitative Chenas (254 hectares), Saint-Amour (285 hectares), Côte-de-Brouilly (292 hectares), Chiroubles (345 hectares), Régnié (560 hectares), Juliénas (585

hectares), Moulin-à-Vent (646 hectares), Fleurie (810 hectares), Morgon (1 051 hectares) et Brouilly (1 228 hectares). L'ensemble des crus représentent 6 056 hectares sur un total général de 21 484 hectares.

◆ 60 % des volumes déclarés en Beaujolais, Beaujolais-Supérieur et Beaujolais-Villages sont « libérés » en primeur.

◆ La majorité des Beaujolais-Villages est toutefois commercialisée dans l'année suivant la récolte, les crus parfois plus tard, selon leur mise en bouteilles qui intervient, selon l'année, les conditions de l'élevage et la volonté du producteur à une époque plus ou moins tardive dans l'année suivant la récolte.

◆ S'il est inutile de s'étendre sur les joyeuses vertus des vins nouveaux, frais, fruités, charnus, vifs et parfois trop, il est nécessaire de souligner les qualités profondes des crus : un à trois ans de bouteille est bienfaisant à tous, insuffisant à certains, tels moulin-à-vent, fleurie, morgon et côte-de-brouilly qui n'atteignent leur plénitude qu'après trois à cinq ans de bouteille, selon le millésime et la vinification.

◆ Le Moulin-à-Vent, en particulier, atteint avec le temps (entre cinq et dix ans et plus) un niveau de qualité insoupçonné, sans rapport avec celui qu'il pouvait présenter dans sa jeunesse.

◆ D'une façon générale, on boit trop jeunes les crus du Beaujolais, vins méconnus tant leur image de marque est trop facilement confondue avec celle des beaujolais primeurs. Les deux n'ont cependant guère de rapport!

♦ Les Coteaux-du-Lyonnais (AOC depuis 1984) prolongent le Beaujolais, dans tous les sens du terme. Issus des mêmes cépages, gamay pour le rouge, chardonnay ou aligoté pour les blancs, ils ont le charme désaltérant du vin de bonne race.

Note : Jadis – il y a presque cinquante ans !... hier donc –, on distinguait aisément les crus – 9 à l'époque, autant que de muses. Régnié ne fut classé cru qu'en 1988. Aujourd'hui, s'il y a toujours des vignerons plus habiles que d'autres, la technologie moderne, l'action des conseillers œnologues font que la moyenne des qualités s'est élevée.

En même temps, les différences de caractère entre les vins des divers crus se sont sensiblement atténuées. L'amateur a plus de mal à distinguer un Fleurie d'un Chénas, par exemple. Un courtier, homme de terrain, un professionnel cependant ne s'y trompent pas.

Ils sauront reconnaître le vin léger, vif et souple et quelque peu frivole du Saint-Amour, aux flaveurs de pêche... de vigne! Le Juliénas corsé, à la robe violacée, pourvu d'une mâche bien à lui et à la

saveur de pêche mêlée de violette ne trompera personne. Le Fleurie est distingué, équilibré, particulièrement harmonieux, à la robe d'un rouge profond, aux arômes floraux d'iris et de violette. Le Chénas est bouqueté, au parfum de pivoine avec une touche rude, rustique, comparé au Moulin-à-Vent voisin, à la robe rutilante, au bouquet puissant à dominante d'iris. Le Chiroubles présente une robe assez claire, légère, vin charmeur au parfum de violette il n'est pas aussi innocent qu'il paraît. Le Morgon «morgonne» quand il déploie des arômes complexes fruités, abricot, groseille et surtout kirsch, très net avec l'âge! L'affaire devient complexe avec le Régnié qui mêle au discret parfum floral du Brouilly le léger parfum de griotte du Morgon. Quant au Côte-de-Brouilly, on le reconnaît à sa robe pourpre foncé, à son charnu racé.

Abracadabracave!

Pour ne pas oublier l'un des dix crus du Beaujolais, retenez cette phrase magique : Si Je Cache Mon Fromage, Comment Mener Royalement Bonne Chère? Par ordre géographique, du nord au sud : Saint-Amour, Juliénas, Chénas, Moulin-à-Vent, Fleurie, Chiroubles, Morgon, Régnié, Brouilly, Côte-de-Brouilly...

♦

HARMONIE DES METS ET DES VINS DU BEAUJOLAIS

♦

♦ Apéritif
Beaujolais blanc (cela étonne toujours), à défaut Mâcon blanc, Saint-Véran.

♦ Charcuterie, cochonnailles
Selon la saison, un Beaujolais nouveau ou un Beaujolais-Villages.

♦ Entrées régionales, pieds de mouton, andouillette, etc.
Beaujolais, Beaujolais-Villages, frais, jeunes.

♦ Viandes rouges grillées, entrecôte, côtelette d'agneau, etc.
Beaujolais-Villages, Saint-Amour, Chiroubles, Brouilly.

♦ Viandes cuisinées, marinées, du bœuf bourguignon au coq au vin
Chénas, Fleurie, Juliénas, Moulin-à-Vent... on peut servir un vin identique à celui de la préparation, ou un autre légèrement supérieur : par exemple, un coq au Juliénas sera servi avec un Juliénas d'un millésime plus ancien ; un bœuf bourguignon préparé avec un Beaujolais-Villages sera accompagné d'un Fleurie, d'un Moulin-à-Vent...

♦ Fromages
Conserver le vin précédent.

♦ Desserts
Crémant de Bourgogne sec ou demi-sec.

♦

LES SENTIMENTS ET LES VINS DU BEAUJOLAIS

♦

Impatience   Beaujolais primeur

«Le Beaujolais nouveau est arrivé »... Enfin! Qui n'est pas impatient de goûter ce vin tout empreint de l'année écoulée, des journées de soleil alternées de pluies bienfaisantes ?... Le vin nouveau nous donne l'horoscope... de l'année passée, du débourrement printanier à la vendange, comme l'horoscope chinois qui, dit-on, se calcule du jour présumé de la conception à la naissance. Qui n'est pas impatient de taster ce «millésime du siècle» annoncé plusieurs fois par décennie? Il est pourtant à prendre tel qu'il est, selon le diction vigneron, tel qu'il l'a fait, quand le vin est bon, et tel que le Bon Dieu l'a fait autrement...

Amitié   Beaujolais-Villages

Vin de l'amitié par excellence, le Beaujolais, Villages de préférence, n'a pas son pareil pour irradier un repas entre bons amis partageant pain (copains) et joyeuses charcutailles, grillades et fromages! Repas sans manière, propre à évoquer quelques escalades, descentes de rapides, et autres randonnées estivales. Les Beaujolais-Villages, c'est la taverne d'Ali-Baba et des 39 valeurs, 39 villages du Nord du Beaujolais qui présentent une infinité de rubis, de grenats et d'autres pierres précieuses en barriques. Vins primeurs de belle venue ou vins mûris sagement, à savourer après leurs Pâques.

Émotion   Fleurie

«Dites le avec... du Fleurie.» Dans le langage des fleurs, l'orchidée symbolisait le raffinement. Un bouquet de fleurs des champs est plus émouvant encore, dans sa rustique simplicité. Le bouquet du Fleurie, iris et lilas, évoque quelque maison de vigneron. Vin fruité, délicat et solide à la fois, qui fait merveille aussi bien sur un rôti que sur un canard aux pêches. L'amitié fleurit d'émotions simples et l'amour n'a nul besoin d'orchidée pour naître. Offrez donc, en toute simplicité, une bouteille d'un bon millésime de vin de Fleurie : les visages prendront un teint de rose.

Entente   Régnié

Dernier créé (1988) des crus du Beaujolais, le vignoble s'étend sur des parcelles délimitées des communes de Régnié-Durette et de Lantignié. Depuis longtemps leurs vins étaient payés plus chers que ceux des Beaujolais-Villages. Désormais, la sérénité

B
E
A
U
J
O
L
A
I
S

règne... Les parcelles proches de Morgon diffèrent des autres, mais les vins sont généralement assemblés. Vins assez fruités et charnus aux saveurs de cerise framboisée. Vin de l'amitié, il escorte joyeusement charcutaille, jambonneau aux lentilles, et toute la bonne cuisine quotidienne et amicale.

Amour véritable   Saint-Amour

Il serait grand dommage de réserver le Saint-Amour pour le seul jour de la Saint-Valentin (le 14 février)! Choisissez au contraire aussi souvent que nécessaire ce vin fin, ailé, charnu et authentiquement plein de charme : il a suffisamment de vertu pour bien augurer de l'avenir. Un adage local affirme : «On peut mourir d'amour, et ressusciter au Saint-Amour!» Voilà qui rejoint l'affirmation rabelaisienne : «Buvez toujours et ne mourrez jamais», tant il est vrai que seuls les vivants peuvent boire. Savourons l'amour comme le vin et réciproquement, tel est le message de ce précieux cru du Beaujolais, le premier sitôt le Mâconnais franchi, le premier pas qui goûte pour atteindre amours et délices beaujolaises.

LE JURA

« Çà, petit page, verse-moi.
Si le sceptre est chose pesante
Mon verre, plus léger que soi,
Jamais vide ne se présente.
Ce vin n'est chrétien comme moi :
Néanmoins pas un ne blasphème
Pour ce qu'il n'eut onc le baptême.
    Voici que je bois
    De mon vieil Arbois
Chantons, Messieurs, à perdre haleine
Hosanna, Bacchus et Silène. »
                                Henri IV

« Les petits lapins dans les bois
Folâtrent sur l'herbe arrosée
Et comme nous le vin d'Arbois
Ils boivent la douce rosée. »
                                Banville

« Le vin d'Arbois
Plus on en boit
Plus on va droit. »
                Dicton

APPELLATIONS D'ORIGINE CONTRÔLÉE DES VINS DE JURA

ARBOIS
ARBOIS MOUSSEUX
ARBOIS-PUPILLIN
CÔTES-DU-JURA
CHÂTEAU-CHALON
CÔTES-DU-JURA MOUSSEUX
L'ÉTOILE
L'ÉTOILE MOUSSEUX

Les mentions «vin jaune» et «vin de paille» ne sont pas des appellations et ne peuvent figurer qu'en complément des appellations Côtes-du-Jura, Arbois ou L'Étoile.

♦ L'originalité des vins du Jura repose certainement sur ses cépages bien adaptés au terroir : le trousseau, donnant des vins pourpres, corsés, durs dans leur jeunesse ; le poulsard (ou ploussard), donnant un vin peu coloré, tirant sur le rosé pelure d'oignon ; le cépage blanc spécifique est le savagnin, ou naturé, qui donne un vin dont le type le plus achevé est le célèbre vin jaune.

♦ À ces cépages traditionnels peuvent s'ajouter gamay et pinot pour les rouges, et chardonnay (dit « melon d'Arbois ») pour les blancs, sauf pour le vin jaune qui doit être issu du seul savagnin.

♦ La récolte annuelle en année normale est d'environ 10 millions de bouteilles. À noter que le rare Château-Chalon, avec les autres vins jaunes, sont commercialisés en bouteilles dites « clavelin », d'une contenance de 62 centilitres.

♦ En AOC Arbois, on compte 60 % de vin rouge et rosé et 40 % de vin blanc. En Côtes-du-Jura, le vin blanc domine à 60 % sur le rouge et rosé. L'Étoile ne produit que du vin blanc, dont une majeure partie en vin mousseux. Quant au Château-Chalon, il est blanc, et vinifié en vin jaune, sauf en année défavorable quand le vin n'atteint pas le niveau convenable de qualité ; il est alors déclaré Côtes-du-Jura.

♦ Le vin jaune subit une fermentation lente et longue ; il vieillit pendant au moins six ans, sans ouillage, protégé de l'oxydation par un voile naturel de levures. Le vin prend alors un goût spécifique dit de « jaune », puissant, original, pénétrant, assez proche des xérès (AOC Arbois, Côtes-du-Jura, L'Étoile mention « vin jaune », Château-Chalon uniquement vin jaune).

♦ Ce goût particulier se retrouve dans une beaucoup moindre mesure dans la plupart des vins blancs, d'AOC Arbois ou Côtes-du-Jura. Il serait dû selon les uns aux levures autochtones, selon les autres au séjour des vins dans des fûts ayant contenu du vin jaune...

♦ Autre spécialité qu'on peut trouver sous les AOC Côtes-du-Jura ou Arbois : le vin de paille. Les grappes de raisins blancs ont subi sur lit de paille, ou suspendues sous abri, une dessication importante et en conséquence une concentration du jus de teneur en sucre élevée. Le vin vinifié lentement est liquoreux, vendu généralement en demi-bouteille.

Note : Le vin rosé de pur poulsard est une merveille, unique ! L'AOC Arbois fut reconnue dès 1936 ; le caractère original des vins de la petite commune voisine de Pupillin a été consacré par un décret du 12 juin 1970, les vins pouvant prendre l'appellation Arbois-Pupillin.

♦

HARMONIE DES METS ET DES VINS DU JURA
♦

♦ Apéritif
Arbois mousseux, Étoile mousseux, Arbois blanc.

♦ Entrées, hors-d'œuvre (crudités, cochonnailles)
Vin rosé de poulsard, Arbois ou Côtes-du-Jura.

♦ Spécialités franc-comtoises (croûte aux morilles, croustade au fromage, jésus de Morteau en brioche)
Vins blancs à goût de jaune, vin rosé de poulsard.

♦ Poissons de rivière (truite, brochet, etc.)
Arbois, Côtes-du-Jura blanc, ou rosé.

♦ Viandes blanches, volaille, lapin
Arbois, Côtes-du-Jura blanc ou rosé, rouge léger.

♦ Viandes rouges, en sauce, mets régionaux (pois jaunes, jésus de Morteau)
Arbois-Pupillin rouge, Côtes-du-Jura rouge.

♦ Fromage de Comté, cancoillotte, morbier, vacherin du Mont-d'Or, etc.
Vin jaune, Château-Chalon.

♦ Desserts
Vin de paille.

Raffinement Arbois vin de paille

Assemblage des cépages savagnin, chardonnay et poulsard, les raisins jadis mis sur lit de paille sont aujourd'hui suspendus sur fil jusqu'à déshydratation. La concentration en sucre est considérable, jusqu'à plus de 310 g/l. On obtient ainsi un vin très liquoreux, d'un extrême raffinement, à déguster légèrement frais, au dessert de préférence, mais il rayonne aussi admirablement sur un foie gras. Son nez de raisin frais et son goût de grillé lui confèrent une grâce étonnante. Il est toujours présenté en demi-bouteille comme un véritable élixir... d'amour.

Folie Arbois mousseux

C'est le vin fou, marque parlante comme les armes d'un seigneur du temps jadis, qui aurait eu pour marotte de mettre des milliers de bulles dans son vin. Dans le Jura, quand la bise souffle, le vin devient fou, c'est-à-dire joyeux, pétillant de malice, et très communicatif ! C'est un excellent apéritif qui non seulement met en appétit, mais débouche sur la bonne humeur et favorise les plus farfelus propos de table. Il est terriblement difficile de le concilier avec la modération...

Déférence Château-Chalon

Vous êtes invité, ou vous recevez une éminente personnalité, âgée peut-être, pour laquelle vous éprouvez le plus grand respect : c'est l'occasion de choisir un clavelin de Château-Chalon, nom de la bouteille traditionnelle conditionnant ce vin prestigieux, rare, original et historique. Il fut la spécialité des abbesses de l'abbaye, fondée au VIIe siècle à Château-Chalon. Ce vin constitua l'essentiel des revenus des abbesses qui le rendirent célèbre dans les principales cours d'Europe. Jaune, doré ou ambré avec l'âge, il présente un fastueux bouquet de noix, de cari, d'épices, un parfum d'orient, le tout harmonieusement fondu en conservant une touche d'amertume légère qui laisse la bouche fraîche. Il fait merveille sur un foie gras, des truffes, et sur toutes les entrées raffinées ; le coq au vin jaune et aux morilles est un grand classique de la haute cuisine franc-comtoise.

LA SAVOIE
ET LE BUGEY

Pour qui cherche sa voie
La trouvera enfin
Dans le vin de Savoie
Au bout de son chemin.
          Dicton de colporteur

Sur échalas ou sur hutins
En Savoie il n'est que de bons vins.
                    Dicton

Les vins savoyards sont tout naturellement haut de gamme!
                    Dicton

APPELLATIONS D'ORIGINE CONTRÔLÉE
DES VINS DE SAVOIE ET BUGEY

CRÉPY

MOUSSEUX DE SAVOIE

PÉTILLANT DE SAVOIE

ROUSSETTE DE SAVOIE

ROUSSETTE DE SAVOIE,
suivi d'un nom de commune : Frangy,
Marestel, ou Marestel Altesse,
Monterminod, Monthoux

SEYSSEL

SEYSSEL MOUSSEUX

VIN DE SAVOIE

VIN DE SAVOIE, suivi d'un nom de
cru (15)

VIN DE SAVOIE MOUSSEUX

VIN DE SAVOIE PÉTILLANT

VIN DE SAVOIE-AYZE MOUSSEUX

VIN DE SAVOIE-AYZE PÉTILLANT

APPELLATIONS D'ORIGINE
VINS DÉLIMITÉS DE QUALITÉ SUPÉRIEURE

MOUSSEUX DU BUGEY

ROUSSETTE DU BUGEY,
suivi d'un nom de cru (6)

VIN DU BUGEY

VIN DU BUGEY,
suivi d'un nom de cru (5)

VIN DU BUGEY-CERDON
PÉTILLANT

VIN DU BUGEY-CERDON
MOUSSEUX

VIN DU BUGEY MOUSSEUX

VIN DU BUGEY PÉTILLANT

LA SAVOIE ET LE BUGEY

♦ Vignobles de montagne, les vins blancs représentent les deux tiers de la production totale qui atteint 110 000 hectolitres pour une superficie totale de 1 500 hectares, répartis sur quatre départements : la Savoie, l'Isère, la Haute-Savoie et l'Ain.

♦ On compte quatre appellations réparties en vingt-deux crus : Vin de Savoie, Roussette de Savoie, Seyssel, Crépy.

♦ Les cépages traditionnels sont : roussette ou altesse, jacquère, mondeuse blanche (rare) et chasselas pour les vins blancs et mondeuse pour les vins rouges.

♦ À ces cépages, il faut ajouter, pour les vins blancs, le chardonnay, l'aligoté, le bergeron, nom local de la roussanne, cépage ancien de L'Hermitage, la molette proche de la jacquère ; pour les vins rouges : gamay, pinot et persan, proche de la syrah (comme la mondeuse !).

♦ Les vins de Savoie auraient pu s'appeler « Hautes-Côtes-du-Rhône » puis ceux récoltés au sud de Chambéry, « Côtes-de-l'Isère »... Les vignobles apparaissent en effet d'abord sur la rive sud du Léman (rive gauche du Rhône) dès l'aval d'Évian-les-Bains, avec les crus Ripaille, puis Marin, Marignan-Crépy, tous vins issus du chasselas donnant des vins secs, légers, fins, perlant et à goût de pierre à fusil.

♦ Au sud-est de Genève, en direction de Chamonix, sur la rive droite de l'Arve, l'AOC Savoie s'affirme avec le cru d'Ayze, des vins mousseux ou pétillants obtenus par méthode locale de fermenta-

tion spontanée en bouteille ou selon la méthode classique : légers, diurétiques, ils sont sainement apéritifs.

♦ Suivant le cours du Rhône, sitôt le barrage de Génissiat, nous trouvons, rive gauche, l'aire d'appellation des Vins de Savoie, avec Frangy et l'AOC de Seyssel au sud, en partie sur le département de l'Ain (rive droite) et de la Haute-Savoie (rive gauche). L'altesse apporte une typicité unique, associée à la molette, clef du Seyssel mousseux.

♦ Après Seyssel, l'aire d'appellation du Vin de Bugey rive droite s'étend donc sur le département de l'Ain, tandis que sur la rive gauche du Rhône prospère l'aire d'appellation du cru Chautagne. Le gamay de Chautagne jouit d'une ancienne réputation (XVIIIe siècle). La mondeuse et le pinot noir sont aussi réputés.

♦ Entre le lac du Bourget (le plus grand de France) et le Rhône, de la dent du Chat au bord du Rhône, les terroirs caillouteux des communes de Lucey, Jongieux, Billième, Saint-Jean-de-Chevelu et Yenne donnent les roussettes de Savoie avec les crus de Marestel, Monthoux et Jongieux pour les blancs. Les rouges de pinot noir, gamay et surtout mondeuse sont de haute qualité.

♦ A l'est de Chambéry, le vignoble reprend ses droits avec le cru renommé de Monterminod, puis s'étend tout le long de la rive droite de l'Isère, avec les crus de Chignin, Montmélian, Arbin Cruet, Saint-Jean-de-la-Porte. Le Chignin-Bergeron concerne un vin blanc d'une très grande finesse, bergeron étant le nom local du cépage roussanne. Apremont est réputé, comme les Abymes, cru situé sur le département de l'Isère.

♦ Sur la rive droite du Rhône, dans sa grande boucle, prospère le Bugey dont les vins bénéficient du statut des VDQS. Les blancs dominent et sont assez proches des savoyards; les rouges sont généralement issus du gamay, du pinot et de la mondeuse. Crus réputés : Virieu-de-Grand, Machuraz, Montagnieu (roussette), Cerdon (rosé effervescent gamay).

Note : Le charme des vins de Savoie tient peut-être aux noms des cépages traditionnels : mondeuse, persan, étraire de la Dui, servanin ou serène, joubertin pour les rouges et les rosés; pour les vins blancs, altesse ou roussette, jacquère, velteliner rose et mondeuse blanche, molette, gringet, verdesse! Sans oublier le renfort, en rouge, des gamay, pinot, cabernet franc et cabernet-Sauvignon, et en blanc des aligoté, chardonnay dit « petite-sainte-marie », roussanne et marsanne et, bien sûr, le fendant ou chasselas!

HARMONIE DES METS ET DES VINS DE SAVOIE ET BUGEY

♦ **Apéritif**
Vin de Savoie blanc, crus Marin, Ripaille ou Marignan-Crépy (vins fins et légers issus du chasselas).

♦ **Fruits de mer, poissons frits, friture des lacs, hors-d'œuvre et spécialités savoyardes, fondue, raclette, etc.**
Vins de Savoie blancs, à base de jacquère, crus Abymes, Apremont, Chautagne, Chignin, Cruet, Jongieux, Montmélian, Saint-Jeoire-Prieuré.

♦ **Poissons fins, cuisinés, en sauce**
Vin de Savoie blanc, à base de roussanne : chignin-bergeron.

♦ **Viande grillée, viandes blanches (volaille, veau), jambon, gratin**
Vin de Savoie rouge, cépage gamay, pinot et les rosés.

♦ **Viandes rouges cuisinées, en sauce, gibiers, fromages**
Vin de Savoie rouge, mondeuse ; crus recherchés : Arbin, Chignin, Cruet, Montmélian, Saint-Jean-de-la-Porte.

A l'apéritif ou au dessert, songer au Seyssel mousseux, au Savoie-Ayze mousseux...

LES SENTIMENTS ET LES VINS DE SAVOIE ET DU BUGEY

Amour inavoué

Vin de Savoie mondeuse

La timidité peut faire croire l'amour inaccessible, telle une montagne dressée entre vous et l'élu(e) de votre cœur... C'est pourquoi vous choisirez ce beau vin, rouge comme la couleur de la passion, et de montagne en sachant qu'il n'en n'est pas d'infranchissable. Le cépage mondeuse, particulier à la Savoie, donne un vin solide, de longue garde, qui s'améliore avec l'âge, autant de gages d'un sentiment profond susceptible d'atteindre les plus hauts sommets. Vous recommanderez de le servir sur des mets rustiques et élégants, rôti de bouquetin, mouflon, chamois ou plus simplement de jeune mouton, accompagné de gratin dauphinois ou de tartiflette... Terminez en beauté avec un doigt de génépi de contrebande...

LA VALLÉE DU RHÔNE

« Certaine d'être bien lotie
Malgré son air tremblant,
Dans un coin la Côte Rôtie
Sourit à l'Hermitage blanc.

Tandis qu'avec un doigt qui frappe,
Impatient de se montrer,
Le fougueux Chateauneuf-du-Pape
Demande si l'on peut entrer. »
Charles Monselet (Fusion)

« Jugez, Madame, si dans un Païs qu'on pourrait appeler l'isle de Cythère (Avignon)...
où l'on fait bonne chère, où l'on boit du vin de l'Hermitage, et de Cante-Perdrix...
jugez, dis-je, si dans un Païs si délicieux je puis beaucoup m'ennuyer... »
Madame Dunoyer (1733)

◆
APPELLATIONS D'ORIGINE CONTRÔLÉE
DES VINS DE LA RÉGION DES CÔTES DU RHÔNE
◆

CHÂTEAU-GRILLET
CHÂTEAUNEUF-DU-PAPE
CHÂTILLON-EN-DIOIS
CLAIRETTE DE DIE
CLAIRETTE DE DIE MOUSSEUX
CONDRIEU
CORNAS
CÔTE-RÔTIE
COTEAUX-DU-TRICASTIN
CÔTES-DU-LUBÉRON
CÔTES-DU-RHÔNE
CÔTES-DU-RHÔNE, suivi du nom de la
commune d'origine : Beaumes-de-Venise ;
Rochegude ; Saint-Maurice-sur-Eygues ;
Vinsobres ; Cairanne ; Rasteau ; Roaix ;

Rousset-les-Vignes ; Saint-Pantaléon-des-
Vignes ; Séguret ; Valréas ; Visan ; Laudun ;
Saint-Gervais ; Sablet ; Chusclan.
CÔTES-DU-RHÔNE-VILLAGES
CÔTES-DU-VENTOUX
CROZES-HERMITAGE
GIGONDAS
HERMITAGE OU ERMITAGE
LIRAC
SAINT-JOSEPH
SAINT-PÉRAY
SAINT-PÉRAY MOUSSEUX
TAVEL
VACQUEYRAS

◆
APPELLATIONS D'ORIGINE
VINS DÉLIMITÉS DE QUALITÉ SUPÉRIEURE
◆

CÔTES-DU-VIVARAIS
CÔTES-DU-VIVARAIS, suivi d'un nom de cru :
Orgnac, Saint-Montant, Saint-Remèze
HAUT-COMTAT

LES CÔTES DU RHÔNE SEPTENTRIONALES

♦ Après Lyon, le Rhône a dû creuser son lit entre les contreforts des Alpes et leurs éboulis et le Massif central. Ce parcours a créé des reliefs favorables à la culture de la vigne. On distingue toutefois deux zones, bien délimitées, l'une au nord, de Vienne à Valence, l'autre au sud, de Montélimar à Avignon où la vigne gagna peu à peu plaines et coteaux environnants.

♦ La partie septentrionale se distingue par ses vins de diverses appellations mais tous issus de cépages pratiquement uniques : syrah pour les rouges, viognier, marsanne pour les blancs avec parfois de la roussanne, en voie de disparition.

♦ Par ordre géographique, de Vienne à Valence, nous trouvons les AOC suivantes : Côte-Rôtie, Condrieu, Château-Grillet, Saint-Joseph, Cornas, Saint-Péray sur la rive droite, Crozes-Hermitage et Hermitage sur la rive gauche.

♦ Les sols sont granitiques, sauf côté sud au pied de la colline de l'Hermitage (partie sud de l'aire des Crozes-Hermitage) et sur Saint-Péray rive droite où les cailloux alluvionnaires en provenance des Alpes dominent, apportés par l'Isère : climat tempéré, régime des pluies régulier. L'exposition des vignes prend son importance.

♦ Côte-Rôtie : une seule appellation et deux crus : Côte-Brune (vin corsé) et Côte-Blonde (vin plus souple) généralement assemblés. Cépage syrah, avec éventuellement 20 % de viognier au maximum. Vins bien structurés, de la personnalité, de la classe, de longue garde.

♦ Condrieu, Château-Grillet : vins blancs, issus du seul viognier, cépage spécifique à ces deux AOC (le cépage commence d'apparaître en Languedoc), vins d'une extrême subtilité, fins, légers, floraux et rares, surtout le confidentiel Château-Grillet (2,5 hectares, 90 hectolitres l'an !).

♦ Saint-Joseph concerne des vins rouges à 90 % (syrah), les blancs étant issus de la marsanne (la roussanne a disparu), vins assez proches des crozes-hermitage.

♦ Cornas, rouge uniquement, 100 % syrah. Somptueux après dix-huit mois de barrique et plusieurs années de bouteille ! Riche, puissant sans être alcooleux (12°), ample.

♦ Saint-Péray et Saint-Péray mousseux : petit vignoble dominé par le piton coiffé des ruines du château de Crussol. Vin blanc fin, léger, issu de la marsanne (roussanne ?). Une partie est élaborée en mousseux (méthode dite «champenoise»).

♦ Crozes-Hermitage : vin blanc de marsanne et rouge de syrah ; l'aire qui s'étend sur onze communes comprend des sols granitiques au nord et caillouteux au sud, jusqu'à la rive droite de l'Isère. Les vins sont assez différents selon la provenance. Les blancs s'apprécient plutôt dans leur jeunesse, les rouges gagnent à attendre quelques années.

♦ Hermitage : rouge et blanc (avec marsanne et un peu de roussanne) atteignent les sommets de la renommée; de longue garde ils évoluent lentement; les rouges surtout conservent un velouté exquis, des expressions aromatiques incomparables; très grands vins de France!

♦ Comme en Haute-Savoie, avec l'Arve vers l'aire du mousseux Vin de Savoie-Ayze, la Drôme vient se jeter dans le Rhône non sans avoir serpenté dans le Diois (capitale Die). L'appellation Châtillon-en-Diois, en amont, concerne des vins rouges et rosés, issus du gamay avec accessoirement syrah et pinot noir (maximum 25 %), et blancs issus de l'aligoté et du chardonnay. Vins agréables et sans prétention!

♦ Clairette de Die : vin tranquille issu du seul cépage clairette, ou vin effervescent obtenu soit par la méthode dioise (fermentation spontanée en bouteille, avec proportion d'au moins 50 % de vin de cépage muscat à petits grains), soit par la méthode dite «champenoise», avec au moins 75 % minimum de clairette.

Note : L'aire de l'Hermitage (ou Ermitage) ne s'étend que sur 125 hectares mais sa complexité n'en est pas moins grande! Le vignoble comprend de nombreuses parcelles, «quartiers» ou «mas», dont l'assemblage judicieux des vins permet seul d'approcher de la perfection. Jadis on donnait comme idéal l'assemblage en parts égales de vins des Greffieux, du Méal et des Bessards. Il fallait être propriétaire dans chacun d'eux pour pouvoir être premier cru ou grand cru! Cette distinction n'a pas été retenue par le décret d'AOC mais le principe demeure!

♦

HARMONIE DES METS ET DES VINS
DES CÔTES DU RHÔNE SEPTENTRIONALES

♦

♦ Apéritif
Condrieu, Saint-Péray, tranquille ou effervescent.

♦ Entrées, hors-d'œuvre
Condrieu avec les caillettes de Chabeuil ou de l'Ardèche, Saint-Joseph rouge avec les charcuteries.

♦ Poissons
Grillés : Saint-Joseph blanc, Saint-Péray.
En sauce : Crozes-Hermitage, Hermitage (blanc), Condrieu, Château-Grillet.

♦ Volaille, lapin, petits gibiers à plume
Saint-Joseph, blanc ou rouge, Crozes-Hermitage, blanc ou rouge.

♦ Viande rouge cuisinée, gros gibiers à poil
Cornas, Hermitage.

♦ Fromages régionaux (rigotte, saint-marcellin)
Hermitage blanc, Cornas ou Hermitage rouge.

♦ Desserts
Saint-Péray, tranquille ou mousseux.

◆ Séparé des Côtes du Rhône septentrionales d'une cinquantaine de kilomètres, de Valence au sud de Montélimar, le vignoble des Côtes du Rhône réapparaît sous une autre forme : le sillon rhodanien s'est élargi, les sols, le climat et donc les cépages et les types de vins changent. Les vins sont issus de plusieurs cépages, jusqu'à treize possibles pour le Châteauneuf-du-Pape. Leur nature et leurs proportions sont variables, selon les terroirs, les appellations.

◆ L'expression (et l'appellation) «Côtes-du-Rhône» devient complexe. Il existe cependant un lien entre tous les vins de cette vaste région qui permet parfois d'identifier chaque membre de cette grande famille.

◆ La hiérarchie des appellations va naturellement de la générale (Côtes-du-Rhône) à la communale (Gigondas, par exemple).

◆ Côtes-du-Rhône AOC s'étend sur 6 départements : Rhône, Loire, Ardèche, Drôme, Vaucluse et Gard, avec des vins de types très différents. Un Côtes-du-Rhône d'Ampuis, par exemple, peut être de cépage unique syrah ; un Côtes-du-Rhône du Vaucluse peut être issu de quelques-uns des vingt-trois cépages, principaux et accessoires autorisés...

◆ Côtes-du-Rhône-Villages AOC : les conditions de production sont plus restrictives, notamment en ce qui concerne l'encépagement, le rendement et la richesse en sucre naturel des moûts, donc de celle en alcool. 17 communes peuvent ainsi faire suivre de leur nom l'appellation Côtes-du-Rhône, ou prendre celle de Côtes-du-Rhône-Villages.

◆ Châteauneuf-du-Pape est certainement la plus fameuse des AOC du bassin rhodanien. Le cépage de base est le grenache, complété par une douzaine d'autres selon les sols, dont les meilleurs et plus spectaculaires sont de terrasses, argileuses à gros galets ou cailloux roulés. La production annuelle est d'environ 100 000 hectolitres dont 5 000 de vin blanc. Le rouge est onctueux, plein, ample, avec un bouquet de fruits mûrs, réglissé et d'épices, long en bouche. De longue garde.

◆ Gigondas AOC : 1 000 hectares de terrasses d'argile rouge graveleuse ou caillouteuse, au pied des fameuses dentelles de Montmirail. Vin rouge ou rosé, issu du grenache complété d'un peu de cinsaut et de syrah. C'est un vin généreux, un demi-ton en dessous du châteauneuf quant à l'ampleur et à la richesse d'expressions.

◆ Vacqueyras AOC est une appellation récente (avril 1990), voisine de Gigondas ; les vins présentent assez d'analogie avec eux. Ils sont riches, puissants, sans lourdeur.

◆ Lirac AOC est la seule appellation communale présentant le vin sous les trois couleurs : blanc sec, classique, rosé assez proche du voisin Tavel, et rouge, chaleureux.

◆ Tavel AOC : l'une des deux appellations qui ne concernent qu'un vin rosé (avec le Rosé des Riceys, en Champagne) et qui jouissent d'une haute réputation. Vin généreux, bouquet floral ou fruité selon l'âge, le Tavel est considéré comme un grand vin (870 hectares 35 000 hectolitres par an).

Note : On sait que le midi de la France est assez porté à l'exagération... à commencer par le soleil ! C'est pourquoi les vins, pour trouver leur équilibre, ont besoin de s'appuyer sur plusieurs cépages complémentaires, chacun apportant, à des degrés divers, couleur, alcool, tannins, acidité.

La vinification séparée de chacun des cépages permet lors de leur assemblage de moduler les proportions, en fonction de l'année et du style recherché.

◆

LES CÔTES DU RHÔNE MÉRIDIONALES PÉRIPHÉRIQUES

◆

◆ À quelques nuances près, très proches des Côtes du Rhône au propre comme au figuré, plusieurs vignobles de la région présentent des vins très intéressants et d'un bon rapport qualité/prix.

◆ Coteaux-du-Tricastin : l'aire d'appellation, limitée à l'ouest par le Rhône, part du sud de Montélimar, va jusqu'à Saint-Paul-Trois-Châteaux (Tricastin ne vient pas de tri-castel mais du nom de la tribu gauloise des Tricastini...) et s'étend à l'est, un peu au-delà de Grignan (château de Mme de Sévigné). 2 000 hectares donnent environ 100 000 hectolitres de vin dont 1 % de blanc. Vins rosés frais, assez légers, rouges plus variés selon le sol et l'exposition. Au nord de l'aire, les sols sableux donnent des vins plus légers, élégants ; près du Rhône, les vins sont plus complexes et plus puissants, proches des vins des Côtes du Rhône.

◆ Côtes-du-Ventoux : l'aire d'appellation dominée par le mont Ventoux (1995 mètres) est limitée à l'ouest par les Côtes du Rhône ; le climat nettement méditerranéen est tempéré par les courants froids du mont. Mêmes cépages qu'en Côtes du Rhône, vins assez proches, plus légers à l'est en raison du climat plus variable et plus sensibles aux écarts de température, plus puissants à l'approche des Côtes du Rhône à l'ouest.

◆ Côtes-du-Lubéron : commençant peu après Cavaillon, limitée au sud par la Durance et au nord par le Calavon (Apt), l'aire est répartie sur les deux versants de la montagne du Lubéron. Vins très proches de ceux des côtes du Ventoux, issus de cépages identiques dominés par grenache, syrah et cinsaut pour les rouges, clairette et ugni pour les blancs assez charmeurs.

◆ Coteaux-de-Pierrevert (VDQS) : dans le prolongement des côtes du Ventoux l'appellation se limite à une dizaine de communes situées rive droite de la Durance, sur les 42 que comprend l'aire d'appellation. Cépages « classiques », gre-

97

PRODUIT FRANÇAIS
LES DIONNIÈRES
Hermitage
Appellation Hermitage Contrôlée
12,5 % Vol. MIS EN BOUTEILLE A LA PROPRIÉTÉ 75 cl e
G. A. E. C. LES GAMETS FAYOLLE FILS
PROPRIÉTAIRES - VITICULTEURS A GERVANS (DROME) FRANCE

ROCHES BLANCHES
Récolte 1988
Côtes du Ventoux
Appellation Côtes-du-Ventoux Contrôlée
Récolté et Élevé à la Propriété
12,5% vol. MIS EN BOUTEILLE A SON FIEF 75 cl
CAVE "LES ROCHES BLANCHES" MORMOIRON (Vse) FRANCE
Cuvée à l'Ancienne

1986
CÔTES DU RHÔNE VILLAGES
SABLET
APPELLATION CÔTES DU RHÔNE VILLAGES CONTRÔLÉE
Domaine de Piaugier
GAEC MARC AUTRAN & FILS
Propriétaires récoltants à Sablet, Vse. 90.46.80.54
MIS EN BOUTEILLE AU DOMAINE
Notre récolte de 1986
a produit 9.375 bouteilles 75 cl № 003053
et 50 magnums, tous numérotés.
PRODUIT DE FRANCE

Seigneur de Maugiron
Côte-Rôtie
APPELLATION CÔTE-RÔTIE CONTRÔLÉE
1986
12% vol. Mis en Bouteille par DELAS à Tournon s/ Rhône 75cl
PRODUCE OF FRANCE

Produce of France
COTEAUX DU TRICASTIN
APPELLATION CONTRÔLÉE
12% vol Mis en bouteille par les Vignerons des Coteaux de l'Ardèche 75 cl e
Producteurs Réunis, Ruoms Ardèche France

PRODUCE OF FRANCE
COTEAU RP DE CHERY
Condrieu
APPELLATION CONDRIEU CONTRÔLÉE
13,5 % Alc. vol. 750 ml.
André PERRET
PROPRIÉTAIRE VITICULTEUR à CHAVANAY 42410 - FRANCE
IMP. GARADOT PÉLUSSIN

APPELLATION CHATEAUNEUF-DU-PAPE CONTRÔLÉE
Châteauneuf-du-Pape
MIS EN BOUTEILLE AU DOMAINE
RÉCOLTE 1986
Domaine de la Solitude
Alc. 13,5% vol. PRODUCT OF FRANCE 75 cl
G.A.E.C. LANÇON Père & Fils - Récoltant - 84230 CHÂTEAUNEUF-DU-PAPE - FRANCE
H P A 127

1989 1989
CHATEAU DES ROQUES
VACQUEYRAS
APPELLATION VACQUEYRAS CONTRÔLÉE
MIS EN BOUTEILLE A LA PROPRIÉTÉ
E. DUSSER
13,5% vol Vigneron aux Roques - 84190 Vacqueyras France
PRODUCE OF FRANCE 750 ML

nache, syrah, cinsaut, mourvèdre pour les rouges, clairette et ugni pour les blancs, tous vins légers peu alcoolisés du fait du climat moins chaud, plus continental que celui méditerranéen et provençal. Vins à boire jeunes.

♦ Côtes-du-Vivarais (VDQS) : très ancien vignoble couvrant aujourd'hui 740 hectares sur une douzaine de communes dont certaines peuvent personnaliser leur production sous le nom de trois crus : Orgnac, Saint-Montan et Saint-Remèze. Climat rude, cépages rhodaniens, vins bien constitués à boire jeunes, dans la fraîcheur de leurs expressions fruitées.

♦ Rasteau (vin doux naturel) : Rasteau, village des Côtes du Rhône, produit également un VDN à partir du grenache, noir, gris ou blanc. Le Rasteau rouge (grenache noir) est le plus rare mais le plus intéressant, s'améliorant après quelques années de vieillissement. Vins

pour le dessert et les fromages forts.

♦ Muscat de Beaumes-de-Venise : les sols de calcaires grisâtres, sables et grès donnent un vin doux naturel issu du muscat à petits grains de haute expression. Son bouquet très marqué évoque des parfums de fleurs, de miel, d'agrumes. Gras, onctueux, il est moins liquoreux que le frontignan. Vin de dessert très apprécié pour sa finesse.

Note : Ces différentes appellations doivent beaucoup à la coopération : la moitié de la production (plus de 50 000 hectolitres) des coteaux du Tricastin est élaborée par la coopérative de Suze-la-Rousse ; il en est à peu près de même dans les côtes du Lubéron ; c'est encore plus marquant dans le vin de pays des coteaux de l'Ardèche où 90 % de la production sont le fait de coopératives, bien équipées et bien dirigées.

◆
HARMONIE DES METS ET DES VINS
DES CÔTES DU RHÔNE MÉRIDIONALES ET DE LA RÉGION
◆

◆ **Apéritif**
Clairette de Die, Saint-Péray mousseux, ou un blanc tranquille : Côtes-du-Rhône, Côtes-du-Rhône-Villages, etc.

◆ **Entrées, hors-d'œuvre**
Coteaux-du-Tricastin rosé, Côtes-du-Rhône rosé ou un vin rouge léger : Côtes-du-Ventoux, Côtes-du-Lubéron.

◆ **Poissons et crustacés**
Vin blanc ou rosé : Châtillon-en-Diois, Côtes-du-Rhône, Lirac, etc.

◆ **Poissons cuisinés, en sauce**
Châteauneuf-du-Pape blanc, Tavel rosé, Gigondas rosé, Lirac blanc ou rosé, Côtes-du-Rhône-Chusclan, etc.

◆ **Viandes grillées, volailles rôties**
Coteaux-du-Tricastin, Coteaux-du-Lubéron, Côtes-du-Rhône, rouge, blanc ou rosé.

◆ **Viande rouge en sauce, braisée, bœuf, agneau, etc.**
Côtes-du-Rhône-Villages, Gigondas, Vacqueyras, Châteauneuf-du-Pape.

◆ **Fromages**
Idem.

◆ **Dessert**
Rasteau, Beaumes-de-Venise.

LES SENTIMENTS ET LES VINS DE LA VALLÉE DU RHÔNE

Innocence — Châteauneuf-du-Pape blanc

Si vous êtes invité un 28 décembre, fête des saints Innocents, ou à l'occasion d'une naissance, choisissez une bouteille de Châteauneuf-du-Pape blanc. Pourquoi ? Parce que les papes qui prirent le nom d'Innocent furent nombreux, et que l'un d'entre eux, l'un de nos plus grands, Innocent XII, dont le nom était Pignatelli tandis que sa mère était de la maison Caraffa, suscita le couplet suivant, compte tenu que le nom du saint Père tout de blanc vêtu signifiait «petit pot» :

> *Nous devons tous boire en repos*
> *Sous le règne de ce saint Père*
> *Son nom, ses armes sont des pots*
> *Une caraffe était sa mère,*
> *Célébrons donc avec éclat*
> *Cet auguste Pontificat.*

Puissance — Châteauneuf-du-Pape rouge

Vins de soleil, puissants et amples, il n'en existe pas moins des différences sensibles entre les vins des nombreuses propriétés, selon l'encépagement et la vinification. Tous sont superbes, onctueux avec des bouquets de fruits cuits, d'épices, de venaison et de truffe, aptes à mûrir longtemps grâce à un bon équilibre de leurs composants. Vins d'hiver, ils sont tout indiqués pour le gibier, le sanglier, le chevreuil, les viandes marinées, en sauce,...

Puissants et chaleureux, ils ne sont pas pesants pour autant, grâce à la juste proportion des différents cépages (jusqu'à treize !) selon les terroirs caractérisés par les galets roulés sur des fonds plus ou moins argileux du diluvium alpin. Vins de fête pour convives en belle santé, et sportifs.

Candeur — Condrieu

On serait tenté de trouver une certaine affinité entre les deux mots, candeur et Condrieu, ce vin blanc d'une pureté et d'une fraîcheur extraordinaires. Le vignoble de Condrieu, qui ne couvre qu'une quarantaine d'hectares, ne s'étend sur pas moins de sept communes. Vin riche en alcool gras et en arômes floraux et fruités, violette abricot notamment, il est d'une grande tendresse en bouche. Vin rare, il fait partie de ces merveilles méconnues que se réservent jalousement les connaisseurs. C'est une attention délicate que de l'offrir à sa jeune fiancée ou à l'occasion de l'anniversaire d'une fraîche jeune fille en fleurs.

VALLÉE DU RHÔNE

101

Beauté   Côte-Rotie

Vin de coteaux terriblement pentus, on en distingue plus particulièrement deux fameux, la Côte blonde et la Côte brune. Selon la légende, ce serait en souvenir d'un noble personnage, Maugiron, qui légua ses terres à ses deux filles, l'une blonde, l'autre brune. En réalité, ces deux coteaux schisteux se distinguent par une exposition légèrement différente, ce qui donne des vins plus corsés pour la Côte brune et plus fins pour la Côte blonde. Les vins sont généralement assemblés pour obtenir un vin de grande race, aux arômes subtils de fruits, d'épices, de réglisse, de café grillé, équilibrés entre gras, acidité et tannins, d'une belle longueur en bouche. Un vin qui mérite d'escorter un lièvre, ou autre gibier à poils ; en tout cas un mets de toute beauté.

Réconfort   Beaumes-de-Venise

Un peu de Beaumes-de-Venise, au dessert, par exemple, est certainement la meilleure façon de verser un peu de baume au cœur et d'apporter ainsi paix et réconfort à l'ami(e) en peine. Vin doux naturel (VDN) issu du muscat blanc à petits grains, dit aussi muscat de Frontignan, sa robe d'or pâle à reflets, son nez floral et fruité, miel, citronnelle et fruits exotiques confits, ses saveurs voluptueuses en font un vin de dessert pour certains, d'apéritif pour d'autres et de fromages pour quelques-uns. Malgré leur puissance en bouche et l'empreinte liquoreuse qu'ils y laissent, ils apportent toujours une note de fraîcheur qui laisse dispos. Magnifique sur un melon de Cavaillon à point...

Amour chaste   Hermitage

On dit que les extrêmes se rejoignent ; la passion peut-elle voisiner avec la chasteté ? Sans doute, mais combien de temps pour un simple enfant du Bon Dieu sans aucune vocation pour la vie d'ermite ? En revanche, sur le plan de la perfection, celles de deux vins, Nuits et Hermitage, sont en effet assez proches, et c'est une heureuse perspective. La grande volupté d'un Hermitage, bien que d'un registre différent, peut rejoindre celle d'un Nuits. Les arômes de tilleul et d'aubépine d'un blanc tel Chante-Alouette mettent le cœur en fête. Un rouge profond, au nez de fruits mûrs et d'épices, est tout aussi susceptible de faire évoluer vos sentiments dans le bon sens, comme fait le temps avec un grand vin pur.

LA PROVENCE

« ... Vous me demandez des nouvelles du vin de Bellet que vous m'avez fait passer. Sans aucune complaisance, vous pouvez vous assurer qu'il a été trouvé admirable, et qu'il a pris le dessus de tous les vins de France que nous avions ici, quoique bons et bien choisis.

L'on devra se souvenir éternellement de vous dans le comté de Nice, non seulement par rapport à la belle conduite que vous y avez tenue, mais encore si ses habitants savent y perpétuer l'intention que vous leur avez donnée de pouvoir faire de si bons vins dans leur pays... »

Lettre du Maréchal de Catinant,
à M. de la Fare, Gouverneur de Nice.

« Le territoire de Bandol produit un vin très estimé dans les Indes, au Brésil et dans le Nord de l'Europe. Vin que beaucoup de gens boivent pour du « Porto » et qui a la propriété d'être inaltérable sous tous les climats. Mais encore, Bandol est devenu un centre expéditeur, par son port, pour les produits semblables. »

A. Meyer (XIXᵉ siècle)

103

◆
APPELLATIONS D'ORIGINE CONTRÔLÉE DES VINS DE PROVENCE
◆

BANDOL
BELLET
CASSIS
COTEAUX-D'AIX-EN-PROVENCE
COTEAUX D'AIX-EN-PROVENCE,
suivi du nom Les Baux-de-Provence
CÔTES-DE-PROVENCE
PALETTE

◆
APPELLATIONS D'ORIGINE VINS DÉLIMITÉS DE QUALITÉ SUPÉRIEURE
◆

COTEAUX-DE-PIERREVERT
COTEAUX-VAROIS

♦ La Provence vinicole s'étend sur les Bouches-du-Rhône, le Var et un peu sur les Alpes-Maritimes. Elle est limitée à l'ouest par le Rhône, au nord par la Durance, au sud par la mer et à l'est par le pays niçois.

♦ Les climats et les sols sont plus variés qu'on serait tenté de le croire, les vins également par conséquent, bien que tous issus des cépages rhodaniens dans des proportions variant suivant les appellations.

♦ Coteaux-d'Aix-en-Provence et Coteaux-d'Aix-en-Provence-les Baux sont deux AOC récentes (1985) sur une vaste région, dont une petite partie sur le Var (Rians) et le reste sur les Bouches-du-Rhône, d'Aix-en-Provence à Saint-Rémy et aux Baux; sols et climats variés, très secs, calcaire dominant avec sols rouges caillouteux; vins de type rhodanien avec des nuances selon le cépage dominant ou complémentaire, syrah, cabernet, sauvignon ou mourvèdre; vins blancs plus originaux à base de bourboulenc et de clairette, avec sauvignon et sémillon.

♦ Palette AOC : une vingtaine d'hectares sur coteaux exposés au nord, complantés de cépages rhodaniens et locaux originaux, donnent des vins blancs, rosés et rouges séduisants et de bonne garde. Le Château-Simone assure environ 95 % de la production. Vins rares et donc chers, mais la qualité justifie le prix.

♦ Côtes-de-Provence AOC constitue le plus important vignoble (19 000 hectares, près de un million d'hectolitres).

Les vins ne sont plus ce qu'ils étaient il y a quelques décennies, mais sont devenus ce qu'ils furent jadis : des blancs (6 %) floraux, légers, secs, des rosés (60 %) souples, assez aromatiques, frais, et des rouges (autour du massif des Maures) au bouquet riche et complexe, de bonne structure, onctueux et de garde moyenne. À redécouvrir!

♦ Cassis AOC : à une dizaine de kilomètres à l'est de Marseille le charmant petit port de Cassis est coiffé par des collines couvertes sur 125 hectares de vignes, en majorité vouées au vin blanc, fin, floral et justement réputé. On trouve un peu de rouge et de rosé également, mais Cassis est surtout réputé pour son vin blanc.

♦ Bandol AOC, au contraire de l'appellation Cassis, est surtout réputée pour son vin rouge; 600 hectares de vigne; cépages méditerranéens, dominés par le mourvèdre qui assure au vin rouge un bouquet de fruits épicés, des arômes de merise et de prune, finement charpenté et équilibré. Les vins blancs et rosés sont moins passionnants!

♦ Bellet AOC : sur la commune de Nice, le vignoble de 30 hectares de cépages méditerranéens franco-italiens donne des vins originaux très fins, au bouquet floral élégant et de structure légère. Blancs, rosés et rouges sont sur la carte des vins des meilleurs restaurants de la région niçoise.

♦ Coteaux-Varois VDQS : vins rouges, rosés et blancs qui pourraient être Côtes-de-Provence, puisque issus de cépages identiques, de terroirs similaires, enclavés dans l'aire des Côtes-de-Provence. La production est d'environ 100 000 hectolitres.

Note : Les premiers ceps plantés dans la Provence d'aujourd'hui l'ont été par les colons phocéens six cents ans avant Jésus-Christ ! C'est dire l'antiquité de la tradition vitivinicole. Si les cépages sont choisis en fonction des terroirs, ce sont néanmoins les bons cépages qui font les bons vins : mourvèdre à Bandol, clairette et marsanne à Cassis (avec l'ugni blanc), negrette de Nice à Bellet, etc.

HARMONIE DES METS ET DES VINS DE PROVENCE

♦ **Apéritif**
Vin blanc de Cassis, Coteaux-d'Aix-en-Provence, Coteaux-d'Aix-en-Provence-les Baux blanc, Bellet blanc.

♦ **Entrées, crudités, hors-d'œuvre**
Tous les vins blancs et rosés de la région, Coteaux-Varois.

♦ **Pissaladière, pizza, coquillages, crustacés (gambas), etc.**
Rosés de caractère : Côtes-de-Provence, Bandol, Bellet, Côtes-du-Rhône.

♦ **Poissons grillés, entrées chaudes à base de poisson**
Côtes-de-Provence blanc ou rosé, Bandol blanc ou rosé.

♦ **Poissons fins cuisinés, en sauce**
Cassis, Palette blanc ou rosé, Bandol rosé, Bellet blanc ou rosé.

♦ **Viandes grillées, volailles**
Coteaux-d'Aix, Côtes-de-Provence rosé ou rouge, Coteaux-Varois rosé ou rouge, Tavel.

♦ **Viandes cuisinées, daube, gibiers**
Côtes-de-Rrovence rouge, Palette rouge, Bandol, Bellet rouge.

♦ **Fromages régionaux et autres**
Les mêmes vins qu'avec les viandes cuisinées.

♦ **Desserts**
Soit les mêmes qu'avec le fromage, dans le cas de fruits rafraîchis par exemple, soit un vin doux naturel de Beaumes-de-Venise...

LES SENTIMENTS ET LES VINS DE PROVENCE

Fantaisie   Palette rosé, rouge ou blanc

Blanc, rosé ou rouge pour la palette des couleurs, et pour celle des arômes, une infinité de nuances fines qui prouvent, s'il en était besoin, que la fantaisie est tout à fait compatible avec une certaine idée de perfection. Grâce à un terroir exceptionnel et à son génie, l'artiste, palette à la main, peint des chefs d'œuvre du meilleur goût, sans académisme, en toute liberté. Des vins qui méritent des petits gibiers à plume, pour les rouges, les poissons les plus fins pour les blancs, et pour les rosés la plus éclatante des cuisines d'été, des filets de rougets grillés au loup en croûte. Un ou des vins à offrir ou à servir aux artistes gourmets ou aux gourmets d'art.

P
R
O
V
E
N
C
E

LA CORSE

«La Corse a reçu quatre dons majeurs de mère nature : ses chevaux, ses chiens, ses hommes et ses vins généreux.»

Ignace Danti, XVIᵉ siècle
(Chevaux et chiens font allusion aux vases à boire
en forme de tête de ces animaux, appelés rhytons.)

«Ha cunsumatu piu binu ca olliu.»
Brève oraison funèbre.
(Il a consommé plus de vin que d'huile)

APPELLATIONS D'ORIGINE CONTRÔLÉE
DES VINS DE CORSE

AJACCIO
PATRIMONIO
VIN DE CORSE
VIN DE CORSE-CALVI
VIN DE CORSE-COTEAUX- DU-CAP-CORSE
VIN DE CORSE-FIGARI
VIN DE CORSE-PORTO-VECCHIO
VIN DE CORSE-SARTÈNE

◆
LA CORSE
◆

◆ Actuellement le vignoble couvre près de 10 000 hectares dont 20 % pour les vins d'AOC issus des cépages traditionnels, nielluccio (Patrimonio) et sciaccarello, tous deux rouges, et vermentino dit «malvoisie de Corse» pour le blanc. À ceux-ci s'ajoutent les cépages du continent, grenache, cinsaut, carignan, ugni blanc et quelques autres.

◆ AOC Vin de Corse : aire assez vaste, qui s'étend de part et d'autre de la vallée du Golo, au centre nord et sur le littoral oriental de l'île. Une partie est vouée aux vins de primeurs. Vins rouges, rosés et blancs, assez fins, moins corsés qu'on ne le croit!

◆ Patrimonio AOC : la première appellation reconnue (1972), issue bientôt à 90 % du nielluccio, pour les rouges, un peu moins pour les rosés, cépages complémentaires cités; mêmes proportions avec le vermentino pour le blanc, complément d'ugni blanc; sols calcaires, exposition favorable. La réputation des vins est très justifiée et ils se distinguent de l'ensemble de la production corse.

◆ Vin de Corse-Coteaux-du-Cap-Corse AOC : muscat et malvoisie dominent, mais on trouve encore des rouges et des vins blancs secs. Le Cap-Corse fut jadis un apéritif typique et demandé, aujourd'hui abandonné! Le rare rappu, vin doux naturel, est d'une grande finesse, comme tous les vins de Cap-Corse.

◆ Vin de Corse-Calvi AOC : ce sont des vins assez tendres, issus en forte majorité des cépages corses, qui donnent, sur un sol granitique, des vins rouges élégants et de charme et des blancs d'une certaine douceur.

◆ Ajaccio AOC : depuis 1984 Ajaccio est devenu appellation communale, bien que l'aire soit assez vaste, du golfe de Porto aux confins du Sartenais. Vins rouges et rosés au bouquet finement poivré, amples et soyeux selon la plus ou moins forte proportion de sciaccarello, barabarella et nielluccio.

◆ Vin de Corse-Sartène AOC : vins très typés selon l'exposition et l'altitude (de la mer à 600 mètres) avec un cépage particulier, le montanaccio, proche du sciacarello; 95 % de rouge et rosé et 5 % de blanc sec.

◆ Vin de Corse-Figari AOC : aire assez réduite, entre celle de Sartène et de Porto-Vecchio; vins assez charpentés, de caractère, dans un secteur venteux, sauvage et aride, aux pluies rares.

◆ Vin de Corse-Porto-Vecchio AOC : l'aire d'appellation est vaste mais la production réduite, vins rouges, rosés et blancs dont les plus réputés proviennent des coteaux au nord de Porto-Vecchio; bons vins également près de Bonifacio.

Note : Les années 1960 virent la superficie du vignoble corse tripler sous l'impulsion des rapatriés d'Algérie. Malheureusement cette extension pour la production de vin médecin ne répondait pas aux besoins économiques ni politiques. Il fallut arracher. Le vignoble

113

a retrouvé ses dimensions antérieures et ses cépages traditionnels, codivarte au cap Corse, aleatico au cap Corse, à Patrimonio et Ajaccio, barbirossa à Ajaccio et Sartène, carcajolo à Sartène et à Figari avec le bianca gentile et le mariscola. Mais les trois principaux cépages demeurent le vermentino pour le blanc, le nielluccio et le sciacarello pour les rouges.

◆

HARMONIE DES METS ET DES VINS DE CORSE
◆

◆ Apéritif
Muscat du Cap-Corse, «rappu» (sorte de VDN) ; vin blanc de Patrimonio, d'Ajaccio.

◆ Entrées, crudités, charcuteries
Ajaccio (si possible blanc de pur malvoisie), Vin de Corse, blanc et rosé, rosé de pur sciacarello.

◆ Viandes grillées, poissons grillés
Patrimonio rosé, Vin de Corse-Figari blanc, et Vin de Corse-Porto-Vecchio blanc ou rosé.

◆ Viande rouge cuisinée, gibier
Patrimonio rouge, Vin de Corse-Calvi rouge, ajaccio rouge, Vin de Corse-Figari rouge et Vin de Corse-Porto-Vecchio.

◆ Fromages
Les fromages corses sont nombreux et savoureux. Selon leur nature (lait de chèvre, de brebis), vins blancs, rosés ou rouges conviennent, selon le dernier vin dégusté sur poisson ou viande...

◆ Dessert
Vin de Corse-Cap-Corse, liquoreux à base de muscat, Patrimonio, muscat et rappu.

LES SENTIMENTS ET LES VINS DE CORSE

Possessivité   Patrimonio

Ce vin corse de haute réputation devrait combler tout naturellement l'amateur propriétaire pointilleux et jaloux de sa cave, au point de prendre comme une menace le voisinage de buveurs d'eau. Une telle promiscuité risquerait d'être ressentie comme une insulte à son patrimoine... « ethnœnologique ». Quelques gorgées de Patrimonio calmeront ses anxiétés et l'aideront à goûter tous les charmes de son île de beauté.

C
O
R
S
E

116

LE LANGUEDOC-
ROUSSILLON

Aou d'jou, aou vi
L'omé se fait couqui.
(Au jeu, au vin, l'homme se fait coquin.)
                              dicton

Chantons Lattaignant*
Qui dédaignant
Église et cure
Servit Épicure
Et s'arrose de Frontignan!
                    vieux couplet populaire
* Lattaignant, poète de cour
et néanmoins ecclésiastique (1697-1773).

♦
APPELLATIONS D'ORIGINE CONTRÔLÉE
DU LANGUEDOC-ROUSSILLON
♦

BLANQUETTE DE LIMOUX
CIAIRETTE DE BELLEGARDE
CLAIRETTE DU LANGUEDOC
COLLIOURE
CORBIÈRES
COSTÈRES-DE-NÎMES
COTEAUX-DU-LANGUEDOC
COTEAUX-DU-LANGUEDOC, suivi
ou non de l'un des noms suivants :
Cabrières, coteaux de la Méjanelle ou la
Méjanelle, coteaux de Saint-Christol ou
Saint-Christol, coteaux de Vérargues ou
Vérargues, la Clape, Montpeyroux,

Picpoul-de-Pinet, Pic-Saint-Loup,
Quatourze, Saint-Drézéry,
Saint-Georges-d'Orques, Saint-Saturnin
CÔTES-DU-ROUSSILLON
CÔTES-DU-ROUSSILLON-VILLAGES
COTES-DU-ROUSSILLON-VILLAGES
 CARAMANY
CÔTES-DU-ROUSSILLON-VILLAGES
 LATOUR-DE-FRANCE
FAUGÈRES
FITOU
MINERVOIS
SAINT-CHINIAN

♦
APPELLATIONS D'ORIGINE
VINS DÉLIMITÉS DE QUALITÉ SUPÉRIEURE
♦

CÔTES-DE-LA-MALEPÈRE
CÔTES-DU-CABARDÈS-ET-DE-L'ORBIEL ou CABARDÈS

♦
APPELLATIONS D'ORIGINE CONTRÔLÉE
VINS DOUX NATURELS
♦

BANYULS
BANYULS-RANCIO
BANYULS GRAND CRU-RANCIO
FRONTIGNAN
GRAND-ROUSSILLON
GRAND-ROUSSILLON-RANCIO
MAURY
MAURY-RANCIO
MUSCAT DE FRONTIGNAN

MUSCAT DE LUNEL
MUSCAT DE MIREVAL
MUSCAT DE RIVESALTES
MUSCAT DE
 SAINT-JEAN-DE-MINERVOIS
RIVESALTES
RIVESALTES-RANCIO
VIN DE FRONTIGNAN

♦
LE LANGUEDOC
♦

♦ Le languedocien département du Gard est néanmoins pour sa partie Côtes-du-Rhône rattaché à cette appellation, avec Chusclan, Laudun, et Lirac et Tavel (cf. pp. 96-97).

♦ De Nîmes à Carcassonne, des Costières de Nîmes au Limouxin, la diversité des terroirs et des vins est telle qu'il est impossible de définir un type de vin du Languedoc, tant en blanc qu'en rouge et rosé.

♦ Trois vins blancs dominent : la Clairette de Bellegarde et la Clairette du Languedoc, deux AOC issues du cépage clairette, qui donne aux vins un bouquet très caractéristique, aux arômes de pomme et amande; vins secs, sauf vendanges tardives pour la Clairette du Languedoc, vin dès lors généreux prenant rapidement le goût de rancio. Le troisième vin est le Coteaux-du-Languedoc-Picpoul-de-Pinet, issu du seul cépage de ce nom, le picpoul qui donne un vin sec, vif, bouqueté, excellent sur les coquillages.

♦ Quelques autres vins blancs issus de l'assemblage de plusieurs cépages, picpoul, bourboulenc, carignan blanc, grenache blanc, clairette, ugni blanc, malvoisie, maccabeu, sont présentés sous les appellations diverses Costières-de-Nîmes, Coteaux-du-Languedoc, Corbières, etc. Ces vins n'ont pas l'originalité des précédents, mais sont néanmoins secs, légers, agréables et bien adaptés à la cuisine régionale.

♦ Les vins blancs ne représentent toutefois qu'environ 4 % de la production totale. Les rouges et les rosés dominent très largement, issus en proportions variables selon les sols et les vignerons de cépages carignan, grenache, cinsaut, mourvèdre, syrah, lladoner, etc

♦ Costières-de-Nîmes : AOC depuis 1986, concerne 2 500 hectares de vigne donnant 200 000 hectolitres de vin, 5 % de blanc, 15 % de rosé et le reste en rouge généreux, fruité et plaisant.

♦ Coteaux-du-Languedoc : AOC depuis fin 1985, couvre 5 000 hectares et concerne 120 communes situées dans le Gard, l'Hérault et l'Aude, totalisant une production de plus de 400 000 hectolitres. L'appellation peut éventuellement se compléter du nom de l'un des douze terroirs suivants : Cabrières, la Clape, Coteaux-de-la-Méjanelle, Montpeyroux, Picpoul-de-Pinet, Pic-Saint-Loup, Quatourze, Coteaux de Saint-Christol, Saint-Drézery, Saint-Georges-d'Orques, Saint-Saturnin, Coteaux de Vérargues.

Les vins de chacun de ces terroirs ont leurs propres caractéristiques et personnalités, ce qui fait douze nuances pour des vins de soleil, charnus et charpentés.

Note : On trouve également en Languedoc de nombreux vins de pays, souvent issus d'un seul cépage (syrah, merlot, etc.), de réelle qualité et d'un rapport qualité/prix intéressant! Ils n'ont pas l'équilibre des vins d'AOC mais ne manquent pas de charme!

119

♦ Faugères AOC est un cru des Coteaux-du-Languedoc, les vins pouvant prendre cette appellation ou celle de Faugères. L'aire couvre un peu moins de 6 000 hectares et donne environ 50 000 hectolitres d'un vin rouge surtout, rubis soutenu, avec quelques rosés, tous ayant l'élégance et la finesse des vins de schistes.

♦ Saint-Chinian AOC : l'aire d'appellation prolonge celle de Faugères, et cette partie, à peu près la moitié des 2 000 hectares, que comprend la totalité de l'appellation, est également sur schistes, la partie sud étant de cailloutis gréseux ou calcaires. Les massifs du Caroux et du Sommail mettent la vigne à l'abri et ménagent de nombreux microclimats favorables. Vins de charpente élégante, corsés sur les calcaires, tendres, veloutés sur les schistes (environ 60 000 hectolitres).

♦ Corbières AOC : ce vaste secteur (23 000 hectares) et 600 000 hectolitres, dont 4 % de blanc, qui concerne 87 communes, est limité au nord par la vallée de l'Aude et par la frontière du Roussillon au sud. Le carignan domine (60 %), vinifié généralement en macération carbonique ; vins généreux, robe rouge grenat, charpentés, charnus, puissants et équilibrés, de bonne garde.

♦ Fitou AOC : enclavée dans les Corbières, l'aire se divise en deux parties, l'une maritime, l'autre continentale, Le carignan domine (75 %) complété de mourvèdre, syrah, terret noir ; vin puissant, de garde à boire après cinq ans, sur gibiers, viandes rouges en sauce... Petite production de Rivesaltes et Muscat de Rivesaltes.

♦ Minervois AOC : située pratiquement au nord de la vallée de l'Aude (rive gauche) l'aire d'appellation affecte 45 communes de l'Aude et 16 de l'Hérault, avec un total de 18 000 hectares et une production d'environ 250 000 hectolitres dont 2 % à 3 % de blanc. Cépages languedociens avec peu de carignan, complétés de cinsaut et de mourvèdre. Vins rouges plus souples que les corbières, plus fins avec des arômes de fruits mûrs relevés d'épices.

♦ Côtes-du-Cabardès-et-de-l'Orbiel AOVDQS : au nord de Carcassonne, l'aire d'appellation s'étend sur 3 500 hectares répartis sur 14 communes, pour un total de moins de 115 000 hectolitres de vins rouges et rosés. Les cépages sont languedociens complétés de cabernet franc, de cabernet-sauvignon et de merlot.

♦ Côtes-de-la-Malepère AOVDQS : au sud-ouest de Carcassonne, l'aire d'environ 6 000 hectares concerne 31 communes pour une production d'un peu moins de 10 000 hectolitres de vins rouges et rosés des cépages identiques à ceux du cabardès.

♦ Crémant de Limoux AOC : c'est l'unique vin mousseux du Languedoc, élaboré selon la méthode de deuxième fermentation en bouteille, à partir de vins pour 60 % issus du mauzac, et le reste de chenin et chardonnay. Autres productions : un rare limoux, vin tranquille, et un vin de blanquette, selon la méthode rurale (mise en bouteille précoce, la première fermentation s'achevant dans la bouteille). Production totale environ 50 000 hectolitres pour 2 000 hectares plantés.

Château de Campuget
COSTIÈRES DE NÎMES

Médaille d'Argent Paris 1989

APPELLATION COSTIÈRES DE NÎMES CONTRÔLÉE
12,5% vol.   1988   750 ml
Mis en bouteille au Château
CHATEAU DE CAMPUGET PROPRIETAIRE RECOLTANT A MANDUEL (GARD)
PRODUIT DE FRANCE
TRADITION DE CAMPUGET

1988
Cave
Les Vins de Roquebrun

CUVÉE
ROCHES NOIRES
Macération

Saint Chinian
APPELLATION SAINT CHINIAN CONTRÔLÉE

MIS EN BOUTEILLE A LA PROPRIETE
CAVE LES VINS DE ROQUEBRUN F 34360 FRANCE
TEL. 47 89 44 35
75cl
12% vol.

CHATEAU DE NOUVELLES
FITOU
APPELLATION FITOU CONTROLEE
75cl   13% vol.
Vieilli dans le chêne 1985 Mis en bouteille par
ROBERT DAURAT-FORT PROPRIETAIRE RECOLTANT, 11350 TUCHAN FRANCE

Domaine
SAINTE-EULALIE
1988
MINERVOIS
Appellation Minervois Contrôlée

75 cle 12% vol.

Propriétaire récoltant : M. BLANC 34210 LA LIVINIÈRE
Mis en bouteille au domaine
Produce of France

Grand Vin de Banyuls
DOMAINE DU "MAS BLANC"

Hors d'Age - Vieilli en Soléra
Appellation Banyuls Contrôlée
Alc. by Vol. 17,5 %   Dessert Wine
Produce of France   Mise du Domaine   Net contents 750 ml
S.C.A. PARCÉ & FILS - PROPRIETAIRES-RÉCOLTANTS
9, Allées du Général de Gaulle - F 66650 BANYULS-SUR-MER

Domaine
de la Claretière

COTEAUX DU LANGUEDOC
APPELLATION COTEAUX DU LANGUEDOC CONTRÔLÉE

MIS EN BOUTEILLE A LA PROPRIETE
CAVE LES VINS DE ROQUEBRUN F 34360 FRANCE
TEL. 43 99 41 35
75cl
12% vol.

121

Note : Contrairement à ce qu'on serait tenté de croire, les vins du Languedoc et du Roussillon sont d'une grande variété, due à celle plus grande encore des sols et des sous-sols, des micro climats, des expositions, de la plus ou moins immédiate proximité de la mer, le climat étant le seul point commun relatif à l'ensemble du littoral. Aussi les vins présentent-ils autant de nuances complexes dans les arômes, les saveurs et les structures. Ce sont des vins à découvrir sans préjugés, pour de bien agréables surprises.

◆

LE ROUSSILLON ET LES VDN

◆

◆ Le Roussillon n'a pas l'exclusivité des vins doux naturels : le Languedoc présente les Muscats de Frontignan blanc (22 000 hectolitres), de Mireval, son voisin (7 000 hectolitres), de Lunel (8 000 hectolitres), de Saint-Jean-de-Minervois (3 000 hectolitres), tous issus du muscat blanc à petits grains ; le Muscat de Rivesaltes est produit sur toute l'étendue de l'aire de Rivesaltes, et ajoute le muscat d'Alexandrie au cépage précité (110 000 hectolitres).

◆ Tous ces muscats sont obtenus par addition de 5 % à 10 % d'alcool neutre à 95° dans le moût en fermentation qui se trouve de ce fait arrêtée. Le vin fait doit titrer au minimum 15° et contenir au moins 125 grammes de sucre naturel par litre (100 grammes pour le Muscat de Rivesaltes). À des nuances près, ces vins de dessert présentent des arômes délicats de tilleul, de rose, de miel.

◆ Le Rivesaltes se différencie par les cépages de base : grenache, malvoisie, maccabeu et muscat. En rouge et rosé (80 000 hectolitres) et en blanc (300 000 hectolitres) l'aire s'étend sur une partie des Corbières (Aude) et principalement sur les Pyrénées-Orientales (Roussillon). Il prend une jolie teinte avec l'âge et un goût dit de « rancio ».

◆ Le Maury, 50 % minimum à base de grenache, doit au terroir des expressions aromatiques plus riches, plus complexes, qui se développent avec l'âge (rancio) : confiture de fruits, agrumes confits, cacao. Vin de dessert, y compris ceux au chocolat; uniquement rouge, de 35 000 à 40 000 hectolitres.

◆ Banyuls et Banyuls Grand Cru : 2 000 hectares de terrasses schisteuses plongent à pic dans la mer, à la frontière franco-espagnole. La production est d'environ 40 000 hectolitres pour le Banyuls et de 8 000 hectolitres pour le Grand Cru, aux conditions sévères de production et de vieillissement (trente mois minimum). L'âge, l'exposition à la lumière et à la température extérieure confèrent des arômes spécifiques, capiteux, suaves, qui méritent la mention « rancio ». Magnifiques vins de dessert, même au chocolat.

♦ Côtes-du-Roussillon et Côtes-du-Roussillon-Villages AOC : les Côtes-du-Roussillon peuvent être rouges, rosés ou blancs, les Côtes-du-Roussillon-Villages sont uniquement rouges. La production est de 10 000 hectolitres en blanc, de 220 000 hectolitres en rouge et rosé, de 100 000 hectolitres en « villages » ; terroirs très variés ; vins généreux, équilibrés ; saveurs de fruits mûrs, pruneau, etc.

♦ Côtes-du-Roussillon-Villages-Caramany, Côtes-du-Roussillon-Villages-Latour-de-France AOC : la première appellation se distingue par la technique de vinification en macération carbonique, la seconde par son terroir de schiste. Les deux vins présentent une nette originalité qui a justifié d'être distinguée.

♦ Collioure : 150 hectares pour moins de 7 000 hectolitres d'un vin rouge puissant, charnu, de garde, issu de grenache, mourvèdre et carignan, sur l'aire de Banyuls ; vin rare, de grande classe.

Note : Le classement en AOC dès 1977 a consacré la volonté des vignerons de se vouer aux vins de qualité, précédant ainsi de quelque huit années leurs homologues languedociens ! La notoriété des appellations du Roussillon n'a cessé de s'affirmer au fil des ans, certains domaines ayant acquis une grande renommée.

HARMONIE DES METS
ET DES VINS DU LANGUEDOC-ROUSSILLON

♦ **Apéritif**
Un vin effervescent, Blanquette de Limoux, ou des vins tranquilles : Clairette de Bellegarde, Clairette du Languedoc, Minervois (de cépage unique maccabeu), Côtes-du-Roussillon blanc (de pur maccabeu).

♦ **Entrées, crudités, charcuteries**
Costières-de-Nîmes rosé, Coteaux-du-Languedoc blanc ou rosé, Minervois blanc ou rosé, Côtes-du-Roussillon blanc.

♦ **Coquillages, crustacés, poissons frits**
Clairette, Picpoul-de-Pinet, Corbières blanc, Costières-de-Nîmes blanc, Coteaux-du-Languedoc blanc ou rosé.

♦ **Charcuteries et viandes grillées**
Costières-de-Nîmes rouge, Corbières rouge, Côtes-du-Roussillon, Minervois, Côtes-de-la-Malepère, Côtes-du-Cabardès-et-de-l'Orbiel, Coteaux-du-Languedoc.

♦ **Viandes rouges cuisinées, gibiers**
Coteaux-du-Languedoc-la Clape rouge, Coteaux-du-Languedoc Quatourze, Saint-Chinian, Faugères, Fitou, Corbières, Minervois, Côtes-du-Roussillon-Villages.

♦ **Fromages**
Collioure, Banyuls (avec fromages forts, roquefort, etc.), ou bien vins servis avec les mets précédents.

♦ **Dessert**
Un vin doux naturel : Rivesaltes, Muscat, Banyuls, Maury, etc.

♦

LES SENTIMENTS ET LES VINS DU LANGUEDOC-ROUSSILLON

♦

Gourmandise Banyuls

La gourmandise est synonyme de gastronomie quand elle s'exprime avec modération. L'obsession de la ligne, la hantise du poids, du régime coûte que coûte font négliger le bon usage du dessert qui est pourtant le dernier souvenir d'un repas! C'est grand dommage. Et quel voluptueux souvenir peut laisser un grand Banyuls, sur un gâteau au chocolat, un bavarois ou autre ruche au curaçao! Le bouquet du Banyuls s'accorde en effet parfaitement avec la quasi-totalité des parfums et des saveurs propres aux pâtisseries et autres desserts, fussent-ils au chocolat, au café ou à la praline...

Justice Mas-de-Daumas-Gassac
Vin de pays de l'Hérault

De même que du temps de Molière il n'était pas convenable de guérir en dehors de la Faculté, de nos jours il n'est pas décent de faire un grand vin en dehors des normes légales. Terroir et micro climat exceptionnels ont encouragé le propriétaire sur les conseils des plus éminents œnologues, de choisir un encépagement approprié, sans tenir compte des décrets en vigueur pour les vins d'appellation d'origine de la région. Moyennant quoi, récemment encore (mars 1994) lors d'une dégustation à l'aveugle organisée par l'importante revue *Wine Spectator* sur 400 vins du Languedoc, 8 seulement furent classés «outstanding», 4 rouges et 4 blancs de différents millésimes, 8 vins de Daumas-Gassac! Une justice à rendre, qui plaidera en votre faveur.

Affection Fitou

Ce vin d'AOC un peu méconnu provient de deux secteurs du Sud du département de l'Aude, à la limite des Pyrénées-Orientales : un secteur maritime, et un autre continental dans le massif des Corbières. Son nom qui paraît un affectueux diminutif, n'en concerne pas moins un vin solide, d'une belle couleur rouge foncé, presque noir, corsé et capiteux susceptible de braver le temps comme une solide amitié. Il fera merveille sur un canard rôti, ou aux olives, une viande rouge aux petits oignons, sur la plupart des fromages et sur une tarte aux fruits de saison, pommes, prunes, etc. C'est un grand vin plein de soleil, mais qui le restitue avec discrétion, affectueusement...

125

LE SUD-OUEST

«Je fis, adolescente, la rencontre d'un prince enflammé, impérieux, traître, comme tous les grands séducteurs : le Jurançon.»

Colette

«Non point eau de feu, pareille à l'alcool consumant ou stupéfiant d'industrie, mais véritablement eau-de-vie, joie et réconfort de l'être, qui avive le teint, éclaire l'œil, réchauffe le sang et le stimule sans le charger ni l'allumer... »

J. de Pesquidoux

♦
APPELLATIONS D'ORIGINE CONTRÔLÉE
DU SUD-OUEST DE LA FRANCE
(sauf le Bordelais)
♦

S
U
D
-
O
U
E
S
T

BÉARN
BUZET
CAHORS
CÔTES-DE-DURAS
CÔTES-DU-FRONTONNAIS
CÔTES-DU-FRONTONNAIS-
  FRONTON
CÔTES-DU-FRONTONNAIS-
  VILLAUDIRC
CÔTES-DU-MARMANDAIS

GAILLAC
GAILLAC DOUX
GAILLAC MOUSSEUX
GAILLAC-PREMIÈRES-CÔTES
IROULEGUY
JURANÇON
JURANÇON SEC
MADIRAN
MARCILLAC
PACHERENC-DU-VIC-BILH

♦
APPELLATIONS D'ORIGINE
VINS DÉLIMITÉS DE QUALITÉ SUPÉRIEURE
♦

CÔTES-DU-BRULHOIS
CÔTES-DE-SAINT-MONT
TURSAN

VINS D'ENTRAYGUES ET DU FEL
VINS D'ESTAING
VINS DE LA VILLEDIEU

♦
EAUX-DE-VIE D'APPELLATION D'ORIGINE CONTRÔLÉE
♦

ARMAGNAC
BAS-ARMAGNAC

HAUT-ARMAGNAC
TÉNARÈZE

♦
VIN DE LIQUEUR
♦

FLOC DE GASCOGNE

QUERCY, ALBIGEOIS ET ROUERGUE

◆ Tarn, Tarn-et-Garonne, Haute-Garonne, Lot et Aveyron forment un îlot vineux qui ne doit rien au Languedoc et pas beaucoup plus à la proche Gascogne, à l'Aquitaine ou au Périgord : les cépages originaux ne se trouvent guère ou pas du tout ailleurs, avec la présence toutefois de quelques voisins plus ou moins proches.

◆ Gaillac, Gaillac doux, Gaillac mousseux, Gaillac-Premières-Côtes : le Gaillac blanc, sec, fruité, peu acide, est issu des cépages mauzac et pour au moins 15 % de len de lel. Il peut être « perlé » ou « doux », moelleux grâce au mauzac récolté à bonne maturité. Il existe en mousseux, généralement par méthode dite «champenoise». Les vins rouges sont soit primeurs, à base de gamay, renforcé de syrah et de duras, soit de garde, à base de duras, syrah et surtout fer servadou qui fait l'originalité du gaillac.

◆ Marcillac AOC concerne un vin rouge issu à 90 % du cépage fer servadou. Le vin (4 000 hectolitres) est rouge-noir, nez rustique, arômes de petits fruits, framboise et cassis, tannique, que l'âge arrondit. Il est à boire dès sa deuxième année.

◆ Vins d'Entraygues et du Fel VDQS : vins rouges et rosés issus de fer servadou (25 %), cabernet, gamay, merlot, negrette, pinot noir, blancs issus pour 80 % minimum du chenin et du mauzac. Production confidentielle : 300 hectolitres en rouge et rosé, 150 hectolitres en blanc, tous vins qui font la joie des touristes.

◆ Vins d'Estaing VDQS : une dizaine d'hectares assurent la production d'environ 300 hectolitres en rouge et 50 hectolitres en blanc. Le rouge est issu du fer servadou et de quelques autres cépages locaux. Débouchés touristiques pour ces vins robustes, colorés s'affinant après quelques années.

◆ Cahors AOC : le vignoble suit le cours du Lot sur une cinquantaine de kilomètres, et, pour une partie, est planté sur le Causse. Le cépage principal est l'auxerrois, nom local du cot (70 % minimum), complété de tannat, jurançon rouge, merlot et syrah. Treize producteurs se sont regroupés dans l'association «les Seigneurs du Cahors». La moitié des producteurs, soit environ trois cents, sont coopérateurs de la cave de Parnac. Vin rouge foncé, tannique, ample en bouche, il devient velouté avec l'âge; vin de garde par excellence!

◆ Côtes-du-brulhois VDQS : environ 10 000 hectolitres de vins rouges et rosés sont produits surtout par la cave coopérative de Donzac, en Tarn-et-Garonne, et une petite partie, par celle de Goulens, en Lot-et-Garonne. Vins rouges vifs, légers, fruités, issus du fer servadou associé au merlot et au cabernet, à boire dans la fraîcheur de leur jeunesse.

◆ Vins de la Villedieu VDQS : rosés ou rouges ils s'apparentent aux vins du Frontonnais, issus de cépages identiques, dont celui de base, la negrette, allié notamment au tannat qui apporte acidité et tannins. Environ 2 000 hectolitres l'an.

SUD-OUEST

129

♦ Côtes-du-Frontonnais, Côtes-du-Fron-tonnais-Fronton et Côtes-du-Fronton-nais-Villaudric : appellation suivant l'origine, l'aire se répartissant sur diffé-rentes communes de Haute-Garonne et Tarn-et-Garonne. Vins issus de la negrette (maximum 70 % et 50 % au minimum) complétée de cot, mérille, fer, syrah, cabernet franc et cabernet-sauvi-gnon (maximum 25 %) avec éventuelle-ment gamay, cinsaut, mauzac. La negrette comme son nom l'indique donne un vin noir, parfumé (pruneaux cuits, vanille, bois brûlé), léger en alcool, peu acide, d'où l'intérêt de l'assembler avec d'autres cépages ; vin original qui peut dérouter l'amateur prisonnier de ses habitudes (entre 70 et 75 000 hectolitres de production).

Note : Tous ces vins présentaient et pré-sentent encore mais dans une moindre mesure une grande originalité, qu'on tend actuellement à modérer sinon à effacer par l'apport de cépages secon-daires les faisant plus proches d'un arché-type plus ou moins bordelais. Dommage ! Heureusement que quelques vignerons d'élite résistent, maintiennent la tradition ou la retrouvent...

♦
L'ARMAGNAC
♦

♦ L'aire de production des vins destinés à la distillation, en presque totalité sur le département du Gers, est divisée en trois sous-régions : haut Armagnac, Ténarèze et bas Armagnac.

♦ Le haut Armagnac, dit «Armagnac blanc» à cause de ses sols calcaires, malgré son étendue ne fournit plus guère qu'un faible pourcentage d'eau-de-vie, les vignerons préférant produire des «vins de pays».

♦ La Ténarèze, entre haut et bas Armagnac, donne des eaux-de-vie chaleureuses, plus corsées que les autres, souvent assemblées avec Haut-Armagnac et Bas-Armagnac et commercialisées sous l'appellation Armagnac.

♦ Le Bas Armagnac, ou « Armagnac noir » à cause des forêts sombres, est le secteur le plus à l'ouest et déborde sur le département des Landes. Il produit l'appellation la plus réputée et son eau-de-vie est souvent présentée sous son nom de Bas-Armagnac.

♦ Les vins promis à la distillation doivent être issus des cépages suivants : saint-émilion (nom, maintenant prohibé, de l'ugni blanc), le colombard, la folle-blanche, le baco, le seul hybride toléré (noah et folle-blanche) et quelques autres très accessoires, picpoul, jurançon, blanquette, etc.

♦ Les vins peu alcoolisés (8° à 9°) doivent être purs de tout produit œnologique, leur acidité étant leur seule protection. Plus la distillation intervient tôt, dès la vinification achevée, mieux cela vaut. La date limite pour distiller est le 30 avril suivant la date de la récolte.

♦ La distillation se pratique soit avec l'alambic charentais à double repasse, soit avec l'alambic armagnacais à distillation continue ; l'eau-de-vie sort de l'alambic à quelque 70°.

♦ L'élevage en fût de chêne blanc de 400 litres révélera la personnalité de l'eau-de-vie. Le fût, ou pièce, offrira à l'armagnac son tannin, sa lignine, ses sucres complexes et ses pigments colorés, tandis que par évaporation le chai favorisera les oxydations, les échanges et la concentration des substances. Un vieillissement suffisant devrait ramener le degré alcoolique autour de 47 %, naturellement. On sera proche de la perfection !

♦ Produit artisanal, l'armagnac dispose d'un atout majeur : le millésime !

Note : La coupe est l'assemblage de plusieurs eaux-de-vie, d'âges et (ou) d'origines différents. Si l'on ajoute dans une eau-de-vie de vingt-cinq ans une autre de quatre ans, l'âge qui pourra être indiqué sera quatre ans. Le degré minimal pour la consommation est de 40° GL.

♦ Climat océanique, sols à dominante argilo-siliceuse ou argilo-calcaire et cépages spécifiques confèrent aux vins de ce vaste secteur géographique une originalité certaine. La plupart des vins rouges font appel au tannat, les blancs aux cépages ancestraux tels gros et petit manseng, courbu, arrufiac, baroque, etc. La référence au type de vin bordelais n'est pas de mise.

♦ Madiran AOC, Pacherenc-du-Vic-Bilh AOC : une seule et même aire de production pour deux appellations, le Madiran, rouge et puissant, en plein essor avec plus de 50 000 hectolitres l'an, le Pacherenc-du-Vic-Bilh, blanc, frais, léger et rare avec moins de 3 500 hectolitres. Le Madiran est un vin de garde superbe, aux arômes complexes évoquant le pain grillé, les épices, corsé, sensuel.

♦ Jurançon, Jurançon sec AOC : deux types de vin sur la même aire d'appellation ; le jurançon moelleux est issu du petit manseng, aux raisins passerillés qui donnent un vin aux arômes de miel noisetté, de fleur d'acacia, très séducteur ; le Jurançon sec est issu du gros manseng qui donne un vin vif, sec, charnu, assez corsé avec des arômes de cire d'abeille, de genêt, légèrement poivré. La production est d'environ 30 000 hectolitres.

♦ Béarn AOC : rosé lumineux, vif, floral (5 000 hectolitres) ; rouge joyeux et équilibré, agréable dans sa jeunesse et qui évolue bien en quelques années (1 200 hectolitres), blanc complexe, aux arômes floraux et de petits fruits (375 hectolitres)

; tous traduisent un climat océanique et pyrénéen, des paysages vallonnés et verdoyants.

♦ Irouleguy AOC : 100 hectares sur les coteaux de 6 communes autour de Saint-Étienne-de-Baïgorry, sur des schistes, grès, calcaires riches en oxyde de fer, donnent des vins rouges et rosés pour les deux tiers, blancs pour un tiers, au total 4 000 hectolitres. Les rosés, majoritaires, sont remarquables de fraîcheur avec leurs arômes framboise-cassis. Tous sont secs, virils, bien structurés, charnus et atteignent leur plénitude en trois ou quatre ans.

♦ Côtes-de-Saint-Mont VDQS : sur une aire de 700 hectares partiellement complantée de tannat, merlot, fer et cabernet pour les rouges, et cépages locaux pour les blancs, qui ne représentent que 10 % sur 15 000 hectolitres de production totale, les vins retrouvent leur notoriété de jadis. Les rouges sont tanniques, fins et riches d'arômes fruités, les rosés vifs et charpentés, tous à boire de préférence dans leur prime jeunesse.

♦ Tursan VDQS : rouge issu du tannat complété des cépages bordelais ; blanc issu du baroque, cépage assisté parfois de plants locaux. La production annuelle est d'environ 15 000 hectolitres dont 60 % de rouge et rosé. Vins ayant du caractère, souples et charpentés, fins et rustiques, authentiques en tout cas. Le centre de production est à Geaune (Landes), quinze kilomètres au sud-ouest d'Aire-sur-Adour.

♦ Buzet AOC : ici les coteaux de Gascogne rejoignent les terrasses garonnaises et nous nous rapprochons du Bordelais ; les cépages sont ceux du Saint-Émilionnais, à base de merlot complété des cabernets pour les rouges, qui dominent (75 000 hectolitres), les blancs étant issus des sémillon, sauvignon et muscadelle (1 000 hectolitres). Les sols graveleux, l'élevage en barrique de chêne et les soins vigilants font des vins fins, ronds, étoffés dont 95 % de la production est assurée par la coopérative pilote et modèle de Buzet-sur-Baïse.

♦ Côtes-du-Marmandais AOC : cabernet et merlot (pour 75 % au total) complétés du cépage régional l'abouriou donnent aux vins rouges et rosés une note épicée dans une structure équilibrée, les rendant aptes à une bonne conservation. Production en quasi-totalité par deux coopératives, à Beaupuy sur la rive droite de la Garonne et Cocumont sur la rive gauche. La qualité constante des vins a permis leur accession au statut AOC.

♦ Côtes-de-Duras AOC : vins proches des bordeaux, sauf pour la partie des rouges vinifiés par macération carbonique, plus souples, légers et à boire jeunes ; production totale d'environ 80 000 hectolitres, rouge et blanc par moitié.

Note : Au fur et à mesure qu'on s'éloigne de la région bordelaise, les vins révèlent leur originalité provenant des terroirs et des cépages locaux. Il faut souhaiter que les amateurs cessent de se référer aux vins de Bordeaux et goûtent les autres vins dans leur spécificité.

HARMONIE DES METS ET DES VINS DU SUD-OUEST

◆

◆ Apéritif
Gaillac mousseux, Jurançon sec, Pacherenc-du-Vic-Bilh.

◆ Entrées, crudités, charcuteries, coquillages
Buzet blanc ou rosé, Côtes-de-Duras blanc ou rosé, rouge léger Pacherenc-du-Vic-Bilh, Gaillac, Irouleguy blanc ou rosé, Béarn rouge, rosé ou blanc.

◆ Poissons frits, mollusques et crustacés
Gaillac blanc ou rosé, Irouleguy, Béarn blanc, Pacherenc-du-Vic-Bilh, Côtes-de-Duras blanc (sauvignon), Jurançon sec, Tursan blanc.

◆ Poissons cuisinés, en sauce, crustacés
Côtes-de-Saint-Mont, Buzet blanc, Béarn, Tursan blanc, Côtes-de-Duras.

◆ Viandes grillées, cuisinées en sauce, gibier
Rouges légers : Béarn, Gaillac rouge, Tursan rouge.
Rouges généreux : Buzet, Madiran, Marcillac, Côtes-du-Brulhois, Côtes-de-Saint-Mont, vins d'Entraygues et du Fel, vins d'Estaing, vins de la Villedieu, Côtes-du-Frontonnais, Cahors, Madiran.

◆ Fromages
Mêmes vins que pour les viandes.

◆ Dessert
Gaillac doux, Gaillac-Premières-Côtes, Jurançon.

LES SENTIMENTS ET LES VINS DU SUD-OUEST

Fierté   Jurançon

Henri IV, seul roi de qui le pauvre ait gardé la mémoire, fier et courageux, dut ses qualités à son père qui, à sa naissance, lui frotta les lèvres avec une gousse d'ail et surtout, lui fit avaler quelques gouttes de Jurançon! Il en garda le goût toute sa vie et les vins préférés du roi furent nombreux! Traditionnellement le Jurançon est un vin moelleux, issu du cépage petit manseng dont les raisins sont passerillés sur souche. Suave, généreux, il n'en est pas moins fier, dans le sens que sa bonne acidité lui donne l'équilibre nécessaire à la mise en valeur de ses arômes de miel, de tilleul et de fruits secs. Le Jurançon sec est issu du gros manseng, avec des arômes frais de genêt et d'épices. Les Palois (habitants de Pau) apprécient le moelleux sur foie gras, et le sec sur une truite sauvage, fario, à condition d'aller la pêcher soi-même dans le Gave, car c'est un poisson fier qui ne peut se trouver dans le commerce.

Persévérance   Madiran

Ce vin régional, très tannique (issu principalement du cépage tennat), récompensera l'amateur qui aura eu la patience de laisser mûrir ce vin splendide; il peut avoir besoin de dix, quinze ou vingt ans avant de livrer tous ses secrets: livrée de pourpre noir, nez de fruits cuits, saveurs de rôti, de venaison. Chaud et charnu, il atteint de façon originale les sommets de l'excellence, avec le temps. Il n'est donc pas moderne, mais acquiert le charme incomparable d'un meuble rustique, et néanmoins élégant, des époques révolues.

BORDEAUX

«Ce n'est pas une petite chose que de connaître les vins de Bordeaux. J'aime cet art parce qu'il n'admet pas d'hypocrisie.»

Stendhal

«Jus de gemme puisé dans le cœur des agates,
Douce sève d'orgueil fleurante d'aromates
Où le soleil s'infuse en sirop d'ambroisie;
Quintessence ravie aux vieillesses des grappes
Je te salue, ô vin dont rêvait Esculape :
Sauternes, don doré, délice, poésie!»

«Je ne sais, disait Montesquieu, l'auteur de *L'Esprit des Lois,* si mon vin doit son succès à mon livre, ou mon livre à mon vin.»

APPELLATIONS D'ORIGINE CONTRÔLÉE
DES VINS DE BORDEAUX
♦

BARSAC
BLAYE OU BLAYAIS
BORDEAUX
BORDEAUX-CLAIRET
BORDEAUX-CÔTES-DE-FRANCS
BORDEAUX-HAUT-BÉNAUGE
BORDEAUX ROSÉ
BORDEAUX SUPÉRIEUR
BORDEAUX SUPÉRIEUR-CLAIRET
BORDEAUX SUPÉRIEUR-
    CÔTES-DE-FRANCS
BORDEAUX SUPÉRIEUR-
    HAUT-BÉNAUGE
BORDEAUX SUPÉRIEUR ROSÉ
BOURG OU BOURGEAIS
CADILLAC
CANON-FRONSAC
CÉRONS
CÔTES-CANON-FRONSAC
CÔTES-DE-BLAYE
CÔTES-DE-BOURG
CÔTES-DE-BORDEAUX-
    SAINT-MACAIRE
CÔTES-DE-CASTILLON
CRÉMANT DE BORDEAUX
ENTRE-DEUX-MERS
ENTRE-DEUX-MERS-
    HAUT-BÉNAUGE
FRONSAC
GRAVES
GRAVES SUPÉRIEUReS
GRAVES-DE-VAYRES
HAUT-MÉDOC
LALANDE-DE-POMEROL
LISTRAC
LOUPIAC
LUSSAC-SAINT-ÉMILION
MARGAUX

MÉDOC
MONTAGNE-SAINT-ÉMILION
MOULIS, OU MOULIS-EN-MÉDOC
NÉAC
PARSAC-SAINT-ÉMILION
PAUILLAC
PESSAC-LÉOGNAN
POMEROL
PREMIÈRES-CÔTES-
    DE-BLAYE
PREMIÈRES-CÔTES-
    DE-BORDEAUX
PREMIÈRES-CÔTES-
    DE-BORDEAUX,
suivi du nom de la commune
d'origine : Bassens, Carbon
blanc, Lormont, Cénon,
Floirac, Bouliac, Carignan, La
Tresne, Cénac, Camblanes,
Quinsac, Cambes,
Saint-Caprais-de-Bordeaux,
Haux, Tabanac, Baurech, Le
Tourne, Langoiran, Capian,
Lestiac, Paillet,
Villenave-de-Rions, Cardan,
Rions, Laroque, Béguey, Omet,
Donzac, Cadillac,
Monprimblanc, Cabarnac,
Semens, Verdelais,
Saint-Maixant, Sainte-Eulalie,
Saint-Germain-de-Graves, Yvrac
PUISSEGUIN-SAINT-ÉMILION
SAINT-ÉMILION
SAINT-ÉMILION GRAND CRU
SAINT-ESTÈPHE
SAINT-GEORGES-
SAINT-ÉMILION
SAINT-JULIEN
SAINTE-CROIX-DU-MONT
SAINTE-FOY-BORDEAUX
SAUTERNES

LES CLASSEMENTS DES VINS DE BORDEAUX

LES CRUS CLASSÉS DU MÉDOC EN 1855 ET 1973

PREMIERS CRUS CLASSÉS

Château-Lafite-Rothschild	Pauillac
Château-Latour	Pauillac
Château-Margaux	Margaux
Château-Mouton-Rotschild	Pauillac
Château-Haut-Brion	Pessac (graves)

SECONDS CRUS

Château-Rauzan-Ségla	Margaux
Château-Rauzan-Gassies	Margaux
Château-Léoville-Las Cases	Saint-Julien
Château-Léoville-Poyferré	Saint-Julien
Château-Léoville-Barton	Saint-Julien
Château-Dufort-Vivens	Margaux
Château-Gruaud-Larose	Saint-Julien
Château-Lascombes	Margaux
Château-Brane-Cantenac	Cantenac
Château-Pichon-Longueville	Pauillac
Château-Pichon-Longueville (Comtesse de Lalande)	Pauillac
Château-Ducru-Beaucaillou	Saint-Julien
Château-Clos-d'Estoumel	Saint-Estèphe
Château- Montrose	Saint-Estèphe

TROISIEMES CRUS

Château-Kirwan	Cantenac
Château-d'Issan	Cantenac
Château-Lagrange	Saint-Julien
Château-Langoa	Saint-Julien
Château-Giscours	Labarde
Château-Malescot-Saint-Exupéry	Margaux
Château-Cantenac-Brown	Cantenac
Château-Boyd-Cantenac	Margaux
Château-Palmer	Cantenac

Château-La Lagune	Ludon
Château-Desmirail	Margaux
Château-Dubignon Talbot	Margaux
Château-Calon-Ségur	Saint-Estèphe
Château-Ferrière	Margaux
Château-Marquis-d'Alesme-Becker	Margaux

QUATRIEMES CRUS

Château-Saint-Pierre-Bontemps	Saint-Julien
Château-Talbot	Saint-Julien
Château-Branaire-Ducru	Saint-Julien
Château-Duhart-Milon-Rothschild	Pauillac
Château-Pouget	Cantenac
Château-La Tour-Carnet	Saint-Laurent
Château-Lafon-Rochet	Saint-Estèphe
Château-Beychevelle	Saint-Julien
Château-Prieuré-Lichine	Cantenac
Château-Marquis-de-Termes	Margaux

CINQUIEMES CRUS

Château-Pontet-Carnet	Pauillac
Château-Batailley	Pauillac
Château-Haut-Batailley	Pauillac
Château-Grand-Puy-Ducasse	Pauillac
Château-Grand-Puy-Lacoste	Pauillac
Château-Lynch-Bages	Pauillac
Château-Lynch-Moussas	Labarde
Château-Dauzac	Pauillac
Château-Mouton-Baronne-Philippe	Arsac
Château-du Tertre	Pauillac
Château-Haut-Bages-Libéral	Pauillac
Château-Pédesclaux	Saint-Laurent
Château-Belgrave	Saint-Laurent
Château-Camensac	Saint-Laurent
Château-Cos-Labory	Saint-Estèphe
Château-Clerc-Milon	Pauillac
Château-Croizet-Bages	Pauillac
Château-Cantemerle	Macau

140

LES CRUS CLASSÉS DES GRAVES

Un seul cru figure au classement de 1855, parmi les premiers crus : Château Haut-Brion, à Pessac, pour ses vins rouges.

EN 1959

VINS BLANCS

Château-Bouscaut	Cadaujac
Château-Carbonnieux	Léognan
Domaine-de-Chevalier	Léognan
Château-Malartic-Lagravière	Léognan
Château-Olivier	Léognan
Château-La Tour-Martillac	Martillac
Château-Laville-Haut-Brion	Talence
Château-Couhins	Villenave-d'Ornon

VINS ROUGES

Château-Bouscaut	Cadaujac
Château-Haut-Bailly	Léognan
Domaine-de-Chevalier	Léognan
Château-Carbonnieux	Léognan
Château-Fieuzal	Léognan
Château-Malartic-Lagravière	Léognan
Château-Olivier	Léognan
Château-La Tour-Martillac	Martillac
Château-Smith-Haut-Lafite	Martillac
Château-Haut-Brion	Pessac
Château-Pape-Clément	Pessac
Château-La Mission-Haut-Brion	Talence
Château-La Tour-Haut-Brion	Talence

LES CRUS CLASSÉS DE SAUTERNES EN 1855

GRAND PREMIER CRU

Château-d'Yquem	Sauternes

PREMIERS CRUS

Château-La Tour-Blanche	Bommes
Château-Lafaurie-Peyraguey	Bommes
Clos-Haut-Peyraguey	Bommes
Château-Rayne-Vigneau	Bommes
Château-Suduiraut	Preignac
Château-Coutet	Barsac
Château-Climens	Barsac
Château-Guiraud	Sauternes
Château-Rieussec	Fargues
Château-Sigalas-Rabaud	Bommes
Château-Rabaud-Promis	Bommes

SECONDS CRUS

Château-Myrat	Barsac
Château-Doisy-Daëne	Barsac
Château-Doisy-Védrines	Barsac
Château-Doisy-Dubroca	Barsac
Château-d'Arche	Sauternes
Château-Filhot	Sauternes
Château-Broustet	Barsac
Château-Nairac	Barsac
Château-Caillou	Barsac
Château-Suau	Barsac
Château-de-Malle	Preignac
Château-Romer	Fargues
Château-Lamothe	Sauternes
Château-Lamothe-Bergey	Sauternes

LES CRUS CLASSÉS DE SAINT ÉMILION EN 1985

PREMIERS GRANDS CRUS CLASSÉS A ET B

A. Château-Ausone
   Château-Cheval Blanc

B. Château-Beauséjour
   Château-Belair
   Château-Canon

Clos-Fourtet
Château-Figeac
Château-La Gaffelière
Château-Magdelaine
Château-Pavie
Château-Trottevieille

GRANDS CRUS CLASSÉS

Château-l'Angélus
Château-l'Arrosée
Château-Balestard-La Tonnelle
Château-Beau-Séjour
Château-Bellevue
Château-Bergat
Château-Berliquet
Château-Cadet-Piola
Château-Canon-La Gaffelière
Château-Cap de Mourlin
Château-le-Châtelet
Château-Chauvin
Clos-des-Jacobins
Clos-La Madeleine
Clos-Saint-Martin
Château-la-Clotte
Château-la-Clusière
Château-Corbin
Château-Corbin Michotte
Château-Couvent des Jacobins
Château-Croque Michotte
Château-Curé Bon
Château-Dassault
Château-la-Dominique
Château-Faurie de Souchard
Château-Fonplegade
Château-Fonroque
Château-Franc Mayne

Grand Mayne
Grand Pontet
Guadet Saint-Julien
Haut-Corbin
Haut-Sarpe
Laniote
Larcis-Ducasse
Lamarzelle
Larmande
Laroze
La Serre
Matras
Mauvezin
Moulin du Cadet
Oratoire (l')
Pavie Decesse
Pavie Macquin
Pavillon Cadet
Petit Faurie de Soutard
Prieuré (le)
Ripeau
Sansonnet
Saint Georges Côte-Pavie
Soutard
Tertre Daugay
Tour du Pin Figeac (la)
Tour Figeac (la)
Trimoulet

BORDEAUX

143

Château-Grand Barrail Lamarzelle-Figeac
Château-Grand Corbin Despagne
Château-Grand Corbin

Troplong Mondot
Villemaurine
Yon Figeac

144

♦
LE BORDELAIS
♦

♦ Le vignoble bordelais est le plus étendu de France, couvrant 100 000 hectares répartis entre une vingtaine de milliers de viticulteurs. La production annuelle est d'environ 600 millions de bouteilles par an (près de 5 millions d'hectolitres).

♦ La production totale du Médoc représente 10 % de la production totale bordelaise, celle des crus classés environ 2 % de celle du Médoc!

♦ Comme ailleurs, les appellations vont de celles générales : Bordeaux, Bordeaux supérieur, à celles sous-régionales : Médoc, Graves, Premières Côtes de Bordeaux, puis aux appellations communales Pauillac, Saint-Estèphe, Sauternes, etc.

♦ Il n'existe pas d'appellations de cru comme en Bourgogne. Les sommets de la hiérarchie sont occupés par les châteaux classés : classement de 1855 et 1973 pour les Médocs et Sauternes (avec un seul Graves, le Château Haut-Brion), classement de 1959 pour les Graves, 1985 pour Saint-Émilion (révisable tous les dix ans). Il n'y a pas de classement pour les autres appellations.

♦ La règle est celle des vins méridionaux, issus donc de plusieurs cépages complémentaires, dans des proportions variables selon les châteaux, mot désignant toute exploitation vitivinicole, qu'il y ait ou non un château sur le domaine.

♦ Vins rouges : le cépage dominant est le merlot (près de la moitié de l'encépagement), avec une plus forte proportion dans le Saint-Émilionnais ; le cabernet-sauvignon suit avec près de 25 %, don-nant un vin puissant, corsé, tannique, que le merlot assouplit ; le cabernet franc (16 %) apporte arômes, souplesse et favorise l'évolution du vin. À ces trois cépages de base, s'ajoutent le malbec (ou cot) pour 3 % et le petit-verdot, 2 %, quasiment en voie de disparition.

♦ Vins blancs : le sémillon arrive en tête (50 %) donnant un vin abondant, peu acide, aux arômes fins, tendres et discrets. Il subit facilement l'action du *Botrytis cinerea* qui donne les grands vins liquoreux. Le sauvignon participe à l'élaboration de ces derniers, mais est aussi vinifié seul pour un vin sec de qualité (environ 20 %). L'ugni blanc suit de près, pour son vin blanc sec agréable mais à consommer jeune. Le colombard (moins de 10 %) est apprécié en Blayais et en Bourgeais. La muscadelle (5 %) participe à l'élaboration des vins liquoreux auxquels le cépage apporte une discrète touche de muscat. Enfin le rare merlot blanc donne une vendange abondante et un vin assez fin et peu alcoolisé.

♦ Un décret du 3 avril 1990 a défini les conditions d'élaboration du Crémant de Bordeaux, vin effervescent élaboré sur l'aire d'appellation Bordeaux à partir des cépages régionaux, blancs et rouges. Le Crémant de Bordeaux peut être blanc ou rosé.

♦ La notion de millésime est très importante en région bordelaise ; le vin d'un même château se différencie d'une année à l'autre, selon les conditions climatiques de l'année : somme de chaleur, hauteur

145

de pluie, ensoleillement, temps lors des vendanges, etc.

♦ Il n'y a pas toutefois de «grands» millésimes et des «petits», des «très bons vins» et des «médiocres», mais des vins de plus ou moins longue garde, des vins qui seront à déguster rapidement et d'autres dans dix, quinze ou vingt ans! Naturellement ces derniers atteindront une complexité des arômes et un raffinement exceptionnels... à condition de savoir attendre!

Note : La gamme des vins de Bordeaux est extraordinairement étendue, allant des plus grands et donc des plus chers aux plus accessibles, étant entendu que tous sont pratiquement issus de cépages identiques, des mêmes méthodes culturales et de vinifications plus ou moins semblables. Une cave qui ne comprendrait que des vins de Bordeaux serait certes limitée, mais néanmoins fort riche.

LE MÉDOC

♦ Géographiquement, le Médoc avance en pointe, au nord-ouest de Bordeaux, entre Gironde et Océan *(in medio aquae)*. La partie la plus en aval est dite «Bas-Médoc», la plus en amont «Haut-Médoc», séparée de la région des Graves par une petite rivière, la Jalle de Blanquefort, qui se jette dans la Garonne.

♦ En Bas-Médoc, les vins portent l'appellation Médoc. Cette région ne comprend pas d'appellations communales, ni de châteaux classés, mais des crus bourgeois, certains fort réputés.

♦ Les vins produits en Haut-Médoc peuvent porter l'appellation Haut-Médoc où l'une des six appellations communales : (d'aval en amont) Saint-Estèphe, Pauillac, Saint-Julien, Listrac, Moulis et Margaux. C'est dans ce secteur que se

situent les châteaux objets du classement de 1855. Pauillac détient le record du nombre de crus classés, avec dix-huit châteaux!

♦ Médocs ou Haut-Médoc et vins d'appellations communales sont uniquement rouges, issus en majorité du cabernet-sauvignon, d'un peu de cabernet franc, de merlot principalement. Les vins blancs ne peuvent porter que l'appellation générale Bordeaux ou Bordeaux Supérieur (exemple : le vin blanc de Château-Margaux, appelé pavillon-blanc, Bordeaux AOC); cinq crus sont classés en appellation haut-médoc.

♦ Saint-Estèphe AOC. Plus forte production AOC communale (plus de 60 000 hectolitres). Cinq crus sont classés : Château-Cos-d'Estournel, Château-

Montrose, Château-Calon-Ségur, Château-Lafont-Rocher, Château-Cos-Labory; vins souples, capiteux, distingués, féminins; conservation de cinq à quinze ans.

♦ Pauillac AOC : sur partie ou totalité de cinq communes; dix-huit crus classés, dont trois premiers crus : Château-Lafite-Rothschild, Château-Latour, Château-Mouton-Rothschild; vins pleins de vigueur et d'équilibre, conservation de cinq à vingt ans.

♦ Saint-Julien AOC : sur trois communes limitrophes, onze crus classés dont cinq deuxièmes crus; vins élégants, en subtil équilibre entre ceux de Pauillac et Margaux! Conservation de cinq à quinze ans.

♦ Listrac AOC : aire située à l'intérieur des terres, avec des sols plus sablonneux que ceux des graves bordant la Gironde; pas de crus classés, crus bourgeois nombreux, vins riches, fruités, pleins, issus principalement du cabernet-sauvignon; conservation : cinq à dix ans et plus selon le millésime.

♦ Moulis AOC : l'aire s'étend sur sept communes, et est pourtant la plus réduite (25 000 hectolitres); pas de crus classés, crus bourgeois seulement dont le fameux chasse-spleen; vins délicats, fins, féminins, de cinq à dix ans de garde, ou plus selon le millésime.

♦ Margaux AOC : sur cinq communes, vingt et un crus classés, dont le premier cru Château-Margaux; sol de graves profondes; vins tout en finesse, en délicatesse, évoquant à leur apogée la violette... De cinq à quinze ans de garde ou plus.

♦ Haut-Médoc AOC : cette appellation concerne les zones du Haut-Médoc non couvertes par l'une des appellations communales (production : moins de 200 000 hectolitres); cinq crus classés. Étant donné l'étendue de l'aire, les vins présentent des différences sensibles : le secteur proche de Margaux a la plus grande réputation, avec ceux proches de Saint-Julien; nombreux crus bourgeois.

♦ Médoc AOC : c'est un vaste secteur, dont la capitale est Lesparre. La production est de plus de 200 000 hectolitres selon les années; vins plus rustiques qu'en Haut-Médoc, mais de belle venue, vieillissant bien (de trois à dix ans); crus bourgeois, dont les châteaux Patache-d'Aux, Vieux Château-Landon, etc., la plupart autour de Lesparre.

Note : Le classement des crus bourgeois n'a jamais été officialisé; de plus il y en eut plusieurs : le premier, datant de 1932, distingue trois catégories en 444 crus, dont 99 «supérieurs» et 6 «supérieurs exceptionnels». Un nouveau classement en 1966 transforme les «crus bourgeois exceptionnels» en «grands bourgeois», tandis qu'en 1978 le nombre des crus est porté à 160, tous obligatoirement affiliés au Syndicat des crus bourgeois. À noter que seule la mention facultative «cru bourgeois» peut être portée sur l'étiquette.

◆ LES GRAVES ◆

◆ Séparée du Médoc par la Jalle de Blan-quefort, la région des Graves s'étend rive gauche de la Garonne jusqu'à Langon. L'agglomération bordelaise forme enclave, comme le font les aires d'appellations de Cérons, Barsac et Sauternes.

◆ Les appellations Graves concernent des vins rouges, et des blancs secs; celles des Graves Supérieures des vins blancs moelleux. La production des blancs est de moitié celle des rouges (moins de 80 000 hectolitres); mais il faut lui ajouter les vins de Pessac-Léognan, appellation née en 1987 (35 000 hectolitres de rouge, 8 500 hectolitres de blanc).

◆ Pessac-Léognan AOC : les différences de qualité et de personnalité, liées à des facteurs géologiques et climatiques reconnus, ont été les éléments justifiant la création de cette nouvelle appellation, en septembre 1987. Ce n'est pas un hasard si tous les crus classés des Graves se trouvent situés dans ce secteur, de Pessac et de Léognan. L'appellation concerne donc dix communes et cinquante-cinq châteaux ou domaines.

◆ Le classement de 1855 avait compris le Château-Haut-Brion dans les premiers crus classés. C'était le seul Graves. Un décret ministériel a officialisé en 1959 un classement des Graves, rouges et blancs. De ce fait, certains châteaux sont cités deux fois.

◆ Les vins rouges de Pessac et Léognan sont d'un pourpre vif, profond et intense; jeunes ils développent des parfums de baies écrasées, de pulpe de fruits mûrs vanillés, de fumé et d'amandes grillées. À l'âge mûr, ils développent leur bouquet où se mêlent des parfums de gibier, de sous-bois, de pruneau, de truffe. Leur cépage principal est le cabernet-sauvignon, allié à un peu de merlot et de cabernet franc.

◆ Issus du sauvignon, allié ou non à un peu de sémillon, les blancs secs, élevés généralement en barriques de chêne, vieillissent bien, jusqu'à vingt ans, en acquérant des arômes très fins, parfois vifs, évoquant le tilleul et le genêt.

◆ Graves AOC : le Sud ne comporte pas de crus classés; les vins rouges sont élégants avec moins d'intensité que ceux de Pessac-Léognan : la production est d'environ 80 000 hectolitres, celle des vins blancs secs de la moitié et celle des Graves Supérieures, moelleux, de moins de 20 000 hectolitres. Tous sont de qualité et souvent de prix attractifs.

Note : Les Graves forment le cœur historique du vignoble bordelais. C'était des Graves que provenaient au Moyen Âge le « claret » qu'appréciaient les Anglais, et au XVIIᵉ siècle, les premiers crus de réputation internationale, cependant que le Médoc demeurait couvert de forêts.

B
O
R
D
E
A
U
X

148

CHATEAU AUSONE
SAINT-EMILION
1er GRAND CRU CLASSÉ
APPELLATION SAINT-EMILION 1er GRAND CRU CLASSÉ CONTROLÉE
1981
Mme J. DUBOIS-CHALLON & Héritiers C. VAUTHIER
PROPRIÉTAIRES A SAINT-ÉMILION (GIRONDE) FRANCE
MIS EN BOUTEILLES AU CHATEAU 750 ml
DEPOSÉ PRODUCE OF FRANCE

GRAND CRU CLASSÉ
CHATEAU LA LAGUNE
HAUT-MÉDOC
APPELLATION HAUT-MÉDOC CONTROLÉE
1982
SOCIÉTÉ CIVILE AGRICOLE DU CHATEAU LA LAGUNE
PROPRIÉTAIRE A LUDON (GIRONDE) FRANCE
MIS EN BOUTEILLE AU CHATEAU
PRODUCE OF FRANCE 75cl

1985
PETRVS
POMEROL
Grand Vin
Mme L P LACOSTE-LOUBAT
PROPRIÉTAIRE A POMEROL (GIRONDE) FRANCE
MIS EN BOUTEILLES AU CHATEAU
APPELLATION POMEROL CONTROLÉE 75 cl

DOMAINE DE CHEVALIER
GRAND CRU CLASSE DE GRAVES
1975
GRAND VIN DE BORDEAUX
APPELLATION GRAVES CONTROLEE 73 cl
JEAN RICARD PROPRIETAIRE A LEOGNAN (GIRONDE)
MIS EN BOUTEILLE AU CHATEAU

CHÂTEAU
LÉOVILLE-BARTON
1986
CRU CLASSÉ EN 1855
12% vol. 750 ml
SAINT-JULIEN
APPELLATION SAINT-JULIEN CONTROLÉE
S.A. DES CHÂTEAU LANGOA ET LÉOVILLE-BARTON
A SAINT-JULIEN-BEYCHEVELLE GIRONDE
MIS EN BOUTEILLE AU CHATEAU
PRODUCE OF FRANCE

VIN DE BORDEAUX
1988
Château Fondarzac
Bordeaux
APPELLATION BORDEAUX CONTROLEE
PRODUCE OF FRANCE
17½ vol. 750 ml
J.C. Barthe, Propriétaire à Naujan et Postiac (Gironde) France
MIS EN BOUTEILLE AU CHATEAU

◆ L'aire d'appellation s'étend sur des parcelles délimitées des communes de Sauternes, Bommes, Fargues, Preignac et Barsac, l'ensemble se trouvant sur la rive gauche de la Garonne, près de Langon. La superficie du vignoble approche les 1 400 hectares et la production atteint les 30 000 hectolitres, non compris les 12 000 hectolitres de vin déclarés sous l'appellation Barsac.

◆ L'aire est bordée puis traversée par une petite rivière, le Ciron, dont l'eau au sortir de la forêt landaise est froide. À l'automne, par condensation il se forme un brouillard que le soleil dissipe. Mais ce phénomène favorise le développement du champignon microscopique *Botrytis cinerea* modifiant biologiquement la composition du jus qui se concentre. Les grains sont récoltés un à un, au fur et à mesure de leur évolution.

◆ La teneur en sucre des raisins de sémillon peut atteindre jusqu'à 400 grammes par litre de moût. La fermentation s'arrêtera quand le vin atteindra 13° à 14° d'alcool acquis, à cause d'un groupe d'antibiotiques, le Botryticine qui affaiblit les levures, le sucre résiduel donnant cette qualité de liquoreux rendant le Sauternes et le Barsac incomparables, après un séjour en fût de chêne afin de bénéficier d'un apport de tannin.

◆ Le vin est alors doux et vigoureux, riche et vif d'une agréable acidité, plein, subtil, dense, tout en finesse, laissant la bouche fraîche et comme envahie de soleil. Un séjour d'au moins dix ans de bouteille le mènera vers la perfection. Des bouteilles de trente, quarante et cinquante ans ou plus se révèlent étonnantes de fraîcheur.

◆ Barsac AOC : l'aire d'appellation faisant partie de celle de Sauternes, les vins peuvent prendre l'une ou l'autre des deux appellations, les conditions de production sont les mêmes, mais certains propriétaires tiennent à conserver leur appellation communale.

◆ Cérons AOC : limitée par l'aire de Barsac et par la Garonne l'appellation concerne le territoire délimité de Cérons, Illats et Podensac, formant enclave dans l'aire des Graves. Les vins blancs, uniquement, issus des cépages sauvignon, sémillon et muscadelle, doivent être moelleux. Ils n'atteignent pas la dimension des Sauternes et Barsac. Aussi leur production est modeste (3 000 hectolitres), la plus grande partie de la récolte étant vinifiée en sec et déclarée sous l'appellation de Graves, voire de Graves Supérieures quand il s'agit de vin moelleux, appellation commercialement mieux perçue à l'étranger que celle de Cérons.

Note : Certains châteaux (Yquem, Rieussec, etc.) produisent, en sus de leur prestigieux Sauternes, des vins blancs secs de grande qualité mais n'ayant droit qu'à l'appellation Bordeaux ou Bordeaux Supérieur : le «Y» d'Yquem et le «R» de Rieussec, par exemple. L'appellation Sauternes ne concerne qu'un type de vin moelleux ou liquoreux, à partir de raisins botrytisés et récoltés par tris successifs.

◆
ENTRE GARONNE ET DORDOGNE
◆

◆ Parce que l'effet des marées se fait sentir tant sur la Garonne que sur la Dordogne, on désigne la région située entre les deux fleuves l'Entre-Deux-Mers. En dehors de l'aire d'appellation de ce nom, il existe plusieurs vignobles bien distincts.
– Côtes-de-Bordeaux-Saint-Macaire, Sainte-Croix-du-Mont, Loupiac, Cadillac, sur la rive droite de la Garonne, qui se superposent à l'appellation Premières-Côtes-de-Bordeaux ;
– Entre-Deux-Mers-Haut-Bénauge et Entre-Deux-Mers ;
– Sainte-Foy-Bordeaux et Graves de Vayres, sur la rive gauche de la Dordogne.
◆ Côtes-de-Bordeaux-Saint-Macaire AOC : pour les vins blancs on utilise uniquement les sémillon, sauvignon et muscadelle ; production devenue confidentielle (2 000 hectolitres). La production s'est tournée vers les vins rouges (d'appellation Bordeaux ou Bordeaux Supérieur).
◆ Sainte-Croix-du-Mont AOC, Loupiac AOC : deux vins blancs moelleux ou liquoreux, élaborés comme en Sauternais et à partir des cépages sémillon, sauvignon et muscadelle ; la production est respectivement de 15 000 et 10 000 hectolitres environ. Une partie de la production est en réalité vinifiée en vin sec d'AOC Bordeaux ou Bordeaux Supérieur.
◆ Entre-Deux-Mers AOC. Entre-Deux-Mers-Haut-Bénauge AOC : vins blancs secs, récoltés sur quelque 2 400 hectares,

répartis sur l'ensemble de ce vaste secteur situé entre Garonne et Dordogne, et qui recouvre les autres appellations des bords rive droite de la Garonne et rive gauche de la Dordogne. Les cépages sont naturellement les sauvignon, sémillon et muscadelle avec accessoirement quelques autres en principe peu utilisés. La proportion du cépage sauvignon est forte. Les vins sont vifs, nerveux, frais et agréables sur tout ce qui provient de la mer. Ce sont des vins à déguster dans leur jeunesse. Ceux de la région dite « Haut-Bénauge », soit neuf communes autour de l'ancien château de ce nom, derrière l'aire de Cadillac, présentent une plus grande finesse. Tout ce secteur produit également d'excellents vins rouges d'appellations Bordeaux et Bordeaux Supérieur.
◆ Cadillac AOC : créée en 1973 sur l'aire d'appellation Premières-Côtes-de-Bordeaux autour de Cadillac (vingt-deux communes), l'appellation est peu revendiquée, « Premières-Côtes-de-Bordeaux » étant mieux perçu à l'étranger, vin moelleux ou liquoreux du type sauternais ; la récolte déclarée Cadillac est d'environ 3 000 hectolitres.
◆ Premières-Côtes-de-Bordeaux AOC : l'aire d'appellation commence à quelques kilomètres au nord de Bordeaux pour s'arrêter un peu avant Langon, couvrant trente-six communes. Elle concerne des vins rouges, issus des cépages régionaux, et des vins blancs des trois cépages sémillon, sauvignon et muscadelle. Les

151

vins rouges s'ils titrent au moins 11°,5 d'alcool acquis peuvent faire suivre le nom de l'appellation du nom de la commune d'origine. Ce sont des vins riches, fermes, fruités, dont le bouquet s'affirme après quelques années. La production en rouge est d'environ 85 000 hectolitres (20 % en caves coopératives) et en blanc d'environ 25 000 hectolitres (10 % en caves coopératives).

♦ Sainte-Foy-Bordeaux AOC : située à l'extrémité orientale de l'Entre-Deux-Mers, à la limite des départements de la Gironde et de la Dordogne, sur la rive gauche de la rivière, la production du blanc domine sensiblement celle du rouge ; vins rouges aptes à un vieillissement de plusieurs années, vins blancs doux et secs de bonne tenue.

♦ Graves-de-Vayres AOC : sur la rive gauche de la Dordogne, au sud de Libourne, les Graves-de-Vayres produisent davantage de vins rouges (12 500 hectolitres) que de blancs (5 000 hectolitres), davantage de secs que de vins doux.

Note : On ne peut que constater la diversité des vignobles dans cette sorte de presqu'île, puisque entre deux mers ! Autant de vignobles, autant de vins, plus proches souvent de leurs voisins de l'autre rive qu'ils ne le sont les uns des autres. Il y a là une source inépuisable de vins d'un excellent rapport qualité prix. C'est un grand plaisir que de les découvrir, dans cette région qui est la plus agréable, la plus pittoresque du Bordelais.

◆
LE LIBOURNAIS
(SAINT-ÉMILION, POMEROL, FRONSAC)
◆

◆ Seconde capitale du vin de l'Aquitaine, Libourne doit son nom actuel à Leyburn, du pays d'origine de l'officier anglais qui décida de fortifier la ville.

◆ Si le climat est girondin, la géologie libournaise est en revanche très diversifiée : graves, sables alluvionnaires, sols argilo-calcaires sur grès molassiques, calcaire et argile (Pomerol), etc. Sauf exception, vin rouge (d'AOC Bordeaux) à base des cépages régionaux avec dominante du merlot, sauf naturellement exception, comme à Cheval-Blanc où le cabernet franc est majoritaire.

◆ Saint-Émilion AOC et Saint-Émilion-grand-cru AOC : l'aire d'appellation couvre une partie délimitée du territoire de neuf communes représentant un peu plus de 2 000 hectares pour le Saint-Émilion et 3 000 pour le Saint-Émilion Grand Cru. Le dernier classement, révisable tous les dix ans, date de 1985 (voir tableau p. 143) Les vins des grands crus ont des normes de production plus sévères que les Saint-Émilion, qui ont généralement un peu moins d'ampleur, de puissance. Tous cependant sont pourvus d'une robe d'un grenat foncé, d'une solide et élégante structure ; ils sont chauds, généreux et ont besoin de temps pour développer leur personnalité, entre quatre et vingt ans, selon les crus et les années.

◆ Lussac-Saint-Émilion, Montagne-Saint-Émilion, Puisseguin-Saint-Émilion, Saint-Georges-Saint-Émilion, autant d'AOC concernant des vins à tous égards voisins de ceux de Saint-Émilion avec peut-être pour certains une moindre complexité, mais tous d'un excellent rapport qualité/prix.

◆ Pomerol, Lalande-de-Pomerol AOC : deux appellations voisines pour des vins rouges uniquement. Il n'existe pas de classement mais Pomerol s'enorgueillit de plusieurs châteaux de haute renommée, dont en premier Pétrus qui bat tous les records de prix ! Les vins allient la finesse des Médocs et la sève des Saint-Émilion. Vins de longue garde, ils développent avec le temps un bouquet complexe et une structure solide et délicate à la fois.

◆ Fronsac, Canon-Fronsac AOC : au nord, le vignoble de Fronsac, au sud, en coteaux, celui de Canon-Fronsac, dont les vins passent pour plus séveux et plus fins, et qui peuvent atteindre certaines années une plénitude comparable à celle des plus réputés Saint-Émilion ou Pomerol (presque trois fois plus de Fronsac que de Canon-Fronsac).

◆ Côtes-de-Castillon, Bordeaux-Côtes-de-Francs AOC : voisins immédiats des Saint-Émilion, les vins Côtes-de-Castillon ont gravi un échelon dans la hiérarchie des valeurs en obtenant la suppression de la mention «bordeaux». Ils sont devenus «Côtes-de-Castillon» à part entière. Rouges uniquement, issus principalement du merlot, ce sont des vins solides et fins. Les Cordeaux-Côtes-de-Francs sont assez proches en qualité et

153

peuvent être... blancs, assez rares (moins de 1 000 hectolitres), issus des trois cépages régionaux.

Notes : Pour Saint-Émilion et Pomerol, les géologues distinguent cinq sortes de sols. Les deux grands crus classés catégorie A sont situés sur deux sols totalement différents : Ausone, en coteaux accidentés, sols superficiels sur calcaire à astéries, Cheval-Blanc sur des croupes d'alluvions gravelo-sableuses... La variété des sols et sous-sols modifie le caractère des vins, comme l'encépagement et les techniques de vinification. Les vins présentent donc une grande variété, certains acquièrent leur plénitude en quelques années, d'autres plus complexes doivent attendre des années supplémentaires. La gamme des prix est tout aussi large !

♦
LE BLAYAIS ET LE BOURGEAIS
♦

♦ Les choses paraissent un peu compliquées, en fait les différentes appellations suivent une hiérarchie des qualités, allant du plus simple au meilleur.

♦ Blaye, ou Blayais AOC : l'une ou l'autre appellation pour un même vin qui peut être rouge, à base de cabernet, merlot, malbec, prolongeau, cahors, béguignol et verdot, ou blanc, à base de merlot blanc, folle, colombard, pineau de la Loire, frontignan, sémillon, sauvignon et muscadelle.

Ce large éventail indique une qualité approximative ; il s'agit de vins pour le quotidien, la consommation familiale (rouge : 600 hectolitres, blanc : 25 000 à 30 000 hectolitres).

♦ Côtes-de-Blaye AOC : vin blanc sec seulement, à base des cépages sémillon, sauvignon, muscadelle, merlot blanc, folle, colombard, pineau de Loire. Le vin est ici un peu plus fin, il doit titrer un degré d'alcool de plus que le blaye ; l'aire de production est la même pour les deux appellations (10 à 20 000 hectolitres).

♦ Premières-Côtes-de-Blaye AOC vins rouge et blanc (140 000 hectolitres dont 10 % de blanc) ; aire de production identique aux précédentes. Les vins rouges sont issus du cabernet franc, du cabernet-sauvignon, du merlot et du malbec, les vins blancs du sémillon, du sauvignon, de la muscadelle, tous cépages nobles, garantissant une qualité certaine, les rouges étant souples, assez légers, fruités, à boire dès leur deuxième année et jusqu'à cinq ans, les blancs secs de même.

♦ Bourg, Bourgeais, Côtes-de-Bourg AOC : ici encore l'une ou l'autre appellation pour un même vin rouge issu du cabernet-sauvignon, du cabernet franc, du merlot et du malbec ; le blanc est issu des trois cépages sémillon, sauvignon, muscadelle. Le vignoble est très morcelé, et l'encépagement diffère à chaque parcelle. Certains vins se rapprochent d'un cru bourgeois du Médoc, d'autres d'un Pomerol ou d'un Saint-Émilion, selon l'encépagement. Le malbec assure une belle robe, le merlot confère une rondeur, une enveloppe flatteuse et le cabernet donne le bouquet. La production de vin rouge domine avec environ 150 000 à 200 000 hectolitres, pour 2 500 hectolitres de blanc, en majorité sec.

Note : Entre les aires d'appellation Côtes-de-Bourg et Côtes-de-Blaye et le Fronsadais (ou, pour englober tous les vignobles du bord de la Dordogne, le Libournais) s'étend un vaste secteur donnant des vins d'appellations Bordeaux et Bordeaux Supérieur, souvent vinifiés en cave coopérative. Comme en Blayais et en Bourgeais un certain nombre de châteaux assurent la notoriété des diverses appellations.

◆

HARMONIE DES METS ET DES VINS DE BORDEAUX
◆

◆ **Apéritif**
Crémant de Bordeaux, Bordeaux blanc ou rosé, Entre-Deux-Mers, Côtes-de-Blaye, Graves, etc., tous vins secs.
Vins blancs moelleux : Cérons, Loupiac, Cadillac, Premières-Côtes-de-Bordeaux...

◆ **Fruits de mer, crustacés, coquillages, mollusques, etc.**
Entre-Deux-Mers, Bordeaux, Bordeaux rosé ou clairet, Graves.

◆ **Entrées, charcuteries, terrines et pâtés**
Bordeaux clairet ou rosé, Bordeaux, Bordeaux Supérieur, Côtes-de-Castillon, Côtes-de-Francs.

◆ **Foie gras d'oie ou de canard, melon**
Sainte-Croix-du-Mont, Barsac, Sauternes.

◆ **Poissons frits, anguilles grillées, etc.**
Entre-Deux-Mers, Bordeaux et Bordeaux Supérieur blanc, Bordeaux clairet ou rosé.

◆ **Poissons cuisinés, en sauce, beurre blanc, etc.**
Graves.

◆ **Viandes blanches, volailles, blanquette, etc.**
Vin blanc : Graves ; vin rouge : Premières-Côtes-de-Bordeaux, Graves-de-Vayres, Premières-Côtes-de-Blaye, Côtes-de-Castillon, etc.

155

♦ **Viandes rouges grillées ou rôties, gigot d'agneau, etc.**
Médoc, Haut-Médoc, appellations communales médocaines, Graves.

♦ **Gibiers à plume**
Médoc, Haut-Médoc, appellations communales médocaines, Graves.

♦ **Gibiers à poil**
Saint-Émilion, Pessac-Léognan, Fronsac, Pomerol.

♦ **Fromages**
Les vins du mets précédent.

♦ **Desserts**
Bordeaux moelleux ou liquoreux : Sauternes, Barsac, Sainte-Croix-du-Mont, Cadillac, Loupiac...

LES SENTIMENTS ET LES VINS DE BORDEAUX

Admiration   Sauternes

S'il est un vin qui réalise un certain idéal de grandeur et de perfection, c'est bien le Sauternes, fruit conjugué d'un terroir et du génie de l'homme sachant transmuter en or liquide des raisins atteints de pourriture! Sublime alchimie donnant ce vin admirable, fascinant, qui sait harmoniser les contraires, la douceur et l'acidité, la puissance et la suavité, la force et la subtilité d'une palette d'arômes la plus riche. Ce vin, qu'on a défini comme l'extravagance du parfait, ne peut que susciter une admiration et un émoi semblables à l'éblouissement amoureux, quand deux êtres faits l'un pour l'autre se rencontrent, la rayonnante princesse et son prince charmeur.

Le Sauternes est normalement d'un prix assez élevé! il ne doit être offert qu'avec discernement compte tenu de la richesse de son message...

Grâce   Sainte-Croix-du-Mont

Pour être commun, le nom de grâce n'est point banal et comporte de nombreux sens, faveur, amnistie, remerciement, charme, ou encore don de Dieu, état de grâce, etc. Est-ce se mettre en état de grâce que de rendre hommage à la beauté grâce au choix d'un vin de Sainte-Croix-du-Mont ?

Vin moelleux ou liquoreux obtenu à partir de raisins botrytisés, d'une belle suavité avec ses arômes subtils de miel d'accacia, avec une pointe animale, il fait merveille avec ris de veau, volaille à la crème, coquilles saint-jacques et avec de nombreux desserts, du mendiant avec ses fruits secs au gâteau mousseline et à la crème au caramel.

Piété   Sainte-Foy Bordeaux

La piété bordelaise ne s'exprime pas seulement à travers le culte rendu à ses nombreux saints, Estèphe, Juilen et autres Émilion. Elle s'exprime aussi plus modestement, mais avec autant de ferveur sur un vin de Sainte-Foy, à choisir pieusement si vous êtes invité chez une sainte femme de tante à héritage ou si vous devez la recevoir chez vous. Le blanc mettra en valeur une petite friture ou des sardines à l'huile d'olive, et le rouge des côtelettes d'agneau. Ils apparaîtront comme le Petit Jésus en culotte de velours visitant son gosier. De l'eau bénite de cave, comme disait Rabelais...

Vérité   Côtes-de-Francs

On devine qu'avec une telle appellation ce vin a toute aptitude à justifier le proverbe biblique «in vino veritas »... Situés à portée d'arbalète de Saint-Émilion, ces vins dont l'appellation exacte est Bordeaux-Côtes-de-Francs sont issus en rouge des cépages merlot, cabernet et malbec, en blanc des cépages sauvignon, sémillon et muscadelle. Vins types du Bordelais, ils sont bouquetés, corsés, tanniques et francs du collier !... Ils surprennent souvent par leur qualité et leurs prix sages. Ils sont voués à la cuisine bourgeoise, viandes grillées ou rôties, l'agneau étant toujours favori.

Gravité   Graves de Pessac-Léognan

La conscience des choses n'échappe pas à l'amateur de vins fins qui distingue ceux des vignes croissant sur les terrasses caillouteuses de la rive gauche de la Garonne et de la Gironde de ceux provenant de sols argilo-calcaires voisins. Les vins de Graves, surtout d'appellation Pessac-Léognan ont tout naturellement la préférence des connaisseurs avertis, des gens graves, graves, graves... comme disait Charles Cros.

Vengeance   Saint-Pourçain

Œil pour œil, la dure loi du talion exige de punir l'offense par une peine du même ordre que celle-ci. Mais elle est tendre et savoureuse, pour tout dire, quand il s'agit de se réconcilier avec l'aimée au Saint-Pourçain, un vin à déguster dans la fraîcheur de sa jeunesse, rosé coulant, rouge aimable et souple ou blanc primesautier. La pénitence est douce dans certains cas et il serait dommage de pardonner nos offenses sans laver l'injure au Saint-Pourçain.

Invitation au voyage Saint-Julien

L'appellation Saint-Julien concerne des grands vins médocains récoltés seulement sur le territoire délimité de Saint-Julien-Beychevelle, qui selon la tradition, a pris ce nom de Beychevelle (baisse voile) parce que le château du nom, qui domine la Gironde, appartenait au Grand Amiral de France, et que tous les bateaux saluaient en baissant la voile. Vins de haute qualité, Saint-Julien compte cinq seconds crus, deux troisièmes et cinq quatrièmes crus classés en 1855. À présenter à tout hardi navigateur au repos...

LE BERGERACOIS

« Ce n'est pas tout ; nos vins encore
Vont réchauffer le froid lapon ;
Partout, du couchant à l'aurore,
Le Bergerac a du renom,
Que voulez-vous que je vous dise ?
Il nous faut bénir notre sort...
Oui, c'est une terre promise,
Mes amis, que notre Périgord ! »
(1801, un poète local)

APPELLATIONS D'ORIGINE CONTRÔLÉE
DES VINS DU BERGERACOIS

BERGERAC
BERGERAC SEC
CÔTES-DE-BERGERAC
CÔTES-DE-BERGERAC MOELLEUX
CÔTES-DE-MONTRAVEL
HAUT-MONTRAVEL
MONBAZILLAC
MONTRAVEL
PÉCHARMANT
ROSETTE
SAUSSIGNAC

B
E
R
G
E
R
A
C
O
I
S

♦ Le vignoble bergeracois débute dès la frontière bordelaise franchie pour longer la Dordogne, d'aval en amont, jusqu'à Bergerac et même au-delà.

♦ Au total quatre-vingt-treize communes sont concernées par l'une ou l'autre des onze appellations, dont trois seulement de vin rouge mais finalement majoritaires en volume.

♦ Bergerac AOC : vin rouge (225 000 hectolitres), friand, à boire jeune et frais, trois à cinq ans maximum de garde ; produit sur l'ensemble de l'aire bergeracoise ; titre de 10° à 13°

♦ Côtes-de-Bergerac, rouge (250 000 hectolitres), plus corsé, charpenté, pouvant titrer de 11° à 13°, garde jusqu'à sept à dix ans selon le millésime.

♦ Bergerac rosé AOC (3 000 hectolitres), sec, bouqueté, léger, fruité.

♦ Pécharmant AOC (10 000 à 12 000 hectolitres), récolté sur les coteaux de la rive droite de la Dordogne, en hémicycle sur Bergerac ; coloré, charpenté, assez ample, mâche tannique que le temps assouplit ; à boire à partir de la troisième année ; garde jusqu'à dix ans et plus.

Tous ces vins rouges sont issus en proportions diverses des cépages cabernet-sauvignon, cabernet franc, merlot, malbec.

♦ Les vins blancs :
– le Bergerac sec, vif, floral, léger et fin (90 000 hectolitres), généralement à dominante de sémillon, ne doit pas contenir plus de 4 grammes de sucre résiduel par litre ;
– le Côtes-de-Bergerac, vin blanc tendre, ne doit pas comprendre plus de 17 grammes de sucre résiduel par litre ;
– le Côtes-de-Bergerac moelleux, vin

blanc moelleux, doit posséder un taux de sucre résiduel compris entre 18 et 54 grammes par litre.

♦ Saussignac AOC : vin blanc moelleux, assez rare (1 000 hectolitres), provenant de coteaux argilo-calcaires de la rive gauche de la Dordogne.

♦ Montravel AOC, Côtes-de-Montravel AOC, Haut-Montrave AOC : le terroir de Montravel est situé rive droite de la Dordogne, à la limite du Bordelais, à l'extrémité ouest du département de la Dordogne. Le Montravel, blanc, sec, à base de sauvignon et sémillon, vif et floral, est à boire jeune. Les Côtes-de-Montravel (plus au nord) et le Haut-Montravel (en amont) sont des vins moelleux, équilibrés entre liqueur et nervosité (total : 30 000 à 35 000 hectolitres).

♦ Rosette AOC : l'aire est située au nord-ouest de Bergerac ; la production est réduite (700 hectolitres), vin blanc tendre à base de sauvignon, sémillon et muscadelle.

♦ Monbazillac AOC : « l'or du Périgord » s'ajoute à ses diamants noirs ! Situé au sud de Bergerac, sur des coteaux argilo-calcaires inclinés vers la Dordogne, au nord, le vignoble jouit d'un climat favorable notamment au développement, à l'automne, de la « pourriture noble » qui modifie biologiquement le jus et le concentré.

♦ La superficie de ce vignoble est d'environ 2 500 hectares, la production annuelle d'environ 55 000 hectolitres, soit un rendement d'environ 22,3 hectolitres, très en dessous du rendement légal de 40 hectolitres à l'hectare ! Aussi les vins de Monbazillac ont-ils retrouvé la faveur et la qualité qu'ils avaient quelque peu perdues ces dernières décennies. C'est l'un des grands vins liquoreux de France.

Note : Comme ailleurs (Bordeaux, Bourgogne), l'appellation Bergerac est générale, et ses vins peuvent être récoltés sur l'étendue de l'arrondissement de Bergerac, sauf s'ils remplissent les conditions de production des autres appellations : encépagement, rendement, richesse en sucre naturel, etc.

PRODUCE OF FRANCE

DOMAINE DE
LIBARDE
1989
MONTRAVEL SEC
APPELLATION MONTRAVEL SEC CONTROLÉE
12,5 % vol.　75 cl e
J.-C. BANIZETTE, PROPRIÉTAIRE
A NASTRINGUES (DORDOGNE) FRANCE
MIS EN BOUTEILLE AU DOMAINE

Château Combrillac
1987

ROSETTE
APPELLATION ROSETTE CONTROLÉE
VIN BLANC MOELLEUX
13 % vol.　PRODUIT DE FRANCE　75 cl
Jean Priou Propriétaire à Prigonrieux 24130 France
MIS EN BOUTEILLES AU CHATEAU

VIN　PRODUIT DE FRANCE　WINE
PRODUCT OF FRANCE
1988

Domaine de Libarde

HAUT-MONTRAVEL
Appellation Haut-Montravel Contrôlée

BANIZETTE, propriétaire
à NASTRINGUES (Dordogne) France

750 ml　12 % alc./vol.

Ce Vin doit être servi très frais

CHATEAU DE TIREGAND
1985

PÉCHARMANT
APPELLATION PÉCHARMANT CONTROLÉE
Ctesse F. de Saint-Exupéry　CREYSSE - 24100 BERGERAC
Société d'Exploitation du　(DORDOGNE) France
Château de Tiregand　Tél. 53.23.21.08
MIS EN BOUTEILLE AU CHATEAU
75 cl.

1986　1986
GRAND VIN DE BERGERAC
CÔTES DE BERGERAC

Château
Court-Les-Mûts
APPELLATION CÔTES DE BERGERAC CONTRÔLÉE

G.A.E.C. P. SADOUX et Fils
PROPRIÉTAIRE-ŒNOLOGUE A RAZAC-DE-SAUSSIGNAC - 24240 DORDOGNE - FRANCE

12 % vol.　MIS EN BOUTEILLE AU CHATEAU　75 cl e
PRODUCE OF FRANCE

Château
La Borderie

Côtes de Bergerac
APPELLATION CÔTES DE BERGERAC CONTROLÉE

SOCIETE CIVILE DE LA BORDERIE
1988　PROPRIÉTAIRE A MONBAZILLAC - DORDOGNE - FRANCE　75 cl
MIS EN BOUTEILLE AU CHATEAU
Produit de France　12,5 %

HARMONIE DES METS ET DES VINS DU BERGERACOIS

♦ **Apéritif**
Bergerac sec, Montravel.

♦ **Entrées, crudités, charcuteries**
Bergerac rosé, rouge, ou blanc sec.

♦ **Poissons, fruits de mer, coquillages**
Bergerac sec, Montravel.

♦ **Viandes rôties ou grillées**
Bergerac rouge, Côtes-de-Bergerac.

♦ **Viandes rouges cuisinées, gibiers**
Côtes-de-Bergerac, Pécharmant.

♦ **Fromages**
Comme pour les viandes rouges et le gibier.

♦ **Dessert**
Côtes-de-Bergerac moelleux, Saussignac, Rosette, Monbazillac.

♦

LES SENTIMENTS ET LES VINS DU BERGERACOIS

♦

Séduction — Pécharmant

Le plus fin des vins rouges du Bergeracois, ce joli vin de coteaux (pé a le même sens que puy, pech que montagne) doit son charme à son terroir bien exposé, au sol d'argile ferrugineuse couvrant des parcelles délimitées de Bergerac, Lembras, Creysse et Saint-Sauveur. Les cépages sont ceux du Bordelais, et cependant ces vins présentent un goût spécifique de terroir, un accent particulier ; assez tanniques, ils doivent attendre quelques années avant de séduire avec élégance sur la cuisine périgourdine, du gigot à la couronne d'ail aux pommes sarladaises...

Timidité — Rosette

Ce vin confidentiel s'étend timidement sur une vingtaine d'hectares de coteaux situés au nord de Bergerac. Sémillon, sauvignon et muscadelle en proportions variables donnent des vins tendres, moelleux, souples, de bonne structure fraîche et agréable. Ils sont évidemment rares et font la joie de quelques connaisseurs. Vins blancs, ils accompagnent poissons en sauce, crustacées, poulet rôti et la plupart des desserts familiaux. À offrir avec un bon sourire d'encouragement à une amie trop timide, à laquelle ce vin donnera un peu plus d'audace...

COGNAC

« Item, donne à sire Denys
Hesselin, esleu de Paris,
Quatorze muys de vin d'Aulnis
(Prins sur Turgis à mes périlz). »
(Testament de François Villon, XVe *siècle)*

169

◆

EAUX-DE-VIE D'APPELLATIONS D'ORIGINE CONTRÔLÉE

◆

BONS BOIS
BORDERIES
COGNAC
EAUX-DE-VIE DES CHARENTES
EAUX-DE-VIE DE COGNAC
ESPRIT DE COGNAC
FINE CHAMPAGNE
FINS BOIS
GRANDE CHAMPAGNE
PETITE CHAMPAGNE
PETITE FINE CHAMPAGNE

◆

VINS DE LIQUEUR

◆

PINEAU DES CHARENTES
OU PINEAU CHARENTAIS

♦ Les usages anciens, la géologie, la climatologie et la proximité de l'océan ont tout naturellement consacré un classement des terroirs répartis sur la partie ouest de la Charente et la Charente-Maritime.

♦ L'aire d'appellation (90 000 hectares) a pour cœur la Grande Champagne, la Petite Champagne, les Borderies (enclavées), les Fins Bois, les Bons Bois et les Bois Ordinaires, ceci dans une hiérarchie en principe décroissante.

♦ En réalité, les eaux-de-vie provenant de ces différents terroirs, qui sont autant d'appellations, présentent des qualités complémentaires et font l'objet d'assemblages savants. La Grande Champagne assemblée au minimum pour 50 % avec de l'eau-de-vie de Petite Champagne a droit à l'appellation Fine Champagne.

♦ Les coupes de cognac d'âges différents, facteur de qualité, ne peuvent se référer qu'à l'âge de la plus jeune. Le contrôle légal ne va pas au-delà de cinq ans. Passé ce délai, l'État laisse aux firmes et aux propriétaires la responsabilité de leurs déclarations. Les millésimes sont interdits.

♦ Le cognac ne vieillit pratiquement pas en bouteille ; son âge véritable est celui du temps passé en fût de chêne, du Limousin de préférence.

♦ Les vins qui doivent provenir de cépages définis, vinifiés selon des conditions réglementées, sans addition de produits œnologiques, ne peuvent être distillés que dans l'alambic charentais, en deux étapes : un premier passage donne le «brouillis», d'environ 28° ; une deuxième «chauffe» donne enfin un alcool blanc titrant au maximum 72°. Il ne deviendra du cognac qu'après un obligatoire séjour en fût d'au moins dix-huit mois (trois étoiles).

♦ L'évaporation lors du vieillissement en fût, dite «part des anges», est évaluée de 3 % à 6 % l'an, ce qui est important, puisque cela représente environ quinze millions de bouteilles pour l'ensemble des appellations.

♦ Le Pineau des Charentes est un vin de liqueur, produit par les seuls bouilleurs de cru, bouilleurs de profession et coopératives, à base de moût muté par du cognac d'au moins un an d'âge. Le degré minimal doit être de 16° et au plus de 22°.

Note : La qualité d'un cognac dépend de nombreux éléments : l'origine, la façon dont a été conduite la distillation avec l'élimination des «têtes» et des «queues» (le début et la fin de l'eau-de-vie sortant de l'alambic). L'eau-de-vie titre, jeune, 72°, il faut donc la réduire avec de l'eau distillée, et réduire les eaux-de-vie rassies, par paliers successifs. Un volume raisonnable des fûts est préférable.

♦

LES SENTIMENTS ET LE COGNAC

♦

Cordialité Cognac

Chacun sait que l'un des facteurs de qualité du Cognac réside dans le soin apporté à la distillation : on élimine les « têtes » et les « queues », c'est-à-dire les premières et les dernières vapeurs condensées, pour ne garder que le « cœur » qui contient tout l'esprit du vin, bouquet et arômes. Pas étonnant donc que le Cognac soit le cordial le plus estimé, et que sa dégustation suscite une bienveillance envers son prochain, sinon l'humanité toute entière, partant directement du cœur. C'est la sincérité et la noblesse de ses expressions si fidèles au terroir et à la ferveur de ses artisans créateurs qui lui confèrent cet esprit de cordialité pour une paix universelle.

LE PAYS NANTAIS

« Un bon marin
Dès le matin
Qu'il soit l'aîné
Ou le cadet
Ne peut qu'aimer
Le Muscadet. »
                    Refrain populaire

« Tout le long de la Loire
Quand on a navigué,
Il reste le désir
De refaire à loisir
Ce voyage si gai.
Pour boire
Toujours boire
Le joli vin des coteaux de la Loire ! »
                    Refrain populaire du XIXe siècle

◆

APPELLATIONS D'ORIGINE CONTRÔLÉE
DES VINS DE LA RÉGION NANTAISE

◆

MUSCADET
MUSCADET DES COTEAUX DE LA LOIRE
MUSCADET DE SÈVRE-ET-MAINE

◆

APPELLATIONS D'ORIGINE
VINS DÉLIMITÉS DE QUALITÉ SUPÉRIEURE

◆

COTEAUX-D'ANCENIS,
suivie obligatoirement du nom du cépage :
Pineau de la Loire ; Chemin blanc ;
Malvolsie ; Pinot-beurot ;
Gamay ; Cabernet

GROS-PLANT OU GROS-PLANT DU PAYS NANTAIS

♦ Comme en Alsace, à l'autre extrémité de l'Hexagone, les principales appellations sont inspirées du nom du cépage : gros-plant du pays nantais, muscadet.

♦ Le gros-plant est le nom donné localement à la folle-blanche, le muscadet à l'ancien melon de Bourgogne, qui fut, dit-on, appelé «melon musqué» d'où lui viendrait ce nom de muscadet.

♦ Le vignoble s'étend sur les deux rives de la Loire, sitôt Ingrandes sur la rive droite, à la limite de l'Anjou, passe au nord de Nantes pour atteindre Saint-Herblain à l'ouest, la plus grande partie se situant rive gauche, avec au sud-est de Nantes l'aire du Muscadet de Sèvre-et-Maine, au sud-ouest celle de Muscadet qui se prolonge jusqu'à l'océan par l'aire du Gros-Plant, qu'on retrouve jusqu'en Maine-et-Loire aux confins de l'Anjou.

♦ Les appellations sont les suivantes :

– Muscadet AOC (125 000 hectolitres), Muscadet-des-Coteaux-de-la-Loire (15 000 à 20 000 hectolitres), Muscadet-de-Sèvre-et-Maine AOC (500 000 hectolitres), la plus appréciée.

– Gros-Plant-du-Pays-Nantais AOVDQS (200 000 hectolitres), Coteaux d'Ancenis AOVDQS (20 000 hectolitres, en rouge 100 hl).

– Vin de pays des Marches de Bretagne; il s'agit de vins rouges ou rosés récoltés sur l'aire du Muscadet (cépages pinot, gamay, grolleau).

– Vin de pays de Retz, à l'extrémité occidentale de la Loire-Atlantique, partie limitée par la Loire et l'Océan.

♦ Pour faire bonne mesure, on associe au Pays nantais le vin des Fiefs vendéens AOVDQS, vignoble dispersé sur le département de la Vendée, au nord des Sables-d'Olonne, de Luçon et de part et d'autre de Fontenay-le-Comte, avec Vix et Pissotte, tous réputés pour leurs vins légers rouges et rosés.

♦ La majeure partie du vin d'appellation Muscadet est commercialisée en «primeur», dès le troisième jeudi de novembre. Vin léger et frisant sur la langue, il est plaisant sur les coquillages.

♦ Muscadet-de-Sèvre-et-Maine et dans une moindre mesure Muscadet-des-Coteaux-de-la-Loire sont d'une tout autre classe : quand ils sont laissés sur leur lie jusqu'à leur mise en bouteilles, selon les règles de l'art régional, ces vins peuvent atteindre un haut niveau de fraîcheur, de finesse, de distinction et de race.

♦ Le Gros-Plant peut donner un vin de qualité, léger, particulièrement apte à escorter un plateau de fruits de mer. Tout dépend du rendement, de la vinification, de la mise sur lie.

Note : Les conditions de production pour le muscadet de sèvre-et-maine et des coteaux-de-la-loire sont identiques, et plus sévères que pour le muscadet. Le rendement, la vinification et le terroir font toute la différence. Force est de constater que la qualité de ces vins n'a cessé de s'améliorer depuis les dernières décennies. Une part importante de la production est exportée.

COTEAUX D'ANCENIS
PRODUCE OF FRANCE
GAMAY
ROSÉ
Appellation d'Origine
Vin Délimité de Qualité Supérieure
12 % vol.
e 750 ml
MIS EN BOUTEILLE AU DOMAINE PAR
JACQUES GUINDON, SAINT-GÉRÉON PAR ANCENIS (44) FRANCE

Marquis de
Goulaine
CHÂTEAU DE LA GRANGE
MUSCADET SUR LIE
APPELLATION MUSCADET SUR LIE CONTROLÉE
MIS EN BOUTEILLE A CORCOUÉ
PAR LE MARQUIS DE GOULAINE
44115 HAUTE-GOULAINE
19 - FRANCE - 89
12%
Vol.
37,5 cl

Domaine des Closserons
ANJOU GAMAY
APPELLATION ANJOU GAMAY CONTROLÉE
G.A.E.C. LEBLANC J-CL. & FILS - VITICULTEURS
LES CLOSSERONS , A 49380 FAYE-D'ANJOU TÉL. 41-54-30-78
MIS EN BOUTEILLE AU DOMAINE
12%Vol.
75 cl
L E B L A N C

PRODUIT DE FRANCE
COTEAUX d'ANCENIS
GAMAY
APPELLATION D'ORIGINE VIN DÉLIMITÉ DE QUALITÉ SUPÉRIEURE
75 cl
MIS EN BOUTEILLE A LA PROPRIÉTÉ
12% vol.
LES VIGNERONS DE LA NOËLLE - 44150 ANCENIS

CHATEAU DE LA GRANGE
GROS-PLANT SUR LIE
VIN DÉLIMITÉ DE QUALITÉ SUPÉRIEUR
e 75 cl
MIS EN BOUTEILLE AU CHATEAU
11% vol.
MARQUIS DE GOULAINE
44650 CORCOUÉ - FRANCE

CHÂTEAU DE CHASSELOIR
PRODUCE OF FRANCE
Comte Leloup de Chasseloir
MUSCADET de SÈVRE et MAINE SUR LIE
APPELLATION MUSCADET DE SÈVRE & MAINE CONTROLÉE
MIS EN BOUTEILLES AU CHATEAU
12% vol.
Mme CHÉREAU, viticulteur - CHÂTEAU-CARRÉ, Chasseloir, St-FIACRE (L.-Atl.)
75 cl

176

◆
HARMONIE DES METS ET DES VINS DU PAYS NANTAIS
◆

◆ Apéritif
Muscadet primeur, selon l'époque – note rustique avec un vin gris de grolleau.

◆ Coquillages, fruits de mer
Avec des huîtres, en bord de mer le Gros-Plant, tiré sur lie est très agréable, Muscadet.

◆ Entrées, hors-d'œuvre, crêpes et galettes
Muscadet de Sèvre-et-Maine (Muscadet des Coteaux de la Loire), vins rosés des Fiefs vendéens.

◆ Viandes, volailles, gibiers, fromages
Vins rouges des Coteaux d'Ancenis (gamay, cabernet) des Fiefs vendéens.
NB : une volaille rôtie s'accommode bien d'un bon Muscadet (mis sur lie, d'un bon millésime).

◆ Desserts
Les vins blancs secs, les rouges légers ne font pas bon mélange avec les desserts sucrés, galettes, far, sablés, etc. Un cidre doux fera mieux l'affaire, un hydromel ou une eau-de-vie de cidre, vieillie en fût, une eau-de-vie de marc, etc.

◆
LES SENTIMENTS ET LES VINS DU PAYS NANTAIS
◆

Perplexité   Gros-Plant et Muscadet

D'un côté la mer et ses embruns, avec Gros-Plant sur coquillages et crustacés, de l'autre le Muscadet pour la plus fine cuisine océanique. Que choisir pour résoudre ce dilemme gourmand? Commencer par l'un et continuer par l'autre répondent en chœur les gastronomes de la mer. Cela ne relève-t-il pas de l'art que de savoir ainsi naviguer, avec modération, entre deux vins?

ANJOU
ET SAUMUR

« ... Fay que l'humeur savoureuse
De la vigne plantureuse,
Aux rays de ton œil divin,
Son nectar nous assaisonne,
Nectar, tel comme le donne
Mon doux vignoble angevin. »
Ode à Phoebus
Joachim du Bellay

«Je veux qu'on me défonce une pipe angevine,
Et en me souvenant de ma toute divine,
De toi, mon doux souci, épuiser jusqu'au fond
Mille fois ce jourd'hui mon gobelet profond
Et ne partir d'ici jusqu'à tant qu'à la lie
De ce bon vin d'Anjou la liqueur soit faillie. »
Ronsard

«Au royaume du cheval, le vin est roi. »
Dicton

179

◆

APPELLATIONS D'ORIGINE CONTRÔLÉE
DES VINS D'ANJOU

◆

ANJOU
ANJOU-COTEAUX-DE-LA-LOIRE
ANJOU-GAMAY
ANJOU MOUSSEUX
ANJOU PÉTILLANT
ANJOU-VILLAGES
BONNEZEAUX
CABERNET D'ANJOU
COTEAUX-DE-L'AUBANCE
COTEAUX-DU-LAYON
COTEAUX-DU-LAYON, suivie du nom
de la commune d'origine :
Beaulieu-sur-Layon, Faye d'Anjou,
Rablay-sur-Layon,
Saint-Aubin-de-Luigné,
Rochefort-sur-Loire,
Saint-Lambert-du-Lattay

COTEAUX-DU-LAYON-CHAUME
CRÉMANT DE LOIRE
QUARTS-DE-CHAUME
ROSÉ D'ANJOU
ROSÉ D'ANJOU PÉTILLANT
ROSÉ DE LOIRE
SAVENNIÈRES
SAVENNIÈRES-COULÉE-
   DE-SERRANT
SAVENNIÈRES-ROCHE-
   AUX-MOINES

Toutes ces appellations peuvent être suivies de la mention « Val de Loire ».

◆

APPELLATIONS D'ORIGINE CONTRÔLÉE
DES VINS DE SAUMUR

◆

CABERNET DE SAUMUR
COTEAUX-DE-SAUMUR
SAUMUR

SAUMUR-CHAMPIGNY
SAUMUR PÉTILLANT
SAUMUR MOUSSEUX

◆ L'Anjou produit près de quatre fois plus de vins rouge et rosé que de blanc (environ 400 000 hectolitres en rouge et rosé pour 120 000 hectolitres en blanc).

◆ Les rosés restent dominants, avec les AOC Cabernet d'Anjou (120 000 hectolitres) et Rosé d'Anjou (150 000 hectolitres).

◆ Anjou-Gamay, Anjou rouge, Anjou-Villages (respectivement 15 000, 100 000 et 14 000 hectolitres) assurent la production des vins rouges, avec un accent particulier sur les Anjou-Villages dont la qualité atteint un bon niveau ; tous sont issus du cabernet franc et cabernet-sauvignon, avec parfois un peu de pineau d'Aunis. Ils sont généralement charnus, ronds, équilibrés et de bonne garde moyenne.

◆ Le vin blanc d'Anjou, issu du cépage chenin blanc, ou pineau de Loire, est par tradition doux, moelleux et liquoreux selon les années et les crus. Toutefois le Savennières, est sec, parfois à peine moelleux. Les vins de la Coulée de Serrant (7 hectares) et de la Roche-aux-Moines (25 hectares), de haute renommée, portent la mention de leur origine à la suite de leur appellation. L'aire de production est située au sud-ouest d'Angers, sur les rives droites de la Maine et de la Loire (2 500 hectolitres).

◆ Si une partie non négligeable de l'aire d'appellation est située au nord d'Angers, traversée ou bordée par le Loir, la Sarthe et la Mayenne, l'essentiel longe la Loire sur sa rive gauche, sur le Maine-et-Loire empiétant légèrement sur les départements voisins de la Vienne et des Deux-Sèvres.

◆ Les vins les plus réputés, en blanc moelleux et liquoreux, proviennent des coteaux bordant les deux rives du Layon, avec, entre le Layon et la Loire, Rochefort-sur-Loire et ses vins d'appellation Quarts-de-Chaume et, plus en amont, Bonnezeaux.

◆ Ces vins proviennent de raisins généralement arrivés à surmaturité et atteints de « pourriture noble », comme en Sauternais ; vins amples, séveux, onctueux, d'une grande finesse et de longue garde.

◆ Les vins des coteaux de l'Aubance (AOC) blancs et moelleux (1 800 hectolitres) sont devenus rares, le chenin blanc, ayant cédé la place au cabernet, pour les vins rouges d'appellation Anjou-Villages (quarante-six communes).

Note : Malgré la célèbre douceur angevine, nous sommes ici en pays septentrional et donc en pays de vignoble de cépage unique, du moins pour les vins les plus représentatifs : Coteaux-de-la-Loire, Savennières pour des vins secs issus du chenin blanc ou pineau de la Loire ; Coteaux-du-Layon, Quarts-de-Chaume, Bonnezeaux, vins moelleux ou liquoreux selon l'année issus du même chenin blanc ou pineau de la Loire ; Cabernet d'Anjou pour un rosé tendre issu du cabernet franc, Anjou rouge et Anjou-Villages issus également du cabernet franc, avec parfois un peu de cabernet-sauvignon. Le Crémant de Loire, mousseux blanc est élaboré à partir des cépages régionaux et autres, chenin, cabernet, pineau d'Aunis, pinot noir, chardonnay, grolleau. Le Rosé de Loire également est issu de plusieurs des cépages ci-dessus, avec le gamay en plus.

CLOS
DE LA
Coulée de Serrant

APPELLATION SAVENNIÈRES - COULÉE DE SERRANT CONTROLÉE

WHITE LOIRE WINE

19 88

Mme A. JOLY, Propriétaire-Viticulteur
au Château de la Roche-aux-Moines - 49170 SAVENNIÈRES
Mise en bouteilles au Château

PRODUCT OF FRANCE   NET CONTENTS : 750 ML   ESTATE BOTTLED

Clos du Papillon

1987

Mis en bouteilles au Domaine

SAVENNIÈRES

APPELLATION SAVENNIÈRES CONTROLÉE

12,5% vol.   PRODUCT OF FRANCE   750 ml

Dom. du Closel - Mme de Jessey - Prop.-Réc. - 49170 SAVENNIÈRES

Domaine des Closerons

COTEAUX DU LAYON

APPELLATION COTEAUX DU LAYON CONTROLÉE

G.A.E.C. VARLAND - OUA PEP. ST PORT TOURS
LES CLOSERONS - 49380 PAYS D'ANJOU TEL. XX.XX.XX.XX
MIS EN BOUTEILLE AU DOMAINE

LEBLANC

ANJOU-VILLAGES

APPELLATION ANJOU-VILLAGES CONTROLÉE

MIS EN BOUTEILLE A LA PROPRIÉTÉ

LES CAVES DE LA LOIRE BRISSAC - 49 - FRANCE   75cl

PRODUCE OF FRANCE

BONNEZEAUX

APPELLATION BONNEZEAUX CONTROLÉE

CHATEAU DE FESLES

13,5 % vol.   Mise en bouteille à la Propriété   75cl

J. BOIVIN - Propriétaire THOUARCÉ (M. & Loire) FRANCE
Tél : 41.54.14.32

PRODUCT DE FRANCE

CHATEAU DE FESLES

Coteaux du Layon

APPELLATION COTEAUX DU LAYON CONTROLÉE

12% vol.   Mise en bouteille à Thouarcé pour   75cl
DE NEUVILLE ST-HILAIRE ST-FLORENT (M&L) FRANCE

Produce of France

Anjou Rouge

APPELLATION ANJOU CONTROLÉE

CÉPAGE CABERNET

LES CAVES DE LA LOIRE BRISSAC - 49 FRANCE

MIS EN BOUTEILLE A LA PROPRIÉTÉ   75cl

1985

Mis en bouteilles au Domaine

DOMAINE du CLOSEL
ANJOU VILLAGE

APPELLATION ANJOU VILLAGE CONTROLÉE

PRODUCT OF FRANCE   750 ml

Domaine du CLOSEL - Madame de Jessey - Propriétaire
49170 SAVENNIÈRES - France

SAUMUR

♦ Très «rive gauche» et orientale de surcroît, le Saumurois est certes angevin, mais tient à souligner courtoisement sa propre identité, tenant à bonne distance la capitale régionale qu'est Angers.

♦ Deux vins dominent et font l'image de marque du Saumurois : le Saumur mousseux, dit «Saumur d'origine», et le Saumur-Champigny, vin rouge apte au mûrissement en bouteille, très apprécié des connaisseurs.

♦ Saumur, comme le reste de l'Anjou, produit plus de vin rouge que de blanc, malgré le vin mousseux.

♦ Seul le vin Coteaux-de-Saumur AOC est issu du seul cépage chenin blanc : le vin blanc d'appellation saumur peut être issu pour 80 % de chenin, de chardonnay et de sauvignon.

♦ Les rouges Saumur AOC et Saumur-Champigny AOC sont à base de cabernet franc principalement, de cabernet-sauvignon et éventuellement de pineau d'Aunis. Le plus réputé est le Saumur-Champigny, au terroir particulier fait de roche dure calcaire. Les vins sont plus chaleureux, plus riches que dans les appellations Saumur et Anjou-Villages ; ils sont plus aptes à un long mûrissement en bouteille.

♦ L'aire d'appellation Saumur concerne 92 communes des départements du Maine-et-Loire (arrondissement de Saumur), des Deux-Sèvres et de la Vienne. Extrapolons en évoquant les vins du Thouarsais (VDQS) et ceux du Haut Poitou (VDQS).

♦ Vins du Thouarsais VDQS : blanc (1 100 hectolitres) issu du chenin et du chardonnay, rouge et rosé (550 hectolitres) issus des cabernet et gamay ; vins légers, fruités, aimables, apparentés à ceux d'Anjou. Leur production limitée les réserve à la consommation locale.

♦ Vins du Haut Poitou VDQS : l'appellation concerne 45 communes du département de la Vienne, au nord-ouest de Poitiers, au sud-ouest de Châtellerault. Les vins blancs sont issus des cépages sauvignon, chardonnay, chenin, les rouges et rosés des gamay et pinot, avec un peu de merlot, de cot et de cabernet franc. La Cave coopérative de Neuville-en-Poitou est l'entreprise pilote et assure la majorité de la production de vins qui connaissent une faveur méritée (30 000 hectolitres avec une petite majorité de rouge).

Note : Le vin effervescent et la vie effervescente de la cavalerie ont marqué Saumur de leur empreinte... Le vin demeure, pétillant ou tranquille, blanc et rouge avec pour enseigne la superbe silhouette du château tel qu'il illustra, entouré de vigne, *Les Très Riches Heures du duc de Berry...*

Servir frais
RM
Fond 1885
RÉMY-PANNIER
Val de Loire
SAUMUR
APPELLATION SAUMUR CONTROLÉE
CÉPAGE CABERNET

11,5 % vol. 75 cl ℮

MIS EN BOUTEILLE PAR
RÉMY-PANNIER A St-HILAIRE-St-FLORENT (Maine et Loire) FRANCE

PRODUCE OF FRANCE

1986

Château Montbenault
ROSÉ D'ANJOU
APPELLATION ROSÉ D'ANJOU CONTROLÉE **750 mL.**
LEDUC, Propriétaire-Viticulteur - 49380 FAYE-D'ANJOU
Mise en bouteille au Château

PRODUIT DE FRANCE

Domaine de la Chaignée

BLANC **1989**

Médaille d'Or
Concours
Général
Paris 1990

FIEFS VENDÉENS
VIX 12,5% vol.
APPELLATION D'ORIGINE - VIN DÉLIMITÉ DE QUALITÉ SUPÉRIEURE 75 cl ℮
MIS EN BOUTEILLE AU DOMAINE
Par MERCIER Frères - Récoltants - 85770 Vix

1988

CHATEAU de BRISSAC
ANJOU VILLAGES
Appellation Anjou Villages Controlée
VAL DE LOIRE
Vin produit et mis en bouteille par Daviau Vigneron
49320 Brissac - France - Tél. 41.91.22.50 750 ml

VIEILLES VIGNES

du
DOMAINE
LANGLOIS-CHATEAU
SAUMUR
APPELLATION SAUMUR CONTROLÉE
MIS EN BOUTEILLE AU DOMAINE

12 % vol. *Langlois-Château* DIPLOMAT 750 ml ℮
ST-HILAIRE-ST-FLORENT (M.&L.)
PRODUCE OF FRANCE

COOPÉRATIVE VINICOLE
LES CAVES DE LA LOIRE
BRISSAC (M. & L.) FRANCE

Rosé de Loire
APPELLATION ROSÉ DE LOIRE CONTROLÉE 70 cl ℮
MIS EN BOUTEILLE A LA PROPRIÉTÉ

HARMONIE DES METS ET DES VINS D'ANJOU ET DE SAUMUR

♦ **Apéritif**
Anjou mousseux, Anjou pétillant, Cabernet d'Anjou, Crémant de loire, Rosé d'Anjou, Rosé de Loire, Rosé d'Anjou pétillant, Saumur pétillant, Saumur mousseux.

♦ **Entrées, crudités, charcuteries**
Anjou, Anjou-Gamay, Cabernet de Saumur.

♦ **Poissons, coquillages, crustacés, mollusques**
Anjou, Coteaux-de-Saumur, Saumur, Savennières.

♦ **Viandes grillées ou rôties, volaille, lapin**
Anjou, Saumur, Anjou-Gamay.

♦ **Viandes en sauce, gibiers**
Anjou-Villages, Anjou, Saumur (rouge), Saumur-Champigny.

♦ **Fromages**
Fromages de chèvre : vin blanc, Savennières ; autres fromages : Anjou-Gamay, et les vins du mets précédent.

♦ **Desserts**
Bonnezeaux, Coteaux-de-l'Aubance, Coteaux-du-Layon, Quarts-de-Chaume, Saumur mousseux demi-sec.

LES SENTIMENTS ET LES VINS D'ANJOU ET DE SAUMUR

Élégance
Savennières

Vins secs, parfois demi-secs lors des années chaudes (1990), les vins de Savennières, charpentés, équilibrés, amples et harmonieux ne révèlent toutes leurs qualités, dont une réelle élégance, qu'après plusieurs années de bouteille : leur approche de la plénitude commence à partir de leur dixième année... Après ce délai, somme toute raisonnable pour une belle angevine, la perfection s'installe. Le vin devient ample, harmonieux, et libère ses arômes délicatement fondus de tilleul, d'aubépine, de fleur d'acacia, et ses notes minérales. Ce vin déroute l'amateur par son originalité, et c'est un bel exploit quand on le situe quelque part sur une hauteur dominant le beau fleuve blond, la Loire. Un Savennières s'accorde évidemment avec un sempiternel brochet ou saumon de Loire beurre blanc ; mais essayez avec un pot-au-feu d'oie aux petit légumes !...

Modestie
Quarts-de-Chaume

Associer la modestie du vin Quarts-de-Chaume est antithétique... Ce vin est tout le contraire de la modestie : racé, moelleux et parfois liquoreux selon les années, il est ample et d'une grande finesse. Il développe un bouquet puissant où se mêlent la cire d'abeille, le tilleul, les fruits mûrs ou confits comme le coing, ... Un grand vin de dessert, souvent sublime, et toujours nerveux. C'est jouer le faux modeste que de servir un tel vin en s'excusant... Magnifique sur un foie gras d'oie, un feuilleté au roquefort... « Quarts »... mais vin géant, et pour tout dire, « entier ».

Peine
Rosé d'Anjou

Vous êtes invité chez une petite cousine qui a des peines de cœur, choisissez un gentil vin d'Anjou, rosé. Elle aimera, et ce vin sera délicieux sur les rillettes dont elle raffole, sur la salade qu'elle a elle-même préparée et sur ce qui cuit dans la poêle, que vous découvrirez toujours assez tôt... Vous êtes venu en bon saint Bernard, remonter le moral de la petite, le Rosé d'Anjou est tout à fait indiqué. Honnêtement, un Montrachet serait ridicule : il ne faut pas offrir à l'ignorant un vin d'initié ; en latin : *margaritas ante porcos...*

ANJOU ET SAUMUR

187

LA TOURAINE

« Vouvray, sève d'amour gonflant les vignes blanches,
Suc des raisins dorés qui fait plier les branches,
Par les caveaux profonds douce gaîté qui dort,
Toi qui naît sur nos rocs pour mourir dans nos verres,
Fais les rêves meilleurs, rends les fronts moins sévères... »

J.-M. Rougé

« En ces pays de Loire, on retrouve quelques-uns des traits les plus profonds de l'âme française : la finesse, la modération, le courage sans ostentation, tout ce qu'on peut qualifier d'un mot, la gentillesse. »

E. Bruley

« O côteaux charmants de la Loire
Quelle fée a jeté sur vous
Sa baguette de bois de houx
Pour vous combler de tant de gloire ? »

Henri Margot

189

APPELLATIONS D'ORIGINE CONTRÔLÉE DES VINS DE TOURAINE

BOURGUEIL
CHINON
COTEAUX-DU-LOIR
CRÉMANT DE LOIRE
JASNIÈRES
MONTLOUIS
MONTLOUIS MOUSSEUX
MONTLOUIS PÉTILLANT
ROSÉ DE LOIRE
SAINT-NICOLAS-DE-BOURGUEIL

TOURAINE
TOURAINE-AZAY-LE-RIDEAU
TOURAINE-AMBOISE
TOURAINE-MESLAND
TOURAINE MOUSSEUX
TOURAINE PÉTILLANT
VOUVRAY
VOUVRAY MOUSSEUX
VOUVRAY PÉTILLANT

APPELLATIONS D'ORIGINE VINS DÉLIMITÉS DE QUALITÉ SUPÉRIEURE

CHEVERNY
COTEAUX-DU-VENDÔMOIS
VALENÇAY
VIN DE L'ORLÉANAIS

LA TOURAINE, CHINON ET BOURGUEIL

♦ La Touraine est placée sous deux influences climatiques : l'une océanique qui apporte une certaine douceur, l'autre continentale qui assure les étés lumineux et les automnes ensoleillés si précieux à la vigne.

♦ L'appellation Touraine peut concerner l'ensemble de l'aire de production, soit le territoire délimité de plus de 125 communes de l'Indre-et-Loire, une quarantaine du Loir-et-Cher et une de l'Indre.

♦ Les vins rouges sont issus du cabernet franc, accessoirement du cabernet-sauvignon, les blancs du chenin, pour le Chinon ; Bourgueil et Saint-Nicolas-de-Bourgueil n'ont pas de blanc. Les Touraines disposent d'autres cépages : cot, gamay, pineau d'Aunis, grolleau en plus pour les rosés, chardonnay, sauvignon pour les blancs.

♦ L'aire d'appellation Bourgueil est située rive droite de la Loire, en face de celle de Chinon. Elle comprend celle de Saint-Nicolas-de-Bourgueil et intéresse au total huit communes, soit 2 000 hectares. On trouve sur certaines exploitations jusqu'à 10 % de cabernet-sauvignon, maximum autorisé, le cépage traditionnel étant le cabernet franc. La production est d'environ 60 000 hectolitres pour Bourgueil et près de 40 000 hectolitres pour Saint-Nicolas-de-Bourgueil.

♦ À Bourgueil, on distingue deux types de vins : ceux provenant de vigne croissant sur terrasses de graviers, et ceux provenant de vigne croissant sur les coteaux de tuf. Les premiers atteignent plus rapi-

dement leur maturité, leur plénitude que les seconds, plus durs dans leur jeunesse mais de plus longue garde ; vins pleins, de structure élégante avec des odeurs florales d'abord puis animales avec l'âge.

♦ Les vins de Saint-Nicolas-de-Bourgueil sont sur terrasses de graviers, avec le bénéfice d'un microclimat qui les distingue des Bourgueil. Moins denses parfois, ils ont davantage de finesse.

♦ Les circonstances sont assez semblables à Chinon avec sols de graviers et de coteaux argilo-calcaires donnant des vins d'expression et d'aptitude différentes. Chinon propose des vins rouges (très majoritaires), des rosés assez rares et des blancs issus du chenin (moins de 400 hectolitres l'an !).

♦ Les vins de Bourgueil, Saint-Nicolas-de-Bourgueil et Chinon offrent un excellent rapport qualité prix, et présentent souvent la solution la plus honnête sur la carte des vins des restaurants de haut luxe...

Note : Il est de tradition d'affirmer que les vins de Chinon sont pourvus d'un bouquet évoquant la violette, et ceux de Bourgueil la framboise! C'est joli, poétique mais pas vraiment sérieux : les vins de ces appellations voient leur bouquet évoluer avec le temps ; l'odeur passe du végétal à l'animal, puis au minéral nuancé d'effluves de fleurs et de fruits. Les tannins finissent par se fondre et le vin devient tout velours, fin et racé. Le millésime est très significatif.

191

◆ Vouvray et Montlouis sont deux aires d'appellation proches dans tous les sens du terme puisque séparées par la Loire, en vis-à-vis, cultivant uniquement le pineau de la Loire ou chenin blanc; les deux vins, tranquilles, mousseux ou pétillants étant différents comme peuvent l'être des frères jumeaux.

◆ L'aire d'appellation du Vouvray est la plus vaste, elle s'étend sur 8 communes et couvre environ 1 200 hectares sur la rive droite de la Loire. Habituellement la production de vins tranquilles l'emporte, mais la demande en effervescents est telle qu'en 1988, par exemple, le mousseux a presque atteint les 70 000 hectolitres contre 48 800 hectolitres en vins tranquilles.

◆ Selon les années et la date des vendanges, les vins peuvent être secs, moelleux ou liquoreux sous l'action du *Botrytis* (pourriture noble). Comme tous les vins issus du chenin, les vins doivent mûrir en cave fraîche et leur aptitude au vieillissement est exceptionnelle, certains vins centenaires se révèlent tout de fraîcheur, avec des arômes délicats, de pâte de coings, d'agrumes confits.

◆ Les effervescents n'ont pas la même aptitude, mais après cinq à dix ans ils atteignent leur plénitude et présentent une savoureuse originalité, tendres et vifs, parfaits sur les desserts.

◆ L'aire du Montlouis ne concerne que 3 communes et ne couvre qu'environ 200 hectares. Les vins tranquilles, secs ou moelleux, dominent sur les effervescents (respectivement 8 000 hectolitres et 4 500 hectolitres). Les vins sont de style semblable au Vouvray, avec peut-être plus de souplesse dans leur jeunesse et un peu moins d'intensité dans leur maturité.

◆ Secs, les vins de Vouvray ou de Montlouis sont très agréables en apéritif, notamment en effervescents. En vins tranquilles, ils accompagnent les poissons grillés ou en sauce, de rivière ou de mer, les coquillages crus ou cuits, etc. Les vins plus tendres, moelleux, conviennent sur les viandes blanches, les volailles, etc., les liquoreux sur les entremets, les desserts.

◆ À une trentaine de kilomètres au nord-ouest de l'aire de Vouvray, dans la Sarthe, Jasnières propose un vin blanc « de Loire » insolite, sec et même franchement acide, que seul le temps assagit. La production est restreinte et entre les mains de quelques vignerons heureusement passionnés (moins de 1 000 hectolitres). Le cépage est le chenin blanc.

◆ Coteaux-du-Loir AOC, à cheval sur les départements de la Sarthe et de l'Indre-et-Loire, vins blancs secs, vifs, rosés et rouges s'apparentant aux vins de Touraine. Production infime.

Note : À Vouvray les sols sont de deux types : argilo- calcaires, dits « aubuis », donnant des vins plus souples que ceux provenant de sols argilo-siliceux, dits « perruches », comportant de nombreux silex, qui donnent des vins d'une grande finesse, durs dans leur jeunesse, mais que le temps affine. À Montlouis, on trouve

CLOS DU BOURG
DEMI SEC
VOUVRAY
APPELLATION VOUVRAY CONTROLEE   750 ml

S.A. HUET VITICULTEUR "LE HAUT-LIEU" VOUVRAY (I&L) France

Domaine de la Charrière
PINEAU D'AUNIS

COTEAUX DU LOIR
APPELLATION COTEAUX DU LOIR CONTROLÉE

11,5 %vol   MIS EN BOUTEILLE A LA PROPRIETE   e 75 cl

J. GIGOU, Propriétaire-Viticulteur, 4 Rue des Caves, 72340 LA CHARTRE .S/-LE LOIR
PRODUCE OF FRANCE

Domaine de Cezin

Jasnières
Appellation Jasnières Contrôlée

12 % vol.   Mis en bouteille à la propriété par   750 ml
François Fresneau - Viticulteur - 72340 MARÇON - Tél. 43.44.13.70

DOMAINE DE LA CHEVALERIE

Bourgueil
APPELLATION CONTRÔLÉE
Vieilles Vignes

12,5% Vol.   750 ml
MIS EN BOUTEILLES A LA PROPRIETE   PRODUCT OF FRANCE
CASLOT PIERRE, PROPRIÉTAIRE-RÉCOLTANT, «DOMAINE DE LA CHEVALERIE», RESTIGNÉ (I-à-L.)

Vin de l'Orléanais
PRODUCE   OF FRANCE

Gris Meunier
APPELLATION D'ORIGINE
VIN DÉLIMITE DE QUALITÉ SUPÉRIEURE
G.A.E.C. CLOS SAINT-FIACRE
11,5% vol.   Roger MONTIGNY & Fils   75 cl
Propriétaire-Récoltant, 560, rue Saint-Fiacre - 45370 MAREAU-AUX-PRÉS - FRANCE

Couly-Dutheil

Clos de l'Olive
CHINON
APPELLATION CHINON CONTROLÉE

Baronnie d'Aignan
TOURAINE
APPELLATION TOURAINE CONTROLÉE
% Alc./vol.   1988   750ml e
MISE EN BOUTEILLE A LA PROPRIÉTÉ

193

des sols d'alluvions récentes de sable (vins plus légers) et de «perruches». Les terrains orientés au sud et descendant en pente douce sur le Cher bénéficient d'un parfait ensoleillement.

T
O
U
R
A
I
N
E

♦

TOURAINE, TOURAINE-AMBOISE, TOURAINE-AZAY-LE-RIDEAU, TOURAINE-MESLAND, CHEVERNY, VALANÇAY, VIN DE L'ORLÉANAIS, COTEAUX-DU-VENDÔMOIS

♦

♦ En dehors des vins à la notoriété consacrée par leur appellation communale : Vouvray, Chinon, etc., la Touraine offre une gamme de vins diversifiés dans l'unité, c'est-à-dire de même style bien que modulé par les microclimats et l'encépagement.

♦ Les vins d'appellation touraine suivie du nom de la commune dont ils sont originaires arrivent en tête de la catégorie : Touraine-Azay-le-Rideau, Touraine-Amboise et Touraine-Mesland. Viennent ensuite les vins d'appellation régionale Touraine, puis ceux « périphériques » d'appellation d'origine vin délimité de qualité supérieure : Cheverny, Valençay, vin de l'Orléanais auxquels s'ajoutent les Coteaux-du-Loir et les Coteaux-du-Vendômois provenant du nord de Tours.

♦ Les vins blancs issus du seul cépage chenin sont assez faciles à reconnaître, car leurs nuances différentes demeurent dans la ligne générale des vins de Loire, secs ou moelleux. On les rencontre dans les appellations Touraine, suivies du nom de la commune.

♦ Les vins blancs issus de plusieurs cépages, chenin, sauvignon, chardonnay, s'éloignent certes du type Loire pur, mais leur structure légère (Liger, Loire en latin!), leur fruité délicat avouent leur origine à tout palais exercé.

♦ Les vins rouges peuvent être issus du seul gamay (Touraine-gamay), léger et friand, ou de plusieurs cépages, plus généralement gamay, cot et cabernet. Aux rosés s'ajoute le grolleau, et naturellement dans ces cas aucune mention de cépage ne figure sur l'étiquette.

♦ Les chiffres de production sont les suivants : Touraine, environ 300 000 hectolitres dont 55 % en rouge ; Touraine-Amboise, 10 000 hectolitres dont 80 % en rouge ; Touraine-Azay-le-Rideau, 2 400 hectolitres dont un tiers seulement en rouge et rosé ; Touraine-Mesland, 10 000 hectolitres dont 15 % en blanc.

♦ Les VDQS Cheverny sont issus pour les rouges des trois cépages régionaux,

194

auxquels s'ajoutent pour le rosé le pineau d'Aunis et le pinot gris ; les blancs sont issus des chenin, chardonnay, sauvignon, menu pineau et romorantin, qui apporte force et bouquet spécifique (environ 12 000 hectolitres, pour moitié en blanc).

♦ Si Valençay est à la limite de la Touraine, le vin a des accents berrichons : rouge, léger et peu coloré (5 000 hectolitres) ; blanc, rare (550 hectolitres).

♦ Vins de l'Orléanais VDQS : ils trouvent leur plus belle expression dans le « gris meunier », soit le cépage pinot-meunier, qui donne un vin exquis, peu coloré, léger, à boire dans la fraîcheur de sa jeunesse. Il est dommage que le rouge domine, avec pinot noir et cabernet. Les

blancs sont rares (5 500 hectolitres de rouge et rosé, 10 % de blanc).

♦ Coteaux-du-Vendômois VDQS : vins de style proche de ceux de Touraine, légers, à boire jeunes bien que non dépourvus d'aptitude à un heureux mûrissement en bouteille.

Note : Est-ce un signe ? Mais seuls les vins d'AOC peuvent faire suivre leur appellation de la mention « Val de Loire », interdite donc aux VDQS ! Tous ces vins ont cependant un semblable profil, comme les membres d'une même famille, ce qui n'empêche pas les différences, de comprendre des grands et des petits, des gros et des maigres...

HARMONIE DES METS ET DES VINS DE TOURAINE

♦ **Apéritif**
Crémant de Loire, Montlouis mousseux, Montlouis pétillant, Touraine mousseux, pétillant, Vouvray mousseux, Vouvray pétillant, Touraine.

♦ **Hors d'œuvre, crudités, charcuteries**
Rosé de Loire, Cheverny rouge, Coteaux-du-Vendômois, Valençay, vin de l'Orléanais, Touraine.

♦ **Coquillages, fruits de mer, poissons frits**
Touraine, Touraine-Azay-le-Rideau, Touraine-Amboise, Touraine-Mesland, Coteaux-du-Loir, Jasnières.

♦ **Hors-d'œuvre riches, foie gras**
Vouvray demi-sec, Montlouis demi-sec.

♦ **Viandes grillées, volailles, petits gibiers**
Touraine-Mesland, Touraine-Amboise.

♦ **Viandes rouges, gibiers à poil, gros et petits**
Bourgueil, Saint-Nicolas-de-Bourgueil, Chinon.

♦ **Fromages**
Chèvre et régionaux : blanc de Touraine, Coteaux-du-Loir, Jasnières, Cheverny, Valençay ; fromages nationaux : rouge de Touraine, Chinon, Bourgueil, Saint-Nicolas-de-Bourgueil, Touraine-Amboise, Touraine-Mesland, Cheverny, etc.

♦ **Desserts**
Vouvray, Montlouis demi-sec ou moelleux, tranquilles, mousseux ou pétillants.

♦
LES SENTIMENTS ET LES VINS DE TOURAINE
♦

Pureté de cœur Vouvray

La pureté du cœur associée aux vins de Vouvray ne signifie pas que d'autres n'en seraient pas dignes. Mais le Vouvray a ceci de particulier que, quels que soient sa nature, tranquille ou pétillant, sec, moelleux ou liquoreux, suivant les années, la date de ven-dange et le mode de vinification, il est égal à lui-même. Léger, fin, aérien, tendre, il est apte à un vieillissement épanouissant pouvant aller de quelques années à trente ou qua-rante ans et davantage certaines années! Authentique grand vin, il peut donc accompa-gner, selon sa nature et son millésime, aussi bien la simple friture de Loire, l'andouillette et les rillons que les mets les plus raffinés, et même être savouré pour lui-même, en sa pureté naturelle quand il atteint l'âge de la sagesse et de la sérénité.

LE BERRY
ET LE NIVERNAIS

«Aussitôt que la lumière
A doré nos coteaux
Je commence ma carrière
Par visiter mes tonneaux.»
Adam Billaut, menuisier-poète de Nevers, XVIᵉ siècle

«Je jure que je boirai pur le premier verre de Sancerre, le second sans eau, le troisième
tel qu'il sort du tonneau.»

Serment de la confrérie du Bué-en-Sancerrois

«Ya qu'un vrai Pouilly sur la Terre
Un seul qu'on devrait bouée à genoux
Fin bouillet et grand caractère
Et c'vin-là, c'est l'Pouilly d'cheux nous!
Ya qu'un vrai Pouilly par le monde
Un seul cru vrament parfumé
Qui varse l'bonheur à la ronde
Et c'vin-là, c'est l'Pouilly fumé.»
Georges Blanchard

199

APPELLATIONS D'ORIGINE CONTRÔLÉE
DES VINS DU BERRY ET DU NIVERNAIS

POUILLY-SUR-LOIRE
POUILLY-FUMÉ
(PARFOIS BLANC-FUMÉ)
SANCERRE

MENETOU-SALON
QUINCY
REUILLY

APPELLATIONS D'ORIGINE
VINS DÉLIMITÉS DE QUALITÉ SUPÉRIEURE

CÔTES-DE-GIEN OU
COTEAUX-DU-GIENNOIS

CÔTES-DE-GIEN-COSNE-SUR-LOIRE
CHÂTEAUMEILLANT

♦ Après Orléans, en remontant le cours de la Loire jusqu'à Gien, nous trouvons le vignoble des Côtes-de-Gien (VDQS), rive droite d'abord puis sur les deux rives après Châtillon-sur-Loire et à nouveau sur la seule rive droite jusque peu après Cosne, où les vins prennent l'appellation d'origine Côtes-de-Gien-Cosne-sur-Loire.

♦ Les vins d'appellation Côtes-de-gien, ou Coteaux-du-giennois sont issus, pour les rouges, du gamay et d'un peu de pinot noir, pour les blancs du sauvignon et d'un peu de chenin ; ils font la transition entre les vins de Loire et ceux de Bourgogne.

♦ Pouilly-sur-Loire est une AOC concernant un vin blanc, issu du cépage chasselas, comme certains vins de Savoie ; c'est un vin fin, léger, presque aérien, malheureusement en constante régression, au profit du vin d'AOC Pouilly-Fumé issu du sauvignon.

♦ Issu du seul sauvignon, le vin d'AOC Pouilly-Fumé devrait son nom au « fumet » typique du cépage dans ses expressions les plus raffinées. Vin sec, qui gagne à mûrir quelques années en bouteille, il devient alors souple et rond en bouche tandis que s'est estompée toute agressivité.

♦ Sancerre AOC : issus du sauvignon pour le blanc et du pinot noir pour le rouge et le rosé, ces vins récoltés autour de Sancerre, sur la rive gauche de la Loire, pays de coteaux plus ou moins pentus, présentent des nuances variées selon les terroirs. Avec l'âge, ils perdent de leur parfum herbacé, de leur acidité pour devenir souples, élégants, délicats.

♦ Menetou-Salon AOC : l'aire d'appellation prolonge le Sancerrois en direction de Bourges. Les vins, issus de cépages identiques, présentent les mêmes caractéristiques, avec toutefois un peu moins d'ampleur que les Sancerres.

♦ Quincy AOC : vins de même famille que le Sancerre, ils portent une robe plus claire et un bouquet plus discret. Au sud-est de Vierzon, l'essentiel du vignoble est situé rive gauche du Cher.

♦ Reuilly AOC : on peut également les rattacher au vignoble sancerrois ; à cheval sur les départements du Cher et de l'Indre, le vignoble se partage en parts égales entre le blanc, le rouge et le rosé.

♦ À la limite du Berry et du Bourbonnais, Châteaumeillant propose ses vins VDQS issus du gamay avec un peu de pinot, noir et gris, dont le rosé très léger, dit « gris », offre une agréable originalité.

Note : Sauvignon et pinot noir sont les cépages largement majoritaires, donnant des vins blancs équilibrés, finement épicés, des rouges harmonieux et des rosés bouquetés au gré des fantaisies géologiques et des expositions. Majestueuse, la Loire s'inscrit dans le paysage que les vins restitueront dans leurs expressions amples de fleurs et de fruits.

DOMAINE DE CHATENOY
PRODUCE OF FRANCE

MENETOU-SALON
APPELLATION MENETOU-SALON CONTROLEE

e 75 cl

Mis en bouteille par B. CLEMENT & FILS S.C.
Propriétaire-Récoltant à 18510 MENETOU-SALON   Alc. 13% vol.

DOMAINE MEUNIER

Vin   Noble

Quincy

APPELLATION QUINCY CONTROLEE

Produce of France   alc. 12 % vol.   75 cl

Mis en bouteille à la Propriété

G. MEUNIER-LAPHA, PROPRIETAIRE-VITICULTEUR - QUINCY CHER - Tél. 48.51.31.18

EN CHAILLOUX

POUILLY FUMÉ

Appellation Contrôlée

Mis en bouteille par Didier DAGUENEAU
propriétaire-récoltant, Les Berthiers, Pouilly-sur-Loire (Nièvre)

12,5 % vol.   Produit de France   75 cl

SANCERRE
APPELLATION SANCERRE CONTRÔLÉE

Domaine Daulny

ÉTIENNE DAULNY

PROPRIÉTAIRE-RÉCOLTANT, CHAUDENAY-VERDIGNY 18300 SANCERRE
PRODUCE OF FRANCE

12,5% vol.   MIS EN BOUTEILLE AU DOMAINE   75 cl

COTEAUX DU GIENNOIS
Appellation d'origine
Vin Délimité de Qualité Supérieure

12 % vol.   OUSSON   75 cl

MIS EN BOUTEILLE PAR JEAN POUPAT ET FILS, PROPRIETAIRES RECOLTANTS
47, rue Georges-Clemenceau - 45500 GIEN
PRODUIT DE FRANCE

◆

HARMONIE DES METS
ET DES VINS DU BERRY ET DU NIVERNAIS
◆

◆ Apéritif
Les vins blancs les plus légers, soit : blancs de Gien, de Quincy, Reuilly, Menetou-Salon, Pouilly-sur-Loire (vin de chasselas), Pouilly-Fumé.

◆ Hors-d'œuvre, entrées
Les vins choisis pour l'apéritif, auxquels on peut ajouter les rouges, des plus légers aux plus corsés, selon la nature des mets : blancs sur les coquillages, les fruits de mer, les fritures de poissons, de mer ou de Loire ; rouges sur les charcuteries, saucissons, pâtés, tourtes, etc.

◆ Entrées riches, koulibiac, poisson en croûte, coquilles saint-jacques, etc.
Pouilly-Fumé, Sancerre blanc, Quincy, Reuilly, etc.

◆ Viandes blanches, volailles, blanquette de veau...
Les vins blancs de haut de gamme, d'un bon millésime, Pouilly ou Sancerre, Menetou-Salon, Reuilly ou Quincy.

◆ Viandes rouges, petits gibiers, sanglier rôti...
Sancerre rouge, Menetou-Salon rouge.

◆ Fromages
Si l'on a fait l'impasse sur les viandes rouges, il faut choisir les fromages régionaux, de chèvre, crottin de Chavignol et les déguster avec les vins blancs précédents.

◆ Desserts
Vins identiques, ou, sur une tarte aux fruits, un rouge d'un bon millésime ancien... il sera également « dessert », à part entière.

Caprice Sancerre de Chavignol

Caprice vient de l'italien *capricio*, frisson, issu du latin *capra*, la chèvre... Vous devinez qu'à un être charmant mais capricieux, un vin de Sancerre, de Chavignol, pays du célèbre fromage est particulièrement indiqué ! N'insistez toutefois pas trop sur l'étymologie de caprice et de ses résonances caprines... Faites plutôt apprécier le charme de ce vin, aux arômes de bourgeon de cassis et certainement de... chèvrefeuille, qui se marie parfaitement avec poissons en sauce, viandes blanches, et naturellement avec un crottin de Chavignol.

Mélancolie Pouilly-Fumé

La mélancolie génère des idées noires, et le bon remède est naturellement le Blanc-Fumé, vin dont l'appellation exacte est Pouilly-Fumé, blanc-fumé étant le cépage synonyme de sauvignon. Contre la fumée noire des pensées sombres, la dégustation raisonnable de Pouilly-Fumé fait considérer l'existence avec tendresse, indulgence et finalement bonheur tant il réjouit le cœur de l'homme et de sa dame, (*dixit* la Bible, psaume CIX). Quelques années d'âge donnent à ce vin souplesse, rondeur, tout en étant sec. Il met en valeur le fumet des meilleurs poissons, viandes blanches et fromages de chèvre.

Tendresse Reuilly-pinot gris

Si le sauvignon blanc assure l'essentiel des vins de Reuilly, le pinot gris donne un rosé tendre, délicat, distingué auquel quelques grappes de pinot noir confèrent une teinte délicieusement dorée-rose... Il charme par ses arômes de cerise, de prune, avec une légère connotation de fumée de tabac blond. Un vin qui peut enchanter tout un repas, commençant par quelques entrées charcutières, rillettes ou jambon, suivies d'andouillette, d'un poulet rôti aux petits légumes et de tous les fromages régionaux que prodiguent les braves biquettes berrichonnes.

**B
E
R
R
Y

E
T

N
I
V
E
R
N
A
I
S**

LE MASSIF
CENTRAL

« À Issoire
Bon vin à boire
Belles filles à voire... »
                    dicton

◆
APPELLATIONS D'ORIGINE CONTRÔLÉE DES VINS DU MASSIF CENTRAL
◆

SAINT-POURÇAIN (ALLIER)
CÔTES-D'AUVERGNE (PUY-DE-DÔME)
CÔTE-ROANNAISE (LOIRE)
CÔTES-DU-FOREZ (LOIRE)

Le département de la Loire comprend également, en son extrémité orientale, une partie de l'aire d'appellation Condrieu (sauf la commune de ce nom!) et de l'appellation Château-Grillet, ces deux vins fameux faisant partie du vignoble des Côtes du Rhône septentrionales.

AUVERGNE, BOURBONNAIS, FOREZ

◆

◆ Sur les deux rives de la Sioule et sur la rive gauche de l'Allier, Saint-Pourçain (Allier) présente des vins rouges et rosés issus du gamay et d'un peu de pinot, des vins blancs issus des tressalier (le sacy, en Auxerrois), chardonnay, sauvignon, aligoté et saint-pierre doré. L'amélioration de l'encépagement et la technologie moderne redonnent à ces vins une qualité réelle (VDQS).

◆ Côtes-d'Auvergne VDQS : vins rouges et rosés issus du gamay et accessoirement du pinot, vin blanc issu du chardonnay. Certains crus peuvent adjoindre leur nom à celui de l'appellation Côtes-d'Auvergne : chanturgue, châteaugay, corent, etc. Vins légers, peu alcoolisés, peu colorés, agréables sur la cuisine régionale.

◆ Côte-Roannaise VDQS : vins rouges et rosés, issus du gamay, frais, légers, séduisants. Le sol granitique leur donne un caractère proche de celui des beaujolais. Renaison, à l'ouest de Roanne, est le centre de la production.

◆ Côtes-du-Forez VDQS : vins rouges et rosés, issus du gamay, récoltés sur les coteaux de la rive gauche de la Loire, sur 21 communes ; vins légers, vifs, bien en harmonie avec la cuisine rustique régionale.

Note : Les vignerons de Saint-Pourçain espèrent redonner à leurs vins la notoriété qu'ils avaient jadis : ce sera difficile, les Bourbons ne régnant plus en France ! Les vins mériteraient le statut d'AOC, comme ceux de la Côte Roannaise, si proches des beaujolais, et que les Lyonnais apprécient à leur juste valeur !

1988
PRODUIT DE FRANCE

Côtes d'Auvergne

Appellation d'Origine Vin Délimité de Qualité Supérieure
MIS EN BOUTEILLE A LA PROPRIÉTÉ

75 cl   *Corent*   11,5% vol.

"LA CAVE DES COTEAUX" VEYRE MONTON 63960 - Tél. 73.69.60.11

Saint-Pourçain

Appellation d'Origine Vin Délimité de Qualité Supérieure

Domaine de Bellevue

CUVÉE **1987** SPÉCIALE   75 cl

12 % VOL   *Mise en bouteille au domaine par*
G. PETILLAT & FILS
Vignerons à Meillard - 03500 Saint Pourçain sur Sioule

PRODUCE
OF
FRANCE

CÔTES DU FOREZ

CUVÉE
**** *Le Train Bleu*

PARIS

12% vol   APPELLATION D'ORIGINE
VIN DELIMITE DE QUALITE SUPERIEURE   e 75 cl

PRODUCE
OF
FRANCE

MIS EN BOUTEILLE PAR LES VIGNERONS FOREZIENS - TRELINS - 42130 BOEN-SUR-LIGNON

HARMONIE DES METS ET DES VINS DU MASSIF CENTRAL

♦ **Apéritif**
Vins blancs de Saint-Pourçain, Côtes-d'Auvergne, rosés frais légers.

♦ **Hors d'œuvre, entrée, charcuteries**
Vin rouge ou rosé de Saint-Pourçain, d'Auvergne ou Côtes-du-Forez.

♦ **Pâtés, terrines, tourtes, gâteau de pomme de terre, et mets régionaux**
Les vins légers de la région, rouges ou rosés.

♦ **Viande rouge, rôtie ou cuisinée, gibiers et les fromages régionaux**
Vin rouge : Côtes-d'Auvergne châteaugay, chanturgue, Côte-Roannaise.

M
A
S
S
I
F

C
E
N
T
R
A
L

TROISIÈME PARTIE

AUTOUR DU VIN, UN ART DE VIVRE

LES CONFRÉRIES DES VINS DE FRANCE ET D'AILLEURS

On compte dans le monde près de cent cinquante confréries, dont les deux tiers en France, qui toutes chantent le vignoble et ses grandes traditions et en tous cas le vin, source inépuisable d'inspiration. Si toutes ne se réfèrent pas directement du génial François Rabelais, il n'en demeure pas moins le maître incontesté du genre, tant sa bonne humeur et son authentique joyeuseté, fussent-elles teintées de dipsomanie, sont communicatives et porteuses de convivialité.

L'histoire de France est particulièrement riche de détails qui la façonnèrent profondément. Depuis les Enfants-Sans-Soucis donnant tous pouvoirs à la «comtesse de Gosier-Salé», au XVIe siècle, jusqu'à l'ordre de Méduse ou l'ordre de la Boisson de l'Étroite Observance, à la fin du XVIIe siècle, en passant par l'ordre de la Treille qui sous la Fronde, ne réunissait pas seulement ses frondeurs, buveurs, poètes et farceurs pour célébrer le piot, la tradition bachique et chantante est solidement établie partout où la treille participe à la douceur de vivre.

Aussi est-ce bien légitimement que naquit, en 1934, la devenue célèbre confrérie des Chevaliers du Tastevin dont le rôle en Bourgogne fut et demeure considérable. Parrainée par elle, naissait en 1937 la confrérie des Chevaliers de Chantepleure, à Vouvray. La Seconde Guerre mondiale brisa cet élan qui reprit dès la paix revenue.

De nombreuses confréries allaient naître dans la plupart de nos vignobles et allaient faire école en Europe, là où le vin était justement apprécié, au Luxembourg, en Allemagne, en Italie et jusqu'en Amérique, en Californie notamment. Chaque pays de vignoble s'est bientôt doté de ces ambassades que sont les confréries, ordres et autres compagnies. Leur rôle et leurs objectifs sont partout identiques, seuls les moyens et les styles peuvent différer. Il s'agit de faire une aimable et active propagande en faveur d'un terroir, d'un vignoble ou d'une appellation. Le succès que toutes connaissent est légitime, et leur multiplication prouve avec éloquence qu'elles répondent à un besoin. Elles ne sont pas l'effet d'un hasard, d'une mode ou de préoccupations commerciales : les confréries tirent leur force souriante d'un solide enracinement dans le sol et dans des traditions millénaires.

213

LA DÉGUSTATION, UN ART, UNE SCIENCE

♦ Déguster est savoir regarder, sentir, goûter.

Il est indispensable de disposer d'un verre adapté, approprié aux divers examens : verre cristallin, blanc, fin, à pied, ventru à la base et à bord légèrement refermé.

♦ Examen visuel

Vin blanc : un léger reflet vert, une nuance or-vert sont un indice de jeunesse; une teinte plus ou moins topaze, ambrée, est un indice de maturité. Un vin presque incolore a toutes les chances d'être un vin «moderne», vinifié à basse température, sec et frais, peu aromatique, bref, un vin «technologique»!

Vin rouge : des reflets violacés indiquent la jeunesse, des reflets cuivrés la maturité.

Dans tous les cas, la brillance, l'intensité de la couleur, la limpidité du vin sont autant d'indications positives.

♦ Examen olfactif

Faire tourner le vin dans le verre avant d'y plonger le nez pour capter les senteurs; il est bon de répéter plusieurs fois l'opération. Il est évident qu'un vin jeune, de cépage(s) moyen(s) n'aura pas grand-chose à révéler, tandis qu'un grand vin de cépage(s) nobles(s) d'un grand terroir et d'une «grande» année peut livrer, s'il est dans sa plénitude, toute une gamme d'arômes complexes qui permettront de dessiner un profil aromatique précis.

♦ On distingue trois classes d'arômes :
– primaires, ce sont ceux du raisin frais et qu'on retrouve dans le vin; exemple type : le raisin muscat;

– secondaires, proches de ceux du raisin frais, ils en diffèrent et se sont formés lors de la vinification;
– tertiaires, formés lors du vieillissement plus ou moins prolongé lors d'une lente évolution biochimique.

♦ La gamme des arômes par analogie qu'on peut trouver dans les vins suit une progression logique : arômes de fleurs, de fruits frais dans les vins jeunes, de fruits cuits, secs, dans les vins évolués, puis de fruits confits, d'épices, de senteurs animales dans les vins très évolués.

♦ Arômes de fleurs : blanches, jaunes pour les vins blancs (acacia, seringa, chèvrefeuille); fleurs rouges (pivoine, rose, violette, etc.) pour les vins rouges.

Arômes de fruits : jaunes et verts pour les vins blancs (pomme, prune, groseille, etc.) et rouges pour les vins rouges (cerise, fraise, etc., mais aussi banane : vin jeune obtenu en macération carbonique).

Arômes de fruits secs : amande grillée, noisette pour les vins blancs; pruneau, figue, etc., pour les vins rouges.

Arômes de fruits confits : évolution normale des arômes des fruits frais : cerise confite, raisin sec, etc.

Herbage frais et séché : l'odeur herbacée fraîche est plutôt désagréable; en revanche, celle de foin coupé, d'herbes sèches est agréable; on range dans cette catégorie l'odeur de tabac blond, de menthe sèche, de pin...

Odeurs empyreumatiques, de torréfaction : pain grillé, caramel, café et

cacao ; goudron, suie (Bourgogne rouge).
Épices : de la réglisse à la vanille, poivre, girofle et dans cette même famille, l'humus, le sous-bois, etc.
Senteurs animales : musc, civette, cuir, venaison, etc.

♦ Tous ces arômes et senteurs plus ou moins évidents à l'odorat seraient de peu d'intérêt s'ils n'annonçaient pas ceux décelables lors de la dégustation proprement dite.

♦ Ce ne sont pas les papilles qui permettront d'identifier ces arômes : elles ne sont sensibles qu'à l'amer, au sucré, à l'acide, au salé, à leurs combinaisons et, bien sûr, au chaud et au froid.

♦ En revanche, il existe une communication entre le fond de la bouche et le nez qui est la voie rétronasale, par laquelle les molécules odorantes parviennent à des muqueuses qui transmettent les informations au cerveau ; comme un ordinateur, il analysera ces informations mémorisées permettant l'identification.

♦ La température du vin est importante : s'il est trop froid, les arômes seront neutralisés, ils ne se dégageront pas ; s'il est trop chaud, c'est l'alcool du vin qui se dégagera en écrasant les odeurs.
Les températures idéales sont les suivantes :
– vin blanc sec, de 10° à 12° ;
– vin blanc moelleux ou liquoreux, de 12° à 14° ;
– vin rouge jeune, peu tannique, acide, de 12° à 14° ;
– vin rouge «vieux», tannique, de 14° à 16°.
Ces minima progresseront rapidement dans le verre.

♦ La perception, par rétro-olfaction, de ces arômes n'est qu'un aspect de la dégustation. En fait il s'agit d'apprécier l'harmonie générale du vin, ses structures, son équilibre, entre sa richesse alcoolique et ses tannins, par exemple, pour un vin rouge, entre son acidité et son moelleux pour un vin blanc. La présence de gaz carbonique est agréable dans un vin jeune, détestable dans un vin évolué.

♦ L'un des éléments les plus significatifs est la persistance aromatique intense, ou PAI, qui s'évalue en durée, chaque seconde valant une «caudalie». Il suffit de compter le temps écoulé entre la déglutition et la disparition des dernières sensations après lesquelles on salive à nouveau. On trouvera une à trois caudalies pour un vin de pays, trois à quatre pour un vin jeune, de type beaujolais, et jusqu'à dix ou douze pour un très grand vin. Il faut toutefois faire des réserves au sujet de vins très riches en alcool, par exemple, les VDN, qui bénéficient de normes différentes d'appréciation.

Note : On peut appliquer à la dégustation cette pensée de Paul Claudel : «Le vin est professeur de goût et, nous formant à la pratique de l'attention intérieure, il est le libérateur de l'esprit et l'illuminateur de l'intelligence.»

LES CONTREVÉRITÉS
OU CE QU'IL NE FAUT NI DIRE NI RÉPÉTER

♦

♦ *Le dépôt dans une bouteille est le signe d'un mauvais vin!* Dans un vin ayant mûri en bouteille, le dépôt est quasiment normal : il s'agit d'une précipitation tannique. Il faudra décanter le vin, le transvaser en carafe. Dans le cas d'un vin jeune, le problème est différent, et cela peut être en effet un signe négatif.

♦ *On trouve parfois du sucre sur le bouchon!* Mettez votre langue sur ces cristaux et vous constaterez qu'il ne s'agit pas de sucre, mais en réalité de cristaux d'acide tartrique, précipités par le froid.

♦ *Les bonnes années sont toujours des années impaires!* Malgré quelques coïncidences : 1967, 1969, 1971, 1975, 1983, 1985, il y a de nombreuses années paires : 1962, 1964, 1966, 1970, 1976, 1978, 1982, 1986, 1988... Une même année ne donne pas partout des résultats identiques.

♦ *Les années de petites quantités sont de qualité! À l'inverse les années d'abondance donnent des vins plutôt médiocres!* Dans le cas, général, d'une culture normale, l'abondance et la qualité d'une vendange peuvent être le résultat de saisons favorables, sans grandes gelées d'hiver, sans gelées de printemps, sans pluie à la floraison assez précoce, avec un peu de pluie seulement en août et un beau temps lors des vendanges! C'est le cas des bonnes années.

♦ *L'âge optimal des vins n'excède que rarement la dizaine d'années!* Tout dépend en

vérité du ou des cépages, de la vinification et des conditions de conservation : des vins cinquantenaires, voire centenaires ne sont pas si rares en Touraine, en Anjou, dans les grands crus bordelais, en Franche-Comté... tous vins qui n'ont jamais voyagé, jamais quitté leur bonne cave d'origine!

♦ *Le vin rosé est un bâtard! Il n'y a pas de rosé heureux!* L'œnologie moderne permet d'obtenir des vins rosés frais, vifs, fruités. Certains classiques sont d'incontestables grands vins, riches en expressions aromatiques, tels le Tavel, le Rosé des Riceys.

♦ *Les vins à la robe très foncée, noire, sont lourds, trop puissants, trop riches en alcool!* Ce peut être vrai, mais ne l'est pas toujours! Oui, hélas, s'il s'agit d'un vin mal vinifié, trop longtemps cuvé dans une année riche! La matière colorante (anthocyanes) n'est pas forcément liée à la richesse alcoolique, mais surtout à la nature du cépage. La negrette (frontonnais), la syrah donnent des vins très colorés mais modérément alcoolisés!

♦ *La chaptalisation est une pratique scandaleuse qui abîme et déséquilibre le vin!* Nous n'aurions que de piètres fruits, de tristes légumes, du mauvais vin, des forêts inextricables si l'homme n'intervenait pas! C'est sa vocation de soumettre la nature, à condition d'en respecter les lois. L'addition de sucre en quantité modérée de façon à augmenter le degré alcoolique de 1 % à 2 % maximum (17 grammes par litre = 1 % d'alcool environ) permet de compenser une faiblesse de la nature (sauf si cette faiblesse est le résultat d'un rendement trop important, dû à une taille et à une fumure prévues à cet effet). La chaptalisation, du nom de son promoteur, relance la fermentation, permet une parfaite extraction des principes actifs, colorants et aromatiques et donne un vin bien structuré, de meilleure conservation.

♦ *Le séjour en barrique de chêne merrain est bénéfique à tous les vins.* Les vins légers ne gagnent pas en qualité, au contraire, le boisé masquant leurs arômes propres; le séjour en barrique en fait des «vins de charpentier»... Au contraire, un vin d'un bon équilibre acidité/alcool peut bénéficier à terme d'un séjour calculé dans le chêne, une oxydation ménagée lui donnant rondeur et souplesse qu'il ne pouvait avoir au départ.

♦ *Ce vin de table est très intéressant : c'est un bordeaux déclassé* (entendu dans la succursale d'une célèbre maison de vins)... Cette notion de « vin » (sous-entendu d'AOC) déclassé n'existe plus depuis de nombreuses années. Un vin d'AOC dont le rendement dépasserait le maximum légal perdrait pour la totalité de la récolte le droit à l'appellation! Il ne pouvait donc s'agir que d'un vin récolté en dehors de l'aire d'appellation, ou encore avant la «quatrième feuille» d'une jeune vigne n'ayant pas encore le droit à son appellation d'origine, ou encore un vin pour lequel l'appellation n'a pas été revendiquée, ou pis un vin qui n'aurait pas été agréé par la commission de dégustation.

♦ *Les « larmes » ou les « jambes » sur les parois intérieures du verre indiquent une certaine richesse en glycérol.* Voici l'explication qu'en donne M. Émile Peynaud dans son remarquable ouvrage *Le Goût du vin* (Dunod, éditeur) : «L'alcool étant plus volatil que l'eau, il se forme à la surface et sur le haut du verre mouillé par le vin une mince couche de liquide plus aqueux, donc d'une tension superficielle plus forte. L'effet de capillarité fait monter le liquide le long du verre et l'élévation de la tension superficielle tend à former des gouttes; celles-ci en retombant constamment dessinent des coulures qui figurent, l'imagination aidant, les pleurs du vin. Plus élevée est la concentration en alcool et plus abondantes sont les larmes. Elles sont généralement incolores.»

♦ *Le goût de bouchon.* Le goût de bouchon est la conséquence d'un bouchon mal conservé, et attaqué par la moisissure (champignon). Le vin accusera le faux goût alors que le bouchon lui-même a été victime d'une mauvaise conservation. Cela dit, le mauvais goût n'est pas toujours dû au bouchon, mais peut provenir d'une moisissure de vieux fût.

♦ *Les vins en magnum sont meilleurs qu'en bouteille et ces derniers supérieurs à ceux conservés en demi-bouteille.* Il ne faut pas confondre qualité et évolution. Le vin évolue d'autant plus rapidement que le contenant est de petit volume. Les demi-bouteilles doivent être bues plus rapidement que les bouteilles et les magnums être dégustés en dernier.

LES BEAUX MARIAGES ENTRE LES METS ET LES VINS

Comme il serait agréable de disposer d'une liste exhaustive des mets avec, en regard, le ou les vins les plus appropriés, et en parallèle une liste de tous les vins dans leurs millésimes les plus courants pour leur mariage le plus heureux avec le mets idéal! Et le tout, pourquoi pas, dûment informatisé!

Hélas – ou plutôt fort heureusement, sinon, adieu la fantaisie –, de telles listes n'existent pas et ne sauraient exister. Le programme informatique qu'elles nécessiteraient devrait comprendre tant de paramètres pour être fiable qu'on pourrait également en attendre chaque semaine la combinaison gagnante du Loto national!

À chaque mets correspond de nombreux vins possibles, selon la saison, le lieu, le temps, le nombre de convives et leurs origines, l'ordonnancement du repas, etc. Et pourquoi choisir, ou ne pas choisir un vin blanc de Bourgogne, par exemple, si l'on est en Alsace ou dans le Périgord? Où que l'on soit, si un orage survient on sera bien avisé de remplacer au dernier moment un vin rouge généreux par un plus léger, quel que soit le menu!

De nombreux mets peuvent agréablement accepter un vin blanc ou un vin rouge. Il faut savoir toutefois qu'un vin blanc allège tandis qu'un rouge étoffe.

Enfin la plus accueillante des tables doit néanmoins toujours offrir à portée de main des invités une carafe d'eau fraîche. Cela dit, pour chaque mets ou presque nous suggérons plusieurs vins de régions différentes; il va de soi qu'il faut interpréter chaque vin dans le sens le plus large, par exemple : pour tel mets, un « Bourgogne blanc » peut signifier : AOC Bourgogne, Bourgogne-Aligoté, Mâcon, Chablis, Meursault, selon le raffinement du mets, le porte-monnaie, la suite du repas, etc.; il est inutile de proposer un vin aussi raffiné que cher sur un mets simple!

Mets	Type de vin	Proposition
Abats divers (alicot)	Rouge léger	Béarn, touraine
Agneau	Rouge fruité	Bordeaux, chinon
Alose	Blanc fin, sec	Cassis, condrieu, riesling
Aloyau	Rouge robuste	Côtes-du-rhône, cahors, madiran
Ananas	Eau-de-vie de fruits	Kirsch
Anchoïade	Blanc solide	Côtes-de-roussillon, picpoul-de-pinet
Anchois	Blanc solide	Côtes-de-roussillon, picpoul-de-pinet
Andouille vigneronne	Blanc de caractère, Vin de cuisson	Mâcon, côtes-du-jura blanc
Andouillette grillée	Blanc ou rouge léger	Mâcon, beaujolais
à la mâconnaise	Idem	Mâcon blanc, saint-véran
Anguille	Blanc bien structuré	Graves blanc, bourgogne blanc
Aromates (voir tableau)		
Artichauts froids	(L'eau est très bien)	Beaujolais, arbois
chauds		Cassis blanc
à la barigoule		Côtes-de-provence rosé, tavel
Aubergine	Rouge léger, rosé	Tavel, côtes-du-rhône
Avocat	Blanc ou rosé léger	Provence, clairette du Languedoc
Banane	Rouge désaltérant	Touraine gamay, vin de Bugey
Bar	Blanc fin	Hermitage blanc, clairette du Languedoc, cassis
Bifteck	Rouge	Beaujolais, beaujolais-villages
Bécasse	Rouge raffiné	Médoc, côte-de-beaune
Beignets de poisson	Blanc	Entre-deux-mers, sancerre
Beignets aux pommes	Rouge léger	Touraine, arbois
Blanquette de veau	Blanc fin ou rouge léger	Meursault blanc, arbois
Blinis	Blanc ou rosé	Cassis, bandol
Bœuf bourguignon	Rouge solide	Bourgogne, côte-de-nuits, moulin-à-vent
Bœuf braisé	Rouge moyen	Beaujolais, coteaux-du-tricastin, coteaux-du-lubéron

Mets	Type de vin	Proposition
Bœuf en daube	Rouge fin et solide	Côtes-de-provence, lirac, saint-chinian, côtes-de-roussillon-villages
Bourride	Rosé	Côtes-de-provence, tavel
Bouchées à la reine	Blanc fin	Chinon, sancerre, arbois
Boudin aux pommes	Rouge moyen fruité	Chinon, bourgueil, arbois
Bouillabaisse	Blanc ou rosé	Riesling, chablis, savoie, côtes-de-provence
Brandade de morue	Blanc de bonne structure	Cassis, côtes-de-provence, châteauneuf-du-pape blanc
Brioche	Blanc ou rouge	Bourgogne, alsace
Brochet	Blanc	Savennières, muscadet
Brochettes		
d'agneau	Rouge	Chinon, bourgueil
de viande et d'abats	Rouge	Chinon, bourgueil
de poisson	Blanc	Entre-deux-mers, muscadet
Cabillaud	Blanc	Pouilly-fuissé, Entre-deux-mers
Caille		
farcie au foie gras	Rouge tendre de haut vol	Grand médoc, côte-de-beaune
aux raisins	Si raisins macérés dans Banyuls	Banyuls
Canard		
aux navets	Blanc ou rouge	Médoc, graves, bourgogne
au vin blanc	Vin de cuisson	Meursault, riesling
à l'orange	Rouge de caractère	Saint-émilion, cornas, saint-joseph, crozes-hermitage
Caneton à la broche	Rouge de caractère	Saint-joseph, crozes-hermitage
Carrelet à la fondue de poireaux	Blanc sec et fin	Muscadet, savennières, vouvray
Carpe		
à la juive	Blanc ou rouge léger frais	Reisling, chablis, touraine gamay, bordeaux clairet
farcie à la chambord	Blanc de classe	Montrachet, graves blanc
à la provençale	Rosé	Tavel, lirac, côtes-de-provence
Cassoulet	Rouge solide	Cahors, madiran, fitou
Caviar	Champagne	Champagne brut

Mets	Type de vin	Proposition
Caviar d'aubergines au coulis de tomate	Rouge	Côtes-de-provence, bandol
Cèpes à la bordelaise	Bordeaux rouge	Médoc, graves, blaye, bourgeais
Cervelle	Blanc sec ou rouge léger	Mâcon, saint-véran, beaujolais, vin de Corse
Chevreuil		
côtelettes à la solognote	Rouge puissant	Saint-émilion, pomerol, bourgogne
gigue	Idem	Idem, ajaccio
Chocolat (crème gâteau, mousse)	Vin doux naturel	Muscat de frontignan, banyuls, maury, rivesaltes
Choucroute	Blanc	Riesling, riesling grand cru
Choux de bruxelles	Rouge	Bourgogne, mâcon
Choux braisés	Rouge rustique	Côtes-du-frontonnais, côtes-du-brulhois
Choux farcis	Rouge rustique	Marcillac, côtes-de-saint-mont (VDQS)
Chou-fleur	Blanc sec	Côtes-de-provence, muscadet
Citrouille au gratin	Blanc sec, rouge	Savoie blanc, châtillon-en-diois, arbois
Civet		
de lapin	Vin de cuisson	Bourgogne, crus du Beaujolais
de lièvre	Vin de cuisson	Côtes-du-ventoux, gigondas
de porc	Vin de cuisson	Vacqueyras, côtes-du-rhône-villages
Clafoutis	Blanc fruité, moelleux	Premières côtes-de-bordeaux, anjou
Concombre		
à la crème	Blanc sec	Muscadet, touraine
frit	Blanc sec	Muscadet, touraine
Confit d'oie	Rouge solide	Madiran, cahors, marcillac
Coq		
au vin blanc	Vin de cuisson	Riesling, mâcon
au vin rouge	Vin de cuisson	Juliénas, bourgogne
Coquillages	Blanc	Gros-plant, muscadet
Coquilles Saint-Jacques	Blanc fin	Muscadet, savennières, hermitage, graves blanc
Côtelettes		
d'agneau	Rouge	Bordeaux, bergerac, chinon
de veau	Blanc ou rouge tendre	

Mets	Type de vin	Proposition
Côte de bœuf	Rouge moyennement corsé	Vouvray, bourgueil / Bourgogne, côte-de-beaune
à la moelle	Rouge corsé	Côte-de-nuits, cahors
Courgettes à la provençale	Rosé ou rouge léger	Côtes-de-provence, palette
Couscous	Rouge corsé	Bandol, côtes-de-roussillon-villages
Crème anglaise	Blanc moelleux	Montravel, jurançon
Crêpes	Blanc léger	Alsace, pinot blanc
Crépinettes	Blanc ou rouge léger	Savoie (crépy?), beaujolais
Crevettes	Blanc	Gros-plant, muscadet
Croquettes		
de poisson	Blanc	Entre-deux-mers, sancerre
de pomme de terre	Rouge léger	Touraine gamay
Crosnes		
au beurre	Blanc ou rouge léger	Pouilly-fumé, sancerre
aux fines herbes		Sancerre rosé, touraine
Crustacés	Blanc	Bourgogne, mâcon, côtes-de-provence
Daube de bœuf à la provençale	Rouge solide	Bandol, châteauneuf-du-pape
Dinde farcie	Blanc ou rouge	Tokay, médoc
Dindonneau farci	Blanc ou rouge	Tokay, buzet, côtes-du-marmandais, bergerac, patrimonio
Échine de porc	Blanc sec ou rouge	Riesling, beaujolais, côtes-du-rhône
Écrevisses au gratin	Blanc	Tokay, bourgogne
Endives braisées	Blanc, rosé	Châteauneuf-du-pape blanc, tavel
Entrecôte		
grillée	Rouge	Beaujolais, anjou-villages
à la bordelaise	Rouge léger	Premières côtes-de-bordeaux, bordeaux
marchand de vin	Rouge léger	Bourgogne, côtes-du-rhône
Épinards	Rouge léger, vif	Gaillac
Escalope de veau	Rouge léger	Touraine-amboise, touraine-mesland
Escargots au beurre d'ail	Blanc	Bourgogne aligoté, mâcon

Mets	Type de vin	Proposition
Faisan		
aux choux	Blanc sec, rouge léger	Riesling, alsace, pinot noir
à la normande	Blanc sec, rouge léger	Cidre, tokay, chinon, touraine
Fenouil braisé	Blanc ou rosé	Tavel, lirac, coteaux-d'aix
Feuilleté au roquefort	Blanc sec ou rouge	Châteauneuf-du-pape blanc ou rouge
Fèves	Blanc, rosé ou rouge	Côtes-de-provence blanc ou rouge
Filet de bœuf	Rouge fin	Côte-de-beaune ou côte-de-nuits
Filet mignon de porc	Blanc ou rouge	Meursault, mercurey
Foie		
de veau à la poêle	Rouge léger	Touraine, beaujolais
de canard	Rouge solide	Cahors, madiran
de porc		Côtes-du-rhône
Foie gras		
d'oie	Blanc moelleux ou	Sauternes, jurançon, monbazillac
de canard	rouge solide	Cahors, mardiran, banyuls
Fondue		
bourguignonne	Bourgogne blanc ou rouge	Bourgogne, côte-chalonnaise, crus du Beaujolais
savoyarde	Blanc	Crépy (fendant) ou chignin-bergeron
Fricassée de poulet	Blanc ou rouge léger	Pécharmant, vin de Savoie
Friture de petits poissons	Blanc	Pouilly-sur-loire, touraine, mâcon
Fromages (voir tableau)		
Fruits de mer		
crabe	Blanc	Gros-plant, muscadet, entre-deux-mers
homard grillé	Blanc ou rouge non tannique	Bourgogne, chablis, meursault
homard à l'américaine	Blanc ou rouge	Meursault, volnay, saint-joseph
homard mayonnaise	Blanc sec	Graves blanc sec
Gâteau de légumes	Blanc, rosé ou rouge léger	Touraine, sancerre rosé, tavel
Gâteau de riz	Blanc moelleux	Bordeaux, jurançon
Gibier à plume		

Mets	Type de vin	Proposition
alouette	Rouge léger	Médoc, premières-côtes-de-bordeaux, blaye
bécasse	Rouge de caractère	Côte-de-nuits, côte-rôtie, saint-émilion, pomerol
canard (colvert)	Rouge de caractère	Côte-de-nuits, hermitage
Gibier à poil		
chevreuil	Rouge corsé	Côte-rôtie, châteauneuf-du-pape, patrimonio
lapin sauvage	Rouge moyen	Crus du Beaujolais, saint-chinian
lièvre	Rouge corsé	Côte-de-nuits, fitou, châteauneuf-du-pape
marcassin	Rouge moyen ou corsé	Coteaux-du-languedoc, corbières
Girolles persillées	Rouge léger	Gaillac, touraine
Gnocchis de pomme de terre	Rouge léger	Coteaux-du-lyonnais
Gras-double à la lyonnaise	Rouge fruité	Beaujolais, côtes-du-rhône
Gratin		
dauphinois	Rouge fruité	Savoie-mondeuse
franc-comtois	Blanc ou rouge	Arbois, côtes-du-jura
Grenouilles à la provençale	Blanc ou rosé	Côtes-de-provence, bandol, bellet
Hachis parmentier	Rouge	Beaujolais, coteaux-du-languedoc, costières-de-nîmes
Haddock	Blanc	Sancerre, arbois
Harengs		
à la crème	Blanc sec fruité	Mâcon, picpoul-de-pinet
à la boulangère	Blanc ou fruité	Sancerre, pouilly, clairette du Languedoc
Haricot de mouton	Rouge fruité	Anjou-villages, côtes-du-rhône
Homard		
à la crème	Blanc	Pouilly, vouvray, arbois, riesling, champagne
à la Neubourg	Blanc	Chablis-grand-cru, champagne
à l'américaine	Blanc ou rosé	Meursault, volnay, saint-joseph (rouges)

Mets	Type de vin	Proposition
Jambon		
en croûte	Rouge fruité	Bourgogne, crus du Beaujolais
persillé	Blanc	Bourgogne aligoté
en saupiquet	Blanc sec	Montagny, mâcon
Jambonneau	Blanc ou rouge léger	Alsace, pinot blanc, riesling
Jardinière de légumes	Blanc ou rouge léger	Mâcon blanc ou rouge
Jarret de veau	Rosé ou rouge léger	Mâcon, beaujolais
Lamproie à la bordelaise	Rouge	Médoc, saint-émilion, pomerol
Langouste (voir homard)		
Langoustine (voir homard)		
Langue de bœuf		
en pot-au-feu	Rouge solide	Anjou-villages, côtes-du-rhône
sauce ravigote	Idem	Idem
Lapin		
en gibelotte	Vin blanc de cuisson	Mâcon
à la moutarde	Rouge léger	Alsace, pinot noir, arbois
rôti	Rouge léger	Beaujolais, bordeaux
Lentilles au lard	Rouge	Côtes-d'auvergne, côtes-du-rhône
Lièvre		
à la royale	Rouge puissant	Chambertin, richebourg, saint-émilion
en civet	Rouge puissant	Côte-de-nuits, saint-émilion, fitou
en saupiquet	Vin de cuisson	Meursault, côte-de-beaune, cassis, bellet, côtes-de-provence
Loup (bar) grillé au fenouil	Blanc ou rosé	Côtes-de-provence, bellet
Macaronis au gratin	Blanc ou rouge léger	Côtes-de-provence, ventoux
Maquereau		
au vin blanc	Blanc sec	Muscadet, entre-deux-mers
en papillote	Blanc sec	Graves blanc, sancerre

Mets	Type de vin	Proposition
aux groseilles	Blanc sec	Sancerre, pouilly-fuissé
Matelote d'anguilles	Vin de cuisson	Côte-du-rhône, côtes-de-provence
Méchoui	Rouge solide	Saint-chinian, faugères, cornas
Melon	Blanc aromatique, rouge VDN	Muscat, rivesaltes, banyuls
Morilles à la crème	Blanc	Arbois, meursault
Morue (brandade)	Blanc	Coteaux-d'aix
Mouclade	Blanc	Picpoul-de-pinet, muscadet
Moules marinière	Blanc	Muscadet, entre-deux-mers
Mouton		
blanquette	Blanc ou rouge léger	Gaillac, vouvray, côtes-du-ventoux
brochettes	Rouge	Beaujolais
côtelettes aux oignons	Rouge corsé	Bourgogne, saint-Joseph
pied de mouton	Rouge	Beaujolais
rognons	Rouge	Saint-joseph, Vacqueyras, lirac
Navarin de mouton	Rouge	Bordeaux, bergerac, buzet
Oie		
en choucroute	Blanc ou rouge	Alsace, arbois, savoie
civet	Rouge robuste	Cahors, madiran, fitou
confit	Rouge robuste	Cahors, madiran, fitou
farcie	Rouge	Côtes-du-rhône, bandol
Oignons		
à la grecque	Blanc sec	Touraine, alsace, sylvaner
parmentier	Blanc sec ou rouge léger	Mâcon, coteaux-du-tricastin
Omelette		
aux champignons	Blanc ou rouge	Mâcon, beaujolais
au fromage	Blanc ou rouge	Vouvray sec, bergerac rouge
au jambon	Rouge	Bordeaux, frontonnais
nature	Blanc ou rouge	Coteaux-du-languedoc blanc, touraine
parmentier	Rouge	Bordeaux, frontonnais

226

Mets	Type de vin	Proposition
au roquefort	Rouge corsé	Côtes-de-roussillon, corbières
Paella	Blanc ou rouge	Pacherenc, bordeaux, madiran
Palombe		
rôtie	Rouge	Médoc, graves
en salmis	Rouge	Saint-émilion, pomerol
Pastis landais	Blanc moelleux	Jurançon, pacherenc-du-vic-bilh
Pâtes		
à la crème	Blanc sec	Savoie, côtes-du-jura
fraîches	Blanc ou rouge léger	Savoie, arbois, clairette de Bellegade
au fromage blanc	Blanc sec	Savoie, côtes-du-jura
Pâtés		
gibier	Rouge corsé	Bourgogne, côtes-du-rhône
poisson	Blanc	Sancerre, muscadet
viande	Rouge	Côtes-du-rhône, côtes-de-provence rouge
volaille	Rouge léger	Alsace pinot noir
Pauchouse	Blanc fruité	Bourgogne aligoté, pouilly-fuissé
Perdreaux		
aux choux	Blanc ou rouge	Riesling, tokay, bourgogne, côtes-du-rhône
grillés	Rouge	Bourgogne, bordeaux
à la normande	Blanc ou rouge	Vouvray, touraine, bordeaux léger
Pied de cochon à la Sainte-Ménehoulde	Rouge	Beaujolais, chinon, bourgueil
Pied de mouton à la poulette	Rouge léger	Beaujolais, côtes-du-rhône
Pied de veau		
grillé	Rouge léger	Beaujolais
à la vinaigrette	Blanc sec	Savoie, arbois, clairette du Languedoc
Pigeon		
au genièvre	Rouge fruité	Saumur-champigny, saint-émilion
rôti aux petits pois	Rouge léger	Bordeaux, chinon, bourgueil
Pintade rôtie	Rouge fruité	Crus du Beaujolais, saint-joseph
Piperade	Rouge ou rosé	Irouleguy, béarn, madiran
Pissaladière	Rouge ou rosé	Crus de Provence, bellet
Pizza	Rouge ou rosé	Crus de Provence, bellet

Mets	Type de vin	Proposition
Poireaux en flamiche	Rouge léger fruité	Touraine
Poires au vin rouge	Vin de cuisson	Bourgogne, bordeaux
Pois chiches		
à l'italienne	Rouge léger, rosé	Côtes-de-provence
aux fines herbes	Rouge léger, rosé	Touraine, anjou
Petits pois		
à la française	Rouge léger	Touraine, saint-pourçain
à la normande	Blanc ou rosé	Touraine, anjou
Poitrine de veau bonne femme	Rouge léger et fruité	Beaujolais, touraine, arbois
Pommes de terre		
en croquettes	Rosé, rouge léger	Mâcon, beaujolais, minervois
au fromage	Rouge léger	Saint-pourçain, côte-roannaise
en gratin dauphinois	Blanc, rosé	Savoie, arbois
au lard	Rouge fruité	Touraine, beaujolais
en purée	Rouge léger	Beaujolais, coteaux-du-vivarais
en robe des champs	Rouge	Beaujolais, coteaux-du-vivarais
en salade	Rosé, rouge léger	Beaujolais, mâconnais
sautées	Rouge fruité	pécharmant, bergerac, madiran, bordeaux
sarladaises	Idem	Idem
à la vapeur	Rouge, rosé ou blanc	Vins de pays
Pot-au-feu	Rouge fruité	Beaujolais-villages, côtes-du-rhône
Poularde		
demi-deuil	Blanc ou rouge	Meursault, graves blanc, barsac, médoc, côte-de-beaune
au pot	Rouge fruité corsé	Madiran, cahors, marcillac
Poulet		
aux champignons	Blanc sec ou rouge	Mâcon, beaujolais-villages
à la crème	Blanc demi-sec	Graves, tokay, vouvray moelleux
en papillote	Blanc sec ou rouge	Mâcon, beaujolais-villages
rôti	Blanc sec, rouge fruité	Pouilly-fuissé, mercurey, beaujolais
sauté	Rouge léger	Beaujolais, arbois, gaillac
Quenelle		
de brochet	Blanc	Bourgogne blanc, mâcon

Mets	Type de vin	Proposition
à la Nantua	Blanc	Pouilly-fuissé
Queue de bœuf	Rouge	Côtes-du-rhône, saint-chinian, minervois
Quiche		
lorraine	Rouge ou rosé	Gris de Toul, arbois
aux herbes	Blanc ou rosé	Alsace, savoie, arbois
Râble de lièvre	Rouge	Côte-de-nuits, cahors, madiran
Ragoût		
de bœuf	Rouge fruité	Sancerre rouge
de mouton	Idem	Idem
irish stew	Blanc, rosé ou rouge	Vin de l'apéritif, vouvray, muscadet, touraine, beaujolais
Raie au beurre noir	Blanc	Pouilly-fuissé, sancerre
Rascasse (filet)	Blanc ou rosé	Crozes-hermitage blanc, chignin, bergerac
Ris de veau	Blanc ou rouge	Meursault, hermitage blanc, châteauneuf-du-pape blanc, chinon, bourgueil
Riz		
cantonais	Rosé, rouge léger	Côtes-de-provence, tavel
à l'indienne	Blanc	Bourgogne, arbois
nature	Blanc ou rosé léger	Côtes-de-provence, cassis
au safran	Blanc	Cassis, côtes-de-provence
Rizotto	Blanc, rosé ou rouge	Bellet, côtes-de-provence, côtes-du-rhône
Rognon		
de bœuf	Rouge	Bourgogne, côtes-du-rhône-villages
à la bordelaise	Rouge	Saint-émilion, fronsac
Rougets	Blanc sec, rosé	Cassis, bandol, côtes-de-provence
Rouleaux de printemps	Rosé	Tavel, lirac, coteaux-d'aix
Sabayon	Blanc moelleux	Anjou, côteaux-du-layon, vouvray
Salade		
composée	Blanc, rosé, rouge léger	Touraine, béarn

229

Mets	Type de vin	Proposition
aux gésiers	Blanc, rosé, rouge léger	Touraine, bergerac, buzet
au lard	Rouge	Beaujolais, Gaillac, minervois
aux poissons	Blanc	Bergerac sec, muscadet
à la viande	Rouge	Côtes-du-rhône
Sardines		
frites	Blanc sec	Muscadet, entre-deux-mers, touraine
grillées	Blanc, rouge léger	Muscadet, touraine rouge
en papillote	Blanc sec	Muscadet, vouvray, sancerre
Saucisse		
de porc	Blanc sec, rouge	Mâcon, beaujolais, languedoc
de Morteau au vin blanc	Blanc	Arbois, côtes-de-jura, bugey
Saumon		
koulibiac	Blanc, champagne	Champagne, meursault
frais en papillote	Grand vin blanc	Chablis, meursault
fumé	Grand vin blanc	Champagne, chablis, meursault
Sole		
au cidre	Cidre	Cidre brut
à la crème	Blanc fin	Pouilly-fumé
à la dieppoise	Blanc fin	Tokay d'Alsace, chablis
à la provençale	Blanc fin ou rosé	Cassis, côtes-du-rhône
Soufflé au fromage	Blanc sec	Chablis, savennières
Tanche à la lorraine	Blanc sec	Alsace, gris de Toul
Tarama	Blanc sec	Alsace, arbois
Tarte		
tatin	Blanc demi-sec, rouge fruité	Vouvray, chinon, bourgueil
au fromage	Blanc moelleux	Gerwurztraminer, jurançon
aux fruits	Blanc ou rouge	Gerwurztraminer, beaujolais
à l'oignon	Blanc sec	Alsace, sylvaner, pinot blanc, riesling
Terrine		
de canard	Rouge fruité	Chinon, sancerre rouge
de lièvre	Rouge fruité	Bourgogne, crozes-hermitage
Tête de veau		
à la lyonnaise	Blanc sec, rouge	Mâcon, beaujolais

Mets	Type de vin	Proposition
ravigote	Blanc sec	Bourgogne aligoté, arbois
Tournedos		
à la normande	Rouge léger	Bourgueil, chinon, touraine
à la périgourdine	Rouge fruité	Côtes-de-bergerac, madiran
Rossini	Rouge de caractère	Bourgogne, côte-de-nuits
Tripes		
à la mode de Caen	Cidre, vin blanc	Savennières, vouvray sec, cidre
à la provençale	Rosé ou rouge	Côtes-de-provence, bandol
au vin blanc	Cidre, vin blanc	Savennières, vouvray sec, cidre
Tripoux de mouton	Blanc, rosé ou rouge	Côtes-de-provence, bandol
Truffade dauphinoise	Rouge	Savoie-mondeuse
Truffes sous la cendre	Rouge de caractère	Madiran, cahors
Truite		
aux amandes	Blanc sec	Alsace, riesling, mâcon
au bleu	Blanc sec	Alsace, riesling, mâcon
en gelée	Blanc sec	Condrieu, clairette du Languedoc
Turbot		
à la hollandaise	Blanc tendre	Savennières, montravel
au riz	Blanc tendre	Vouvray, chinon blanc
Veau		
en blanquette	Blanc sec, rosé	Meursault, marsannay rosé
en choucroute	Blanc, rouge	Alsace, riesling, pinot noir
côtelettes	Blanc sec, rosé, rouge	Mâcon, givry, chinon rouge
escalopes	Idem	Idem
fraise de	Blanc sec, rosé, rouge	Du champagne au beaujolais
fricandeau	Blanc sec, rouge léger	Côtes-de-provence, beaujolais, bourgogne
jarret	Blanc, rouge	Mâcon, saumur-champigny
en matelote	Vin de cuisson	Mâcon, alsace
Marengo	Rosé	Côtes-de-provence, coteaux-du-languedoc

◆
LE SERVICE DES VINS ET LES FROMAGES
◆

On attache beaucoup trop d'importance au fromage, mets fameux il est vrai, sain, roboratif et «calatoire», génie du «casse-croûte», donc n'ayant rien à voir avec un fin repas plus ou moins copieux, familial ou pis de fête!

Le fromage arrive en surcharge, lorsque les appétits sont apaisés; il fait manger du pain, son seul intérêt est de permettre de finir les bouteilles de vins, d'en reserver d'autres... au préjudice, souvent, d'une digestion paisible et donc de la santé. Qu'importe! un repas sans fromage... met parfois les convives de méchante humeur car ils se sentent lésés, frustrés... Alors, tant pis!

Mangeons trop !...

LES PÂTES SÈCHES

Les pâtes cuites : comté, emmenthal, etc.	Vin blanc sec ou rouge léger	Côtes-du-jura, arbois, beaujolais et ses crus
Les pâtes pressées : port-salut, tommes, cantal, saint-nectaire, etc.	Vin léger, sec, fruité blanc, rosé ou rouge	Vins de pays, touraine, entre-deux-mers, val-de-loire (rouge)

LES PÂTES PERSILLÉES

Roquefort, bleu d'Auvergne, bleu de Bresse, etc.		Côtes-du-rhône, côtes-du-roussillon, etc.; ou vin blanc moelleux, voire liquoreux; vin doux naturels : rivesaltes, maury, etc.

LES PÂTES MOLLES

Les croûtes fleuries : brie, chaource, cœur-de-bray	Vin rouge corsé	Chinon, bourgogne
Cas du camembert		Pas de bourgogne : beaujolais, vin de Touraine, de Bordeaux ou de Provence
Les croûtes lavées : pont-l'évêque, maroilles, livarot, munster...	Vin rouge corsé, mais de préférence vin blanc	Bourgogne, alsace (gewurztraminer), bordeaux liquoreux

LES PÂTES FRAICHES

Tous les fromages frais	Vin sec léger, blanc ou rosé	Vin de Savoie, gris de Toul, rosés et blancs de pays

LES PÂTES FONDUES

Les crèmes de gruyère, fromages à tartiner, etc.	Vin blanc ou rosé tendre	Vins de pays : béarn, parcherenc, gaillac, etc.

LES FROMAGES DE CHEVRE

	Vin blanc sec	Touraine, sancerre, mâcon blanc, arbois blanc

LES ÉPICES, LES HERBES ET LES VINS...

Basilic	Soupe au pistou, salade tomates, sauce pour poisson poché	Rosé léger, clairette du Languedoc
Cannelle	Compote de pommes	Blanc moelleux
Cerfeuil	Salades, potages, sauces	Rosé vif
Ciboulette	Potages, omelette, hachée dans du fromage blanc frais	Rouge léger, bandol rosé
Cumin (graines)	Cuisson de certaines viandes (recettes nordiques et Europe centrale), fromages forts (munster, pont-l'évêque)	Blanc ou rosé corsé, blanc moelleux (gewurztraminer)
Curry	Mélange de diverses épices dont curcuma, piment, safran, etc. Riz, poule, viandes grillées, poissons	Blanc de préférence (bourgogne), rosé léger, floral
Estragon	Omelette, poissons et viandes en gelée	Rosé fruité
Fenouil (graines)	Sauces, poissons	Rosé ou rouge léger, fruité
Gingembre	Sauces et mets orientaux, exotiques	Rouge fruité, jeune, rosé solide
Girofle (clou)	Piqué dans un oignon, pot-au-feu, marinades	Rouge fruité, corsé
Laurier (feuille)	Sauces, courts-bouillons, eau de cuisson des légumes frais et légumes secs	Rosé fruité, rouge léger et frais
Marjolaine	Pizza, pissaladière, brochettes, daube, pâtés	Rosé floral, rouge léger, bellet, côtes-de-provence
Muscade (noix de)	Rapée dans certaines sauces, pâtés, purée de légumes frais, tartes aux légumes	Rosé ou rouge léger
Paprika	Rarement fort, colore plus qu'il ne relève le goût	Rosé (pour harmoniser les couleurs), rouge
Persil	Usage multiple; les queues sont plus parfumées que les feuilles; le simple a plus de parfum que le double	Rouge léger ou rosé frais

Piment	Ragoûts, salade, plats relevés, piperades ; le piment « bec d'oiseau » mis à macérer dans de l'huile ou mieux du cognac permettra un emploi multiple, en veillant à la dose	Rosé corsé, très frais (pour atténuer l'incendie du gosier !), rouge moyennement corsé : frontonnais, bergerac, Ajaccio
Poivre (noir)	Moulu au moulin	Rouge corsé
Raifort (racine)	Dans certaines sauces, poisson fumé, charcuterie	Rosé d'Alsace, rouge ou blanc
Romarin	Dans l'eau de cuisson des légumes frais ; jeté sur la braise d'un barbecue, il parfume les grillades de poisson ou de viande ; ses aiguilles sont désagréables, il faut l'envelopper dans un linge ou une feuille d'aluminium perforée pour potage, bouillon, sauces	Rosés les plus floraux de Provence, du Languedoc, etc.
Sarriette	Ragoûts, haricots, potages, grillades, fromage blanc salé et poivré	Rosé floral, rouge
Sauge	Daubes, sauces des rôtis de veau ou de bœuf	Rosé corsé, rouge clairet ou moyennement corsé (côtes de saint-mont, de Duras)
Thym	Usages multiples : marinades, bouillons, sauces	Rosé léger
Vanille (gousse)	Crème, gâteau de riz au lait	Blanc moelleux

◆

LES SENTIMENTS ET LES VINS
OU LES CORRESPONDANCES SUBJECTIVES

◆

La dure réalité de la vie moderne ne laisse guère de place à la poésie au quotidien : c'est ainsi qu'on a perdu l'usage du langage des fleurs, au charme discrètement bourgeois de jadis, même si aujourd'hui les boutiques des fleuristes sont tout aussi nombreuses que les caves à vin. Justement, mieux que des fleurs si périssables, offrez des terroirs, ces bouquets inimitables !

Le vin apporte le vivant témoignage de son passé, la promesse d'un avenir, fut-il limité, et, pour le présent, un message savoureusement convivial. Il comblera l'œil par le chatoiement de sa robe, l'odorat par des parfums de fleurs, de fruits, d'épices ou d'autres subtiles arômes, selon sa nature et son âge.

Bien entendu il ne s'agit pas d'offrir n'importe quel vin en fonction de son prix. Sans pour autant négliger cette notion, on retiendra un vin en harmonie avec la personnalité du destinataire ou des invités si vous recevez chez vous, en tenant compte de la saison et du menu.

Moins ostentatoire que le bouquet du fleuriste dans sa volumineuse présentation, la bouteille discrètement revêtue d'un emballage-cadeau, préservera son mystère en ne révélant sa nature qu'au dernier moment : c'est cela l'étiquette !

Sur votre propre table, vous ne manquerez pas d'expliquer habilement vos choix au fur et à mesure du déroulement du repas. Succès assuré...

Un sentiment... un vin.

Admiration	Sauternes
Affection	Fitou
Ambition	Volnay
Amitié	Beaujolais-Villages
Amour inavoué	Vin de Savoie - mondeuse
Amour véritable	Saint-Amour
Amour passion	Nuits-Saint-Georges
Amour chaste	Hermitage
Attachement	Maranges
Beauté	Côte-Rôtie
Bonheur	Alsace tokay pinot gris SGN
Candeur	Condrieu
Caprice	Sancerre-Chavignol
Constance	Alsace piesling VT
Cordialité	Cognac
Déclaration (d'amour)	Champagne grande cuvée
Déférence	Château-Chalon
Délicatesse	Meursault
Élégance	Savennières
Émotion	Fleurie
Entente	Régnié
Érotisme	Champagne rosé
Extravagance	Alsace gewurztraminer SGN
Fantaisie	Palette rosé
Fidélité	Coteaux-Champenois
Fierté	Jurançon
Folie	Arbois mousseux
Gourmandise	Banyuls
Grâce	Sainte-Croix-du-Mont
Gravité	Graves de Pessac-Léognan
Innocence	Chateauneuf-du-Pape blanc
Impatience	Beaujolais primeur
Justice	Mas-de-Daumas-Gassac VDP
Mélancolie	Pouilly Fumé
Modestie	Quarts-de-Chaume
Orgueil	Montrachet
Peine	Rosé d'Anjou
Perplexité	Gros-Plant et Muscadet
Persévérance	Madiran

237

Phantasme
Piété
Possessivité
Puissance
Pureté du cœur
Raffinement
Réconfort
Séduction
Tendresse
Timidité
Vengeance
Vérité
Voyage (invitation)

Romanée Saint-Vivant
Sainte-Foy-Bordeaux
Patrimonio
Chateauneuf-du-Pape rouge
Vouvray
Arbois vin de paille
Beaumes-de-Venise
Pécharmant
Reuilly pinot gris
Rosette
Saint-Pourçain
Côtes-de-Francs
Saint-Julien

Un vin... un sentiment.

Alsace tokay pinot gris SGN
Alsace gewurztraminer SGN
Alsace riesling VT
Arbois vin de paille
Arbois mousseux
Banyuls
Beaujolais primeur
Beaujolais-Villages
Beaumes-de-Venise
Champagne cuvée de prestige
Champagne rosé
Chateauneuf-du-Pape blanc
Chateauneuf-du-Pape rouge
Château-Chalon
Cognac
Condrieu
Côte-Rôtie
Coteaux-Champenois
Côtes-de-Francs
Fitou
Fleurie
Graves de Pessac-Léognan
Gros-Plant et Muscadet

Bonheur
Extravagance
Constance
Raffinement
Folie
Gourmandise
Impatience
Amitié
Réconfort
Déclaration (d'amour)
Érotisme
Innocence
Puissance
Déférence
Cordialité
Candeur
Beauté
Fidélité
Vérité
Affection
Émotion
Gravité
Perplexité

Hermitage rouge	Amour chaste
Jurançon	Fierté
Madiran	Persévérance
Maranges	Attachement
Mas-de-Daumas-Gassac VDP	Justice
Meursault	Délicatesse
Montrachet	Orgueil
Nuits-Saint-Georges	Amour passion
Palette rosé	Fantaisie
Patrimonio	Possessivité
Pécharmant	Séduction
Pouilly-Fumé	Mélancolie
Quarts-de-Chaume	Modestie
Régnié	Entente
Reuilly pinot gris	Tendresse
Romanée-Saint-Vivant	Phantasme
Rosé d'Anjou	Peine
Rosette	Timidité
Saint-Amour	Amour véritable
Sainte-Croix-du-Mont	Grâce
Sainte-Foy-Bordeaux	Piété
Saint-Julien	Voyage (invitation)
Saint-Pourçain	Vengeance
Sancerre Chavignol	Caprice
Sauternes	Admiration
Savennières	Élégance
Vin de Savoie - mondeuse	Amour inavoué
Volnay	Ambition
Vouvray	Pureté de cœur

◆

LES PROVERBES VIGNERONS

◆

Janvier

Point de vin mouillé s'il gèle en janvier

Janvier sec et beau
Remplit cuves et tonneaux

À janvier noyé mouillé
Guère de vin ne séré
(Il n'y aura guère de vin)

S'il tonne en janvier
Les cuves au fumier

S'il tonne en janvier
Vin plein le cellier

La Saint-Vincent (22 janvier)
À la Saint-Vincent
Tout dégèle ou tout fend
L'hiver se reprend
Ou se casse la dent

À la Saint-Vincent
L'hiver quitte ou reprend

À la Saint-Vincent
La sève monte ou descend

À la Saint-Vincent
L'hiver perd sa dent
Il la donne ou la vend
À Saint-Paul son parent (le 25 janvier)

Quand le soleil luit à la Saint-Vincent
Le vin monte au sarment
S'il gèle, il en redescend

Soleil luisant à la Saint-Vincent
Fait monter le vin au sarment

Saint-Vincent clair et beau
Vaudra plus d'vin que d'eau

241

Février

Si tu tailles la vigne en février
Tu mets du raisin plein ton panier

À la Chandeleur s'il fait beau
Y aura du vin comme de l'eau

Mars

Quand mars mouillera
Bon vin récolteras

Vigneron de gaieté vide son verre
Quand pluies de mars mouillent sa terre

En mars si bien tonne
Prépare cuve et tonne

S'il tonne fort en mars
Vin bon vient de toute part

Que tu tailles tôt ou tard
Rien ne vaut la taille de mars

Le vigneron me taille
Le vigneron me lie
Le vigneron me baille
En mars toute ma vie

À la Saint-Grégoire (12 mars)
Faut tailler la vigne pour boire

Avril

Selon Ovide, *aprilis* viendrait d'Aphrodite! Malgré le sérieux de la référence, il semble que cette étymologie relève de la fantaisie. *Aprilis* tire son nom du verbe latin *aperire*, ouvrir, car c'est le mois où la terre s'ouvre, où les bourgeons éclatent pour donner naissance aux rameaux, aux feuilles, aux fleurs et aux fruits... (" Apéritif " vient également de *aperire!*)

L'eau d'avril
Remplit le baril

Le mois de mai
Le cellier

Pluie d'avril donne à boire

S'il pleut en avril
Prépare ton baril

Avril froid et mai chaud
Mettent du vin dans les tonneaux

Bourgeon d'avril
Peu de vin au baril

La nouvelle est bonne
Quand en avril il tonne

S'il tonne en avril
Le vigneron se réjouit
Et le paysan aussi

Tonnerre en avril
Blé au grenier, vin au baril

S'il tonne en avril
Prépare tonnes et barils

Le 5 avril est le jour de la Saint-Vincent-Ferrier (de l'ordre des Dominicains) sans rapport avec le saint patron des vignerons. C'est sans doute pourquoi...

À la Saint-Vincent s'il fait beau
Y aura moins de vin que d'eau !

Gelée à la Saint-Fructueux (16 avril)
Rend le vigneron malheureux

S'il tonne à Saint-Simon d'avril (20 avril)
Vendangeur prépare ton baril

Mai

Fraîcheur et rosée de mai
Vin à la vigne et foin au pré
Froid mai et chaud juin
Donnent pain et vin

Frais mai
Épaisse soupe
Mais peu de vin dans la coupe

243

Bourgeon de mai
Remplit le chai

Point de jours en mai
Que raisin ne se fiait (ne se fasse)

En mai
Blé et vin naist

Vin de mai
Piquette de chai

Le vigneron n'est rassuré
Que quand Saint-Urbain est passé (25 mai, à cause des gelées)

Les « saints de glace » sont redoutés, les 11, 12 et 13 mai : saint Mamert, saint Pancrace et saint Servais... Ils ont mauvaise réputation.

Les trois saints au sang de navet
Pancrace, Mamert et Servais

Sont bien nommés les saints de glace
Mamert, Servais et Pancrace

Les saints Servais, Pancrace, Mamert
Font à eux trois petit hiver

Dernier jour de mai
Eau de Sainte-Pétronille
Change raisins en grappilles

Pleut-il à la Sainte-Pétronille
Le raisin tombe en guenille

Juin

Prépare autant de bons tonneaux
Qu'en juin tu compteras de jours beaux

Saint-Marcellin (3 juin)
Bon pour l'eau, bon pour le vin!

Le temps qu'il fait en juin le trois
C'est le temps qu'il fera le mois

244

Quand il pleut à la Saint-Médard (8 juin)
Il pleut quarante jours plus tard

À moins que Saint-Barnabé (11 juin)
Ne lui tape sur le nez
(ou ne lui coupe l'herbe sous le pied)

S'il pleut à la Saint-Médard
La vendange diminue d'un quart

S'il pleut à la Saint-Médard
Il n'y aura ni vin ni lard

S'il pleut à la Saint-Médard
T'auras pas d'vin mais t'auras du lard!

Saint-Antoine sec et beau (13 juin)
Remplit cuves et tonneaux

S'il pleut le jour de Saint-Cyr (16 juin)
Le vin diminue jusqu'à la tire

À la Saint-Cyr, la vigne est généralement en fleur et s'il pleut il y a risque de coulure :
d'où le surnom de Saint-Cyr-le-Coulou...

Pluie d'orage à la Saint-Sylvère (20 juin)
Y aura du vin dans l'verre

S'il tonne fin juin
Y'aura pas de vin

Le 24 est la Saint-Jean (Baptiste) et la fête du solstice d'été.

Pour avoir une bonne vinée
La Saint-Jean doit être secouée (vent, orage)

À la Saint-Jean
Verjus pendant
Argent comptant

À la Saint-Jean
Le raisin pend

Si le lis a fleuri pour la Saint-Jean
On vendangera à la Saint-Céran (27 septembre)

S'il pleut la veille de la Saint-Pierre (29 juin)
Le vin s'ra réduit au tiers

Entre Saint-Jean et Saint-Pierre
La floraison de la vigne n'est pas en arrière

Juillet

Vigne en fleur après Saint-Thibaut
Vaut ni bien ni mau

Si à la Visitation (2 juillet)
Le temps a été bon
Il peut pleuvoir un temps
Ce n'est que perte de temps
Car si le foin pourrit
Le raisin se nourrit
(Tout va bien, et à quelque chose malheur est bon)

Rosée le jour de la Saint-Savin (12 juillet)
C'est dit-on rosée de vin

Si Saint-Vincent est mouillé (19 juillet)
Mets du vin dans ta gourde
Saint-Vincent sec et beau
Fait du vin comme de l'eau
(Saint-Vincent de Paul)

La pluie à Sainte-Anne (26 juillet)
Vaut une manne

S'il pleut à la Sainte-Anne
Il pleut pendant quarante jours

À moins que...

Les sept dormants (27 juillet)
Redressent le temps

Si le jour de la Saint-Samson (28 juillet)
Le pinson boit au buisson

Tu peux, vigneron
Défoncer ton poinçon
(S'il pleut, mauvaise vendange; poinçon = barrique)

S'il pleut à la Saint-Germain (31 juillet)
C'est comme s'il pleuvait du vin

On dit aussi que si les mûres sont... mûres en juillet, la vendange ne sera pas abondante...

> *Au mois de juillet*
> *Bouche noire, gosier sec*

Un mois de juillet frais :

> *Frais juillet, épaisse tourte*
> *Met guère de vin dans la coupe*

Août

C'est un mois laborieux pour les vignerons, car

> *En août comme en vendanges*
> *Il n'y a ni fêtes ni dimanches*
>
> *Août*
> *Fait le moût*
>
> *Août pluvieux*
> *Cellier vineux*
>
> *Quand il pleut en août*
> *C'est bon miel et bon moût*
>
> *S'il pleut en août*
> *Huile et vin partout*

Mais...

> *Si la pluie des 15 et 24 continue*
> *D'autant la vendange diminue*
>
> *Août mûrit*
> *Septembre vendange*
>
> *Qui veut avoir bon moût*
> *Laboure sa vigne en août*
>
> *Tonnerre du mois d'août*
> *Grosses grappes et bon moût*
>
> *Si l'on veut que le raisin vienne*
> *Faut du chaud à la Saint-Étienne (2 août)*
> Saint Étienne, pape de mai 254 au 2 août 257, martyr.
>
> *C'est comme s'il pleuvait du vin*
> *Pluie fine à Saint-Augustin* (28 août)

247

Septembre

Septembre se nomme
Le mai de l'automne

Après le pain, le vin
Août mûrit, septembre vendange
En ces deux mois, tout bien s'arrange

Si juin fait la quantité
Septembre fait la qualité

Les orages de septembre ne sont point redoutables, puisque
En septembre si trois jours tonne
C'est nouveau bail pour l'automne

Qu'en septembre il tonne
La vendange sera bonne

Tel temps aux moissons
Tel temps aux vendanges

Pour vendanger il faut attendre
Au moins la fin de septembre

La pluie de septembre travaille
Pour la vigne et les semailles

Septembre humide
Point de tonneau vide

Si les étoiles filent en septembre
Tonneaux trop petits en novembre

Si en septembre on voit les étoiles filantes
Les cuves débordent de vendanges

Pluie le jour de la Saint-Grégoire (3 septembre)
Autant de vin de plus à boire

À la Saint-Grégoire
Il faut tailler la vigne pour boire
Ce dernier proverbe concernerait un autre saint fêté le 12 mars ; il y a confusion.

Les enfants nés ce jour (7 septembre)
Auront le palais comme un four

248

Et la purée septembrale
Ne leur fera jamais de mal

Les enfants nés le sept
Auront toujours le gosier sec
Mais la purée septembrale
Les sauvera de ce mal!

Curieux, c'est le jour de mon anniversaire!

À la Bonne-Dame de septembre (le 8)
Le raisin est bon à prendre

*La rosée de Saint-Albin (*15 septembre)
Est, dit-on, rosée de vin

Gelée blanche de Saint-Eustache (20 septembre)
Grossit le raisin qui tache

À la Saint-Matthieu (21 septembre)
Si le temps est bleu
C'est qu'il est beau
Prépare tes cuveaux

À la Saint-Matthieu
Cueille le raisin si tu veux

Entre Saint-Michel (29 septembre) *et Saint-François* (4 octobre)
Prends la vendange telle qu'elle est

Si Saint-Gall coupe le raisin (16 octobre)
Mauvais signe pour le vin

Octobre

Octobre à moitié pluvieux
Rend le laboureur joyeux
Mais le vigneron soucieux
Met de côté son vin vieux...

Il est en effet bien difficile de contenter tout le monde ; toutefois si le vigneron redoute la pluie, il ne craint pas l'orage puisque...

Tonnerre en octobre
Vendanges non sobres

En octobre le tonnerre
Fait vendanges prospères

Gelée d'octobre
Fait le vigneron sobre

Entre Saint-Michel et Saint-François
Prends ta vendange quelle qu'elle soit,
Mais à la Saint-Denis (9 octobre)
Prends-la si elle y est émy (encore)

Quand Saint-Gall coupe le raisin (16 octobre)
C'est mauvais signe pour le vin

À la Saint-Urbain (31 octobre)
Ce qui est à la vigne est au vilain

Novembre

À la Saint-Martin faut goûter le vin (11 novembre)

À la Saint-Martin
Tout moût est vin

À la Saint-Martin
Tire ton vin

À la Saint-Martin
Bonde ta barrique et bois ton vin

À la Saint-Martin
Bonhomme bonde ton vin

Saint-Martin boit le bon vin
Et laisse l'eau au moulin

À la Saint-Martin, bonde ta barrique
Vigneron fume ta pipe
Mets l'oie au toupin
Et invite ton voisin

Décembre

Dans l'Avent le temps chaud
Remplit cuves et tonneaux

C'est quasiment le seul proverbe vigneron connu de la fin de l'année. Le vigneron s'affaire dans chais et caves ; les proverbes reviendront dès janvier, à la Saint-Vincent principalement.

QUATRIÈME PARTIE

Aide-mémoire des vins et eaux-de-vie de France

Légende :

🍷🍷🍷🍷🍷   Très grand vin, de réputation mondiale, chef-d'œuvre de la nature... et de l'homme. Prix très élevé.

🍷🍷🍷🍷   Grand vin, de haute réputation. Prix élevé.

🍷🍷🍷   Bon vin, fin, de bonne renommée, généralement d'un bon rapport qualité prix.

🍷🍷   Bon vin, agréable, de prix accessible.

🍷   Bon vin, simple et facile à boire.

N.B. : Des vins de valeur et de classe diverses peuvent se rencontrer à l'intérieur d'une même appellation. C'est le cas par exemple en Bordelais où la différence peut être consacrée par le classement des crus. C'est pourquoi on peut trouver simultanément deux ou trois symboles pour un même vin.

B	Blanc
Bl	Blanc liquoreux
Bm	Blanc moelleux
Bs	Blanc sec
R	Rouge
Rs	Rosé

A.O.C.	Appellation d'Origine Contrôlée
A.O.V.D.Q.S.	Appellation d'Origine Vin Délimité de Qualité Supérieure
V.D.N.	Vin Doux Naturel

AJACCIO A.O.C. R Rs B 🍷🍷🍷
Vins rouges et rosés (85%) et vins blancs. 185 ha sur 36 communes autour d'Ajaccio.
Rouges de bonne garde.
Récolte moyenne : 1 000 000 de bouteilles en rouge et rosé, 50 000 bouteilles en blanc.

ALIGOTÉ
Cépage traditionnel bourguignon. Voir Bourgogne-Aligoté.

ALOXE-CORTON A.O.C. R Bl 🍷🍷🍷
Vins rouges (5 000 hl) et blancs (30 hl) récoltés sur Aloxe-Corton, Pernand-Vergelesses
et Ladoix-Sérigny (Côte-d'Or).

ALSACE A.O.C. Bl R Rs 🍷🍷 🍷🍷🍷 🍷🍷🍷🍷
La diversité géologique des terroirs entraîne un vaste choix de cépages : sylvaner, pinot
blanc, riesling, muscat d'Alsace, tokay pinot Gris, gewurztraminer, pinot noir et, sur
30 ha seulement, le savagnin rose sous le nom de klevener d'heiligenstein, auxquels on
peut encore ajouter le chasselas. Sous certaines conditions, les vins issus des riesling,
gewurztraminer, tokay pinot gris et muscat peuvent porter la mention « Vendanges
Tardives » et « Sélections de Grains Nobles ». La superficie totale du vignoble est
d'environ 14 000 ha.
Récolte moyenne : 150 000 000 de bouteilles, dont un tiers est exporté.

ALSACE GRAND CRU A.O.C. Bls Bm 🍷🍷🍷 🍷🍷🍷🍷 🍷🍷🍷🍷🍷
Les vins provenant des cépages riesling, gewurztraminer, tokay pinot gris et muscat,
répondant à toutes les conditions particulières de production et provenant de l'un des
50 lieux-dits, peuvent bénéficier de l'A.O.C. Alsace Grand Cru accompagnée
éventuellement du nom du lieu-dit dont ils sont issus.

ANJOU A.O.C. ou ANJOU-VAL-DE-LOIRE A.O.C. Bs Bm Rs R 🍷🍷
Vins concernant 173 communes du Maine-et-Loire, des Deux-Sèvres et de la Vienne,
au total sur plus de 50 000 ha.
Récolte moyenne : 6 800 000 bouteilles en blanc et 12 000 000 de bouteilles en rouge
et rosé.
Tant pour le rouge que pour le rosé, si le vin provient uniquement du cépage gamay,
l'appellation devient Anjou-Gamay.

ANJOU-COTEAUX-DE-LA-LOIRE A.O.C.
ou ANJOU-COTEAUX-DE-LA-LOIRE-VAL-DE-LOIRE A.O.C. Bs Bm 🍷🍷
Vins blancs seulement issus du cépage chenin, récoltés sur environ 125 ha sur le
département du Maine-et-Loire. Vins secs subtils, vifs, élégants.
Récolte moyenne :150 000 bouteilles.

ANJOU-GAMAY   Voir à Anjou.

ANJOU MOUSSEUX   A.O.C.
ou ANJOU MOUSSEUX-VAL-DE-LOIRE   A.O.C.   Bs Rs   🦚🦚
Blancs et rosés sont récoltés et élaborés sur l'aire d'appellation Anjou, obtenus par la
méthode classique.
Récolte moyenne : 600 000 bouteilles dont deux tiers de blanc.

ANJOU-VILLAGES   A.O.C.   R   🦚🦚🦚
Jolis vins rouges, charnus, charpentés sans lourdeur, récoltés principalement dans les
vallées de l'Aubance, du Layon et sur la rive gauche de la Loire.
Récolte moyenne : 500 000 bouteilles.

ARBOIS   A.O.C.   Bs BM R Rs   🦚🦚🦚   🦚🦚🦚🦚
Vins rouges, rosés, blancs, gris, « jaunes » et « de paille » récoltés sur le canton d'Arbois
(Jura) à partir des cépages poulsard, trousseau, gros noirien (pinot noir), pinot gris pour
les rouges et les rosés, et pour les blancs, à partir des savagnin, melon d'Arbois (ou
chardonnay) et pinot blanc vrai. Les vins jaunes proviennent du seul savagnin et
doivent subir un vieillissement d'au moins six ans en fût. Ils sont commercialisés en
bouteille traditionnelle, dite « clavelin », d'une contenance de 62 cl.
Récolte moyenne : 2 500 000 bouteilles en rouge et rosé et 2 000 000 de bouteilles en
blanc.

ARBOIS MOUSSEUX   A.O.C.   B Rs   🦚🦚
Vin effervescent récolté et élaboré à l'intérieur du département du Jura, obtenu par la
méthode traditionnelle de deuxième fermentation en bouteille. Ces vins, appelés à
prendre l'A.O.C. Crémant du Jura, sont d'ancienne tradition, le mot « crémant » étant
employé au siècle dernier.

ARBOIS-PUPILLIN   A.O.C.   B Rs R   🦚🦚🦚
Vins d'Arbois récoltés sur la commune voisine de Pupillin.

ARMAGNAC   A.O.C.
Eau-de-vie provenant de vins récoltés et distillés sur les aires d'appellations Bas-
Armagnac, Ténarèze et Haut-Armagnac. Leur assemblage ne peut prendre que
l'appellation Armagnac ; chacune des trois A.O.C. est réservée respectivement à l'eau-
de-vie provenant de l'une d'elles sans aucun mélange. Pratiquement, seule l'eau-de-vie
de Bas-Armagnac est ainsi commercialisée.

AUXEY-DURESSES A.O.C. Bs R 🍷🍷🍷

Vins blancs et rouges provenant de cette commune de la Côte de Beaune (Côte-d'Or). Une partie de la production assemblée avec les vins d'autres communes portent l'appellation Côte-de-Beaune-Villages.
Récolte annuelle : 450 000 bouteilles en rouge, 150 000 bouteilles en blanc.

AZAY-LE-RIDEAU Voir à Touraine-Azay-le-Rideau.

BANDOL A.O.C. B Rs R 🍷🍷🍷

Vins rouges, rosés et blancs (5%) sur 6 communes voisines dont Bandol (Var). Les vins rouges, à base de cépage mourvèdre sont superbes et de bonne garde.
Récolte moyenne : 450 000 bouteilles en rouge et rosé, 25 000 bouteilles en blanc.

BANYULS A.O.C. 🍷🍷🍷

Vin doux naturel provenant de Banyuls, Cerbère, Port-Vendre et Collioure (Pyrénées-Orientales). La fermentation en cours des moûts est arrêtée par l'adjonction de 5 à 10% d'alcool neutre titrant 95°. Le vin titre alors au minimum 15% d'alcool acquis et environ plus de 360 g de sucre résiduel et naturel provenant du raisin.
Récolte moyenne : 5 000 000 de bouteilles.

BANYULS GRAND CRU A.O.C. R 🍷🍷🍷🍷

La notion de cru est ici malmenée, puisqu'il s'agit moins de cru que de conditions de production et d'élaboration : 75% minimum de cépage grenache noir sur l'exploitation, et double certificat d'agrément, avec vieillissement obligatoire sous bois d'au moins 30 mois. Cela dit, le Banyuls Grand Cru est de plus grande qualité que le Banyuls.
Récolte moyenne : 900 000 bouteilles.

BANYULS-RANCIO A.O.C. R 🍷🍷🍷🍷

Dénomination concernant des vins âgés au goût de « rancio », qui évoque celui d'un bon madère.

BARSAC A.O.C. Bm 🍷🍷 🍷🍷🍷 🍷🍷🍷🍷

Les vins de Barsac peuvent opter pour l'appellation Sauternes, ou celle de Barsac, les conditions de production sont identiques.
Récolte moyenne : 1 200 000 bouteilles.

BAS-ARMAGNAC A.O.C.

Eaux-de-vie provenant de vins récoltés et distillés sur l'aire la plus au sud-ouest du Gers et sur une partie des Landes. Eauze est la capitale du Bas-Armagnac.

BÂTARD-MONTRACHET A.O.C. Bs 🍷🍷🍷🍷

Vin blanc sec proche du sublime Montrachet sans toutefois l'égaler, récolté sur un peu plus de 11 ha répartis sur les communes de Chassagne-Montrachet et de Puligny-Montrachet (Côte-d'Or).
Récolte moyenne : 65 000 bouteilles.

LES BAUX Voir à Coteaux-d'Aix-en-Provence-Les-Baux.

BEARN et BEARN-BELLOCQ A.O.C. R Rs Bs 🍷🍷

L'aire d'appellation s'étend sur 74 communes des Pyrénées-Atlantiques, 6 communes des Hautes-Pyrénées et 3 communes du Gers. Le nom de « Bellocq » peut être ajouté si les vins proviennent de 13 communes proches de Bellocq (Pyrénées-Atlantiques). Vins frais, à boire jeunes, en majorité rosés.
Récolte moyenne : 1 000 000 de bouteilles en rosé et rouge, 40 000 bouteilles en blanc.

BEAUJOLAIS A.O.C. R Rs Bs 🍷🍷

Vins issus du cépage gamay noir à jus blanc, éventuellement du pinot noir ou gris pour les rouges ; et du chardonnay, du pinot blanc et de l'aligoté pour les rares blancs. Les Beaujolais sont à boire jeunes, vins types du vin de café. Une bonne moitié de la production est vendue en primeur dès le troisième jeudi de novembre suivant la récolte.
Récolte moyenne : 80 000 000 de bouteilles en rouge et rosé (rare), 400 000 bouteilles en blanc.

BEAUJOLAIS SUPÉRIEUR A.O.C. R Bs 🍷🍷

Distinction plus théorique que pratique qui reposait sur le pourcentage volumétrique d'alcool minimum.

BEAUJOLAIS-VILLAGES ou BEAUJOLAIS avec mention de la commune d'origine R Bs 🍷🍷 🍷🍷🍷

Vins provenant de 39 communes, toutes situées autour des 10 crus. Ces vins sont les plus représentatifs des vins du Beaujolais, légers et toutefois charpentés, fruités et... « goulayant » !
Récolte moyenne : 45 000 000 de bouteilles en rouge, 400 000 bouteilles en blanc.

BEAUMES-DE-VENISE Voir à Muscat de Beaumes-de-Venise et à Côtes-du-Rhône-Villages, ou à Côtes-du-Rhone-Beaumes-de-Venise.

BEAUNE A.O.C. R Bs 🍷🍷🍷 🍷🍷🍷🍷

Rouge et blanc, il est récolté sur le territoire de Beaune (Côte-d'Or), sur les pentes des collines entourant la cité. L'appellation peut être suivie du nom du climat d'origine ou de la mention « Premier Cru » ou de l'une et l'autre de ces mentions. Vins de grande finesse, élégants qui peuvent atteindre les sommets de la qualité les bonnes années. Récolte moyenne : 1 200 000 bouteilles en rouge, 40 000 bouteilles en blanc.

BEAUNE (Côte-de-) Voir à Côte-de-Beaune.

BEAUNE-VILLAGES Voir à Côte-de-Beaune-Villages.

BELLET A.O.C. Bs RS R 🍷🍷🍷

Vins produits sur la partie ouest de Nice, sur la vallée du Var (Alpes-Maritimes). Assez confidentiel, le vignoble a été grignoté par l'urbanisme envahissant. Les vins sont fins subtils, élégants, de caractère curieusement plus septentrional que méridional du fait d'un micro climat particulier, tempéré par la vallée. Récolte moyenne : 80 000 bouteilles en rouge et rosé, 30 000 bouteilles en blanc.

BERGERAC A.O.C. 🍷🍷 🍷🍷🍷

Vins rouges, rosés et blancs, souples, légers et rapidement prêts à boire, récoltés sur l'arrondissement de Bergerac (Dordogne). Récolte moyenne : 25 000 000 de bouteilles.

BERGERAC SEC A.O.C. Bs 🍷🍷

Blanc uniquement, titrant entre 10 et 13% d'alcool avec moins de 4 g/l de sucre résiduel. Récolte moyenne : 120 000 000 de bouteilles.

BIENVENUES-BÂTARD-MONTRACHET A.O.C. Bs 🍷🍷🍷🍷 🍷🍷🍷🍷🍷

Vin de bonne race malgré son nom, récolté sur des parcelles délimitées de Puligny-Montrachet (Côte-d'Or). Récolte moyenne : 220 000 bouteilles.

BLAGNY A.O.C. R 🍷🍷🍷

Rouges seulement provenant du hameau de Blagny et des communes de Meursault et de Puligny-Montrachet (Côte-d'Or). Les vins blancs doivent prendre le nom de leur commune d'origine. Une partie de la production est assemblée avec d'autres vins pour prendre l'appellation Côte-de-Beaune-Villages (rouge). Récolte moyenne : 25 000 bouteilles.

BLANC FUMÉ DE POUILLY   A.O.C.   Voir à Pouilly-Fumé.

BLANQUETTE DE LIMOUX A.O.C.   B 🍷🍷
Blancs mousseux, assez doux (cépage mauzac à 90%), provenant de la région A.O.C. de Limoux (Aude). Vins élaborés par deuxième fermentation en bouteille (voir à Crémant de Limoux).

BLANQUETTE DE LIMOUX METHODE ANCESTRALE   A.O.C.   B 🍷🍷
Blanc mousseux issu du seul cépage mauzac, les autres conditions de production étant identiques à celles de la Blanquette de Limoux. Production confidentielle.

BLAYE ou BLAYAIS   A.O.C.   R Bs Bm 🍷🍷
Rouges et blancs provenant de Blaye et des environs (Gironde). Vins légers et faciles à boire.
Récolte moyenne : 2 500 000 bouteilles en blanc, 50 000 bouteilles en rouge.

BONNES-MARES   A.O.C.   R 🍷🍷🍷🍷🍷
Rouge seulement récolté sur une petite partie de Morey-Saint-Denis et pour le principal sur Chambolle-Musigny, lieu-dit Bonnes-Mares. Vin puissant, étoffé, séveux finement bouqueté.
Récolte moyenne : 50 000 bouteilles.

BONNEZEAUX   A.O.C.
ou BONNEZEAUX-VAL-DE-LOIRE   A.O.C.   Bm 🍷🍷🍷🍷
Blancs moelleux ou liquoreux certaines années, récoltés sur ce lieu-dit de la commune de Thouarcé (Maine-et-Loire) sur les bords du Layon. Onctueux, dorés, de longue garde, ils sont parmi les plus grands.

BONS BOIS   A.O.C.
Eaux-de-vie dont l'aire s'étend sur la Charente et la Charente-Maritime, généralement assemblées avec d'autres appellations pour prendre celle de Cognac.

BORDEAUX   A.O.C.   R Rs Bs Bm 🍷🍷
Vins répondant à certaines conditions de production, récoltés sur une quelconque partie de l'aire A.O.C. Bordeaux. Encépagement des vignobles, élaboration sont définis. Il faut noter que l'appellation peut concerner des vins de qualité lorsqu'ils ne correspondent pas à l'appellation à laquelle ils auraient pu avoir droit si toutes les conditions avaient été respectées : par exemple, production d'un vin blanc sur une aire de vin rouge ou vice versa. C'est le cas du « Pavillon blanc » de Château-Margaux ou encore du vin blanc sec de Château-d'Yquem. Récolte moyenne : 170 000 000 de bouteilles en rouge, 80 000 000 de bouteilles en blanc.

BORDEAUX-CLAIRET ou ROSÉ A.O.C. Rs 🍷🍷
Vins rosés ou rouges très légers répondant à toutes les conditions de production des vins de Bordeaux rouges, mis à part la couleur.
Récolte moyenne : 700 000 bouteilles.

BORDEAUX-CÔTES-DE-FRANCS A.O.C. R Bs Bm 🍷🍷🍷
Vins rouges et blancs produits sur 3 communes dont Francs (Gironde), issus des cépages principaux de la région. L'aire se situe au nord de Castillon. Vins de qualité.
Récolte moyenne : 2 000 000 de bouteilles en rouge, 750 000 bouteilles en blanc.

BORDEAUX-HAUT BÉNAUGE A.O.C. Bm 🍷🍷
Vins blancs moelleux produits sur neuf communes formant la zone du Haut-Bénauge (Gironde) à l'intérieur de l'Entre-Deux-Mers.
Récolte moyenne : 120 000 bouteilles.

BORDEAUX SUPÉRIEUR A.O.C. R Rs Bs Bm 🍷🍷
Vins sensiblement de même type que ceux d'A.O.C. Bordeaux, mais issus des seuls cépages principaux et d'un degré alcoométrique minimum entre 10,5° et 11,5° acquis.
Récolte moyenne 800 000 bouteilles en rouge, 75 000 bouteilles en blanc.

BORDERIES A.O.C.
L'un des 7 crus de Cognac, généralement assemblé avec d'autres et commercialisé sous l'appellation cognac.

BOURG, CÔTES-DE-BOURG, BOURGEAIS A.O.C. R Rs Bm 🍷🍷 🍷🍷🍷
Vins blancs (issus des sauvignon, sémillon, muscadelle, merlot blanc et colombard) et rouges (issus des cabernets, merlot et malbec) récoltés sur l'aire délimitée de Bourg (Gironde). Les rouges sont bien colorés et charnus.
Récolte moyenne : 20 000 000 de bouteilles en rouge, 700 000 bouteilles en blanc.

BOURGOGNE, BOURGOGNE CLAIRET ou BOURGOGNE ROSÉ, BOURGOGNE-HAUTES-CÔTES-DE-BEAUNE, BOURGOGNE ROSÉ (CLAIRET), HAUTES-CÔTES-DE-BEAUNE, BOURGOGNE-HAUTES-CÔTES-DE-NUIT, BOURGOGNE ROSÉ (CLAIRET) HAUTES-CÔTES-DE-NUITS, BOURGOGNE ROSÉ (CLAIRET) CÔTE CHALONNAISE, BOURGOGNE-CÔTES-D'AUXERRE, BOURGOGNE ROSÉ (ou CLAIRET)-CÔTES-D'AUXERRE, BOURGOGNE-CHITRY, BOURGOGNE-COULANGES-LA-VINEUSE, BOURGOGNE-ÉPINEUIL, BOURGOGNE-IRANCY A.O.C. R Bs Rs 🍷🍷 🍷🍷🍷
Toutes ces appellations sises sur l'aire de Bourgogne se répartissent selon leur situation sur les départements de l'Yonne, de la Côte-d'Or et de la Saône-et-Loire. Les vins

doivent répondre à des normes strictes de production. Si certains atteignent un bon niveau de qualité, ils n'en sont pas moins dans le bas de la hiérarchie des appellations bourguignonnes.

Récolte moyenne : 24 000 000 de bouteilles en rouge et rosé, 3 000 000 de bouteilles en blanc.

BOURGOGNE-ALIGOTÉ A.O.C. Bs 🐛🐛

Vin blanc issu du cépage aligoté, produit sur l'ensemble de l'aire d'appellation Bourgogne. Vin de bonne qualité à boire dans sa jeunesse.

Récolte moyenne : 6 000 000 de bouteilles.

BOURGOGNE-ALIGOTÉ-BOUZERON A.O.C. Bs 🐛🐛🐛

Blanc récolté sur le terroir de Bouzeron (Saône-et-Loire) qui confère au vin une qualité reconnue et très appréciée.

Récolte moyenne : 175 000 bouteilles.

BOURGOGNE MOUSSEUX A.O.C. R 🐛🐛

Vins rouges, élaborés par deuxième fermentation en bouteille, sur l'ensemble de l'aire d'appellation bourguignonne. Ce type de vin trouve ses amateurs à l'étranger. Les autres vins effervescents blancs et rosés prennent l'appellation Crémant de Bourgogne.

BOURGOGNE-PASSETOUTGRAINS A.O.C. R Rs 🐛🐛

Vins rouges, rarement rosés, provenant du mélange de deux tiers de raisins de gamay et d'un tiers de pinot, récoltés sur l'aire d'A.O.C. Bourgogne.

Récolte moyenne : 10 000 000 de bouteilles.

BOURGUEIL ou BOURGUEIL-VAL-DE-LOIRE A.O.C. R Rs 🐛🐛 🐛🐛🐛

Vins rouges et rosés récoltés sur 8 communes dont Bourgueil (Indre-et-Loire) sur la rive droite de la Loire. Les vins provenant des coteaux (tuffeau) sont de garde, ceux provenant des terrasses de gravier sont prêts rapidement à boire. Vins fins aux arômes framboisés.

Récolte moyenne : 7 000 000 de bouteilles.

BROUILLY A.O.C. R 🐛🐛 🐛🐛🐛

Le plus étendu des 10 crus du Beaujolais, soit plus de 1 000 ha. Il s'étend sur 5 communes et ses vins sont assez diversifiés.

Récolte : 9 000 000 de bouteilles.

BUGEY V.D.Q.S. Voir à Vin du Bugey.

BUZET A.O.C. R Rs Bs 🍷🍷 🍷🍷🍷
Vignoble s'étendant sur 27 communes sur la rive gauche de la Garonne, entre Agen et Casteljaloux (Lot-et-Garonne). À part quelques domaines indépendants, la quasi-totalité provient de la cave coopérative de Buzet-sur-Baïse. Vins de qualité.
Récolte moyenne : 9 000 000 de bouteilles en rouge et rosé (rare), 450 000 bouteilles en blanc.

CABERNET D'ANJOU ou CABERNET D'ANJOU-VAL-DE-LOIRE
A.O.C. Rs 🍷🍷
Rosés uniquement récoltés sur l'ensemble de l'aire délimité de l'Anjour issus du seul cépage cabernet (franc et sauvignon). Secs ou tendres, ils sont légers et fins, pourvus d'un arôme framboisé.
Récolte moyenne : 15 000 000 de bouteilles.

CABERNET DE SAUMUR ou CABERNET DE SAUMUR-VAL-DE-LOIRE
A.O.C. Rs 🍷🍷
Vins assez semblables aux précédents, produits sur l'aire de Saumur (Maine-et-Loire). Plus légers et élégants, ils sont aussi un peu plus secs.
Récolte moyenne : 250 000 bouteilles.

CADILLAC A.O.C. Bm 🍷🍷
Vin blanc seulement, moelleux, récolté autour de Cadillac (Gironde) sur la rive droite de la Garonne.
Récolte moyenne : 300 000 bouteilles.

CAHORS A.O.C. R 🍷🍷 🍷🍷🍷
Vin rouge seulement récolté sur l'arrondissement de Cahors (Lot). Vin de garde, rouge noir, devant sa personnalité autant au terroir qu'à son cépage principal le cot, dit localement « auxerrois ».
Récolte moyenne : 2 000 000 de bouteilles.

CALVADOS A.O.C.
Eaux-de-vie de cidre ou de poiré obtenues à partir de fruits récoltés sur l'aire d'appellation couvrant en partie les 5 départements normands. La distillation s'effectue dans les mêmes conditions. Les eaux-de-vie doivent séjourner pendant deux ans en fût de chêne.

CALVADOS DU PAYS D'AUGE A.O.C.
Eaux-de-vie provenant de fruits, et de cidre distillées sur l'aire délimitée couvrant en partie le Calvados, l'Orne et l'Eure. Distillation à partir seulement de l'alambic à repasse (type cognacais).

263

CALVADOS A.O.C. et CALVADOS DU PAYS D'AUGE A.O.C. PRODUIT FERMIER

Eaux-de-vie répondant aux mêmes conditions de production mais seulement à partir de cidres ou de poirés récoltés et distillées sur la même exploitation. La mise en bouteille doit également se faire sur l'exploitation. Mention de la région de production possible.

CANON-FRONSAC A.O.C. R ❦❦❦

Rouge seulement, issu des vignes sur Fronsac et Saint-Michel-de-Fronsac, arrondissement de Libourne (Gironde). Vin bien structuré, assez puissant et d'expression aromatique intense.
Récolte moyenne : 1 500 000 bouteilles.

CARAMANY A.O.C. Voir à Côtes-du-Roussillon-Villages-Caramany.

CASSIS A.O.C. B Rs R ❦❦ ❦❦❦

Vin blanc principalement, avec quelques rosés et rouges, provenant de la commune de Cassis, près de Marseille (Bouches-du-Rhône). Si les rouges sont corsés, les rosés frais et caressants, ce sont les blancs qui ont fait la réputation de Cassis. Vin clair, sec, craignant l'oxydation (ne doit jamais être jaune).
Récolte moyenne : 500 000 de bouteilles en blanc, 200 000 bouteilles en rouge et rosé.

CÉRONS A.O.C. Bm ❦❦❦

Blanc moelleux ou liquoreux récoltés sur 3 communes limitrophes de Cérons (Gironde), sur la rive gauche de la Garonne et formant une enclave dans l'aire des Graves. Vins fins, sans atteindre la dimension des Sauternes.
Récolte moyenne : 350 000 bouteilles.

CHABLIS A.O.C. Bs ❦❦ ❦❦❦

Vin blanc sec, issu du chardonnay, récolté sur 19 communes dont Chablis (Yonne). Vin unique, sec, volontiers acide, bouquet floral et parfois de brioche chaude.
Récolte moyenne : 8 000 000 de bouteilles.

CHABLIS GRAND CRU A.O.C. Bs ❦❦❦

Vins blancs récoltés sur le canton de Chablis (Yonne) sur les lieux-dits suivants : Blanchot, Bougros, Les Clos, Grenouilles, Preuses, Valmur et Vaudésir. Vins splendides qui demandent au moins 5 années de mûrissement en bouteille.
Récolte moyenne : 500 000 bouteilles.

CHABLIS-PETIT Voir à PETIT-CHABLIS A.O.C.

CHABLIS PREMIER CRU A.O.C. Bs ❤❤❤
Vins blancs récoltés sur des parcelles délimitées de Chablis et de quelques communes des environs. Vins épanouis après 2 ou 3 années de mûrissement en bouteilles.
Récolte moyenne : 350 000 bouteilles.

CHAMBERTIN-CHAMBERTIN-CLOS-DE-BÈZE A.O.C. R ❤❤❤❤❤
Rouges récoltés sur Gevrey-Chambertin (Côte-d'Or) sur les parcelles portant ces noms prestigieux depuis le XIIIᵉ siècle, séparées en 1793 lors de leur vente comme Biens nationaux. Ils sont, selon la formule, « tout le grand bourgogne possible ». La superficie est de 28 ha.
Récolte moyenne : 55 000 bouteilles pour le Chambertin, 50 000 bouteilles pour le Chambertin-Clos-de-Bèze.

CHAMBOLLE-MUSIGNY A.O.C. R ❤❤❤ ❤❤❤❤
Rouges récoltés sur des parcelles de Chambolle-Musigny (Côte-d'Or). Fins et tendres, tout de « soie et dentelle », ils n'en sont pas moins virils et charpentés, comme les meilleurs de la Côte-de-Nuits. Superficie : 155 ha.
Récolte moyenne : 700 000 bouteilles.

CHAMPAGNE A.O.C. ❤❤❤ ❤❤❤❤ ❤❤❤❤❤
L'aire d'appellation couvre près de 30 000 ha répartis principalement sur la Marne, l'Aube, puis sur l'Aisne, la Seine-et-Marne et la Haute-Marne. Trois cépages sont admis : chardonnay (blanc), pinot noir et pinot meunier (rouge). Le pinot noir et le pinot meunier représentent 75% de la surface, avec une répartition égale. L'une des originalités du champagne est la recherche d'un style particulier qui résulte d'un assemblage de vins provenant de crus différents, de cépages différents selon des proportions propres à chaque maison de champagne. Le Champagne « mono-cru » est rare (Clos du Mesnil chez Krug, Clos des Goisses chez Philiponnat). La plupart des vignerons élaborateurs disposent de diverses parcelles de vigne leur permettant des assemblages, limités certes, mais souvent significatifs. Seuls les Champagnes millésimés proviennent de vins d'une même année ; ils ne peuvent être commercialisés qu'après 3 ans.
Ventes actuelles : 225 000 000 millions de bouteilles par an.

CHAPELLE-CHAMBERTIN A.O.C. R ❤❤❤❤❤
Appellation d'un lieu-dit sur la commune de Gevrey-Chambertin (Côte-d'Or). Production confidentielle d'un très grand vin de la Côte de Nuits.
Récolte moyenne : 30 000 bouteilles.

CHARLEMAGNE A.O.C. Bs 🍷🍷🍷🍷
Climat fameux sur les communes d'Aloxe-Corton et Pernand-Vergelesse (Côte-d'Or), dont les vins prennent plutôt l'A.O.C. Corton-Charlemagne.

CHARMES-CHAMBERTIN A.O.C. R 🍷🍷🍷🍷
Vin provenant du climat Charmes sur Gevrey-Chambertin (Côte-d'Or).
Récolte moyenne : 120 000 bouteilles.

CHASSAGNE-MONTRACHET A.O.C. Bs R 🍷🍷🍷 🍷🍷🍷🍷
Vins de cette commune et de Remigny (Côte-d'Or) sur 54 lieux-dits en « premiers crus » notamment.
Récolte moyenne : 800 000 bouteilles en rouge, 600 000 bouteilles en blanc, 400 000 bouteilles en premier cru.

CHÂTEAU-CHALON A.O.C. Bs 🍷🍷🍷🍷
Vin spécifique du Jura, blanc sec vieilli pendant 6 ans au moins en fût, sans ouillage, protégé par un voile naturel de levures. Il provient des communes de Château-Chalon, Ménétru, Nevy et Domblans (Jura). Commercialisé en bouteille traditionnelle, dite « clavelin », d'une contenance de 62 cl, soit les trois quarts de la pinte à la mesure de Paris qui valait 93 cl. Vin de très longue garde.
Récolte certaines années seulement d'environ 1 400 clavelins.

CHÂTEAU-GRILLET A.O.C. Bs 🍷🍷🍷🍷
Appellation exceptionnelle ne concernant que la production d'un seul domaine, soit environ 2 ha de vigne blanche, cépage viognier sur les communes de Saint-Michel-sur-Rhône et de Vérin (Loire), sur la rive droite du Rhône. Grand vin, très recherché mais rare.
Récolte moyenne : 6 000 bouteilles.

CHÂTEAUMEILLANT A.O.V.D.Q.S. R Rs 🍷🍷
Le vin le plus typique et intéressant de l'appellation est le gris, à peine teinté, issu du gamay, des pinot noir et gris. L'aire est répartie sur les départements du Cher et de l'Indre.
Récolte moyenne en rouge et gris : 400 000 bouteilles.

CHÂTEAUNEUF-DU-PAPE A.O.C. R Bs 🍷🍷🍷 🍷🍷🍷🍷
Fleuron des Côtes du Rhône méridionales, l'aire couvre 3 000 ha sur 5 communes du Vaucluse, dont Châteauneuf-du-Pape. 13 cépages peuvent participer à l'élaboration de ce vin, rouge principalement mais aussi blanc, tous de grande qualité.
Récolte moyenne : 12 000 000 de bouteilles en rouge, 450 000 bouteilles en blanc.

CHÂTILLON-EN-DIOIS A.O.C. R Rs Bs 🍷🍷
Vins rouges issus du gamay et d'un peu de pinot noir et de syrah, vins blancs issus de l'aligoté et du chardonnay, récoltés dans l'arrondissement de Die dans la vallée de la Drôme. À boire jeunes et frais.
Récolte moyenne : 2 000 000 de bouteilles en rouge, 800 000 bouteilles en blanc.

CHENAS A.O.C. R 🍷🍷🍷
L'un des 10 crus du Beaujolais, situé à cheval sur les départements de la Saône-et-Loire et du Rhône, voisin du Moulin-à-Vent. Vin solide et bien charpenté.
Récolte moyenne : 1 600 000 bouteilles.

CHEVALIER-MONTRACHET A.O.C. Bs 🍷🍷🍷🍷
2 lieux-dits, Chevalier-Montrachet et Cailleret, pour une seule appellation réputée sur une superficie de 7 ha.
Récolte moyenne : 40 000 bouteilles.

CHEVERNY A.O.C. R Rs Bs 🍷🍷
Récoltés sur 24 communes dont Cheverny (Loir-et-Cher), les rouges et les rosés sont issus principalement du gamay complété de pinot et éventuellement des cépages régionaux, cabernet, côt et pinot d'Aunis. Les blancs sont issus du sauvignon ; éventuellement du chenin et du chardonnay.
Récolte moyenne : 750 000 bouteilles en rouge et rosé, 760 000 bouteilles en blanc.

CHINON ou CHINON-VAL-DE-LOIRE A.O.C. R Rs Bs 🍷🍷🍷
Récoltés sur 19 communes dont Chinon (Indre-et-Loire) réparties sur les rives de la Vienne, les vins diffèrent selon la nature des sols, graviers, sables ou argiles calcaires sur le plateau. Vantés par Rabelais, enfant du pays, les vins n'ont cessé de jouir d'une légitime réputation d'excellence.
Récolte moyenne : 10 000 000 de bouteilles en rouge et rosé, 40 000 bouteilles en blanc.

CHIROUBLES A.O.C. R 🍷🍷🍷
L'un des 10 crus du Beaujolais. Vin rouge clair, au bouquet floral.
Récolte moyenne : environ 2 500 000 bouteilles.

CHOREY-LÈS-BEAUNE A.O.C. R Bs 🍷🍷🍷
Les vins rouges de cette commune de la Côte-d'Or sont généralement déclarés en Côte-de-Beaune-Villages.
Récolte moyenne : 600 000 bouteilles en rouge et quelques milliers de bouteilles en blanc.

CLAIRETTE DE BELLEGARDE A.O.C. Bs 🍷🍷
Vin blanc finement bouqueté, récolté sur Bellegarde (Gard).
Récolte moyenne : 250 000 bouteilles.

CLAIRETTE DE DIE A.O.C. Bs Bm 🍷🍷 🍷🍷🍷
Vin blanc provenant de 32 communes de l'arrondissement de Die (Drôme). Malgré le
nom, le cépage clairette ne peut représenter que moins de 25% contre un minimum de
75% de muscat à petits grains. Le vin est rendu mousseux par la méthode dite
ancestrale, à partir d'un moût partiellement fermenté, la fermentation se poursuivant
en bouteilles.
Récolte moyenne : 65 000 000 de bouteilles.

CLAIRETTE DU LANGUEDOC A.O.C. Bs Bm 🍷🍷🍷
Vin blanc issu du seul cépage clairette récolté sur 11 communes de l'Hérault, au nord-
est de Béziers. On distingue deux types de vins : l'un titrant au moins 12° d'alcool
acquis, l'autre 17° d'alcool acquis et de 9 à 40 grammes de sucre résiduel par litre,
l'alcool acquis résultant de l'adjonction d'alcool neutre à 90°, de 5 à 8% maximum
dans le moût en cours de fermentation.
Récolte moyenne : 1 000 000 de bouteilles.

CLOS-DE-LA-ROCHE A.O.C. R 🍷🍷🍷🍷🍷
Très grand vin récolté sur un peu moins de 17 ha situés sur Morey-Saint-Denis (Côte-
d'Or).
Récolte moyenne : 60 000 bouteilles.

CLOS-DE-TART A.O.C. R 🍷🍷🍷🍷🍷
Grand vin rouge récolté sur 7,5 ha, sur la commune de Morey-Saint-Denis (Côte-
d'Or).
Récolte moyenne : 25 000 bouteilles.

CLOS DE VOUGEOT A.O.C. R 🍷🍷🍷🍷 🍷🍷🍷🍷🍷
La superficie, égale depuis le XIᵉ siècle, est de 50 ha et est partagée en quelque 50
propriétaires. Selon la situation des parcelles, en haut ou en bas du clos, les vins, tous de
qualité, ne sont pas égaux en perfection.
Récolte moyenne : 200 000 bouteilles.

CLOS-DES-LAMBRAYS A.O.C. R 🍷🍷🍷🍷🍷
Toujours sur Morey-Saint-Denis, le clos couvre presque 9 ha, donnant un très grand
vin.
Récolte moyenne : 30 000 bouteilles.

CLOS-SAINT-DENIS A.O.C.   R 🍷🍷🍷🍷🍷
Clos fameux qui donna son nom à Morey-Saint-Denis (Côte-d'Or). Il couvre 6 ha.
Récolte moyenne : 25 000 bouteilles.

COGNAC A.O.C.
Les appellations Cognac, Eau-de-Vie de Cognac, Eau-de-Vie des Charentes sont
réservées aux eaux-de-vie provenant de la distillation de vins récoltés sur l'aire de
production délimitée par un décret de 1909.
L'appellation Cognac peut couvrir l'ensemble de la production mais, à l'intérieur de
l'aire générale, on distingue 7 crus qui sont autant d'appellations : Grande Champagne,
Petite Champagne (l'assemblage par moitié de ces deux appellations prend celle de Fine
Champagne), Borderies, Fins Bois, Bons Bois, Bois Ordinaires et Bois à Terroir.
L'ensemble couvre plus de 100 000 ha. L'assemblage d'eaux-de-vie d'âge et de crus
différents donne des qualités allant de la plus courante (3 étoiles) au V.S.O.P. (Very
Superior Old Pale), Vieille Réserve, Napoléon, etc. Ces qualités sont sous la
responsabilité des marques.

COLLIOURE A.O.C. R Rs 🍷🍷🍷 🍷🍷🍷🍷
Vins principalement rouges et rosés, corsés, capiteux, riches d'un bouquet puissant,
issus surtout du grenache. L'aire comprend les 4 ports dont Collioure et Banyuls
(Pyrénées-Orientales).
Récolte moyenne : 450 000 bouteilles.

CONDRIEU A.O.C. Bs 🍷🍷🍷🍷
L'aire limitée à quelque 200 ha n'en est pas moins répartie sur les 3 départements du
Rhône, de la Loire et de l'Ardèche. Vin rare donc, d'uen grande finesse, issu du cépage
viognier.
Récolte moyenne : 50 000 bouteilles.

CORBIERES A.O.C. R Rs Bs 🍷🍷 🍷🍷🍷
L'aire est répartie sur 87 communes de l'Aude. Les producteurs s'efforcent
d'harmoniser et homogénéiser l'encépagement. Vins assez puissants, bouquetés et
charnus.
Récolte moyenne : 80 000 000 de bouteilles en rouge et rosé, 2 500 000 bouteilles en
blanc.

CORNAS A.O.C. R 🍷🍷🍷
Sur la rive droite du Rhône, Cornas (Ardèche) offre un vin de pure syrah, puissant,
généreux et de grande garde.
Récolte moyenne : 125 000 bouteilles.

CORTON A.O.C. R Bs 🍷🍷🍷 🍷🍷🍷🍷

Principalement sur le territoire d'Aloxe-Corton (Côte-d'Or), l'appellation concerne principalement du vin rouge de haute réputation. Elle marque le début de la Côte de Beaune.
Récolte moyenne : 300 000 bouteilles en rouge, 4 000 bouteilles en blanc.

CORTON-CHARLEMAGNE A.O.C. Bs 🍷🍷🍷🍷

Blanc uniquement, l'aire se situe sur celle de Corton. Grand vin riche, très fin.
Récolte moyenne : 150 000 bouteilles.

COSTIÈRES-DE-NIMES A.O.C. R Rs et Bs 🍷🍷 🍷🍷🍷

24 communes de l'arrondissement de Nîmes (Gard) sont concernées. Cette zone est constituée de petits plateaux et de collines riches en cailloux roulés semblables à ceux des Côtes du Rhône. Encépagement méditerranéen. Vins harmonieux, assez corsés pour les rouges, frais en bouche pour les blancs aux arômes floraux.
Récolte moyenne : 25 000 000 de bouteilles en rouge, 1 000 000 de bouteilles en blanc.

CÔTE-DE-BEAUNE A.O.C. R Bs 🍷🍷🍷

Vins récoltés sur la seule commune de Beaune (Côte-d'Or) sur près de 550 ha. Vins de qualité, semblables à ceux d'A.O.C. Beaune.
Récolte moyenne : 400 000 bouteilles en rouge, 45 000 bouteilles en blanc.

CÔTE-DE-BEAUNE-VILLAGES A.O.C. R 🍷🍷🍷

Vins rouges seulement, provenant d'une ou de plusieurs des 17 communes désignées de la Côte de Beaune. Vins de bonne qualité.
Récolte moyenne : 1 000 000 de bouteilles.

CÔTE-DE-BROUILLY A.O.C. R 🍷🍷🍷

L'un des 10 crus du Beaujolais, sur la colline de Brouilly (Rhône). Vin particulièrement réputé, récolté sur 200 ha.
Récolte moyenne : 1 500 000 bouteilles.

CÔTE-DE-NUITS-VILLAGES A.O.C. B R 🍷🍷🍷

Rouges et blancs provenant des communes de Brochon, Comblanchien, Corgoloin, Fixin et Prissey (Côte-d'Or).
Récolte : 700 000 bouteilles en rouge, 500 000 bouteilles en blanc.

CÔTE-ROANNAISE A.O.C. R Rs 👅👅
24 communes autour de Renaison (Loire) près de Roanne produisent un vin friand léger, issu du gamay.
Récolte moyenne : 550 000 bouteilles.

CÔTE-ROTIE A.O.C. R 👅👅👅👅
Au sud du département du Rhône et dominant le fleuve, 3 communes produisent ce vin magnifique.
Récolte moyenne : 400 000 bouteilles.

COTEAUX CHAMPENOIS A.O.C. R Rs Bs 👅👅 👅👅👅
Vins tranquilles (non mousseux) récoltés sur l'aire d'A.O.C. Champagne. Les récoltes sont très inégales en importance selon les années et les lois du marché.
Récolte moyenne : 130 000 bouteilles.

COTEAUX-D'AIX-EN-PROVENCE
et COTEAUX-D'AIX-EN-PROVENCE-LES-BAUX A.O.C. R Rs Bs 👅👅 👅👅👅
Vins récoltés sur 49 communes des Bouches-du-Rhône et 2 du Var. Vins souples, légers, fruités à boire jeunes ou après quelques années selon les cépages et la vinification.
Récolte moyenne : 15 000 000 de bouteilles en rouge et rosé, 850 000 bouteilles en blanc.

COTEAUX-D'ANCENIS A.O.V.D.Q.S. R Rs Bs 👅👅
L'appellation doit être suivie du nom du cépage dont le vin est issu (pineau de Loire, malvoisie, chenin blanc, pinot, gamay et cabernet). L'aire s'étend sur 16 communes de l'arrondissement d'Ancenis (Loire-Atlantique) et sur 11 du Maine-et-Loire.
Récolte moyenne : 2 500 000 bouteilles en rouge et rosé, 12 000 bouteilles en blanc.

COTEAUX-DE-L'AUBANCE A.O.C. Bm 👅👅👅
Petit affluent de la Loire ; les coteaux donnent un vin moelleux réputé.
Récolte moyenne : 250 000 bouteilles.

COTEAUX-DE-DIE A.O.C. Bs 👅👅
Blancs secs produits sur l'aire d'appellation Clairette de Die. Issus du seul cépage clairette, le vin est sec et original.

COTEAUX-DE-PIERREVERT A.O.V.D.Q.S. R Rs Bs 👅 👅👅
Aire sur l'arrondissement de Manosque (Alpes-de-Hautes-Provence) couvrant 42 communes. Vins simples et agréables, les rosés dominent.
Récolte moyenne : 1 600 000 bouteilles en rouge et rosé, 100 000 bouteilles en blanc.

COTEAUX-DE-SAUMUR A.O.C. Bm 🍷🍷🍷
Vin fin, issu du seul chenin.
Récolte moyenne : 50 000 bouteilles.

COTEAUX-DU-GIENNOIS A.O.V.D.Q.S. R Rs Bs 🍷
Sur les départements du Loiret et de la Nièvre, le long de la Loire de part et d'autre de Gien, le vignoble donne des vins rouges, rosés et blancs, légers et frais, de diffusion régionale.
Récolte moyenne : 500 000 bouteilles en rouge et rosé, 40 000 bouteilles en blanc.

COTEAUX-DU-LANGUEDOC A.O.C. R Rs 🍷🍷 🍷🍷🍷
L'appellation sans autre indication complémentaire ne concerne que les vins rouges et rosés, provenant de l'ensemble de l'aire délimitée sur une centaine de communes de l'Hérault, quelques unes du Gard et de l'Aude. Les vins blancs provenant de La Clape, de Pinet et autres délimitations, doivent mentionner leur commune d'origine ou l'appellation spécifique complémentaire (ex. Coteaux-du-Languedoc-Picpoul-de-Pinet). Toutes les autres conditions de production, encépagement, richesse alcoolique, etc., sont définies dans le décret les concernant.
Récolte moyenne : 40 000 000 de bouteilles en rouge et rosé, 3 000 000 de bouteilles en blanc.

COTEAUX-DU-LAYON A.O.C. Bm 🍷🍷🍷
Blanc issu du seul cépage pineau de Loire ou chenin blanc, provenant des coteaux du Layon, petit affluent de la Loire (Maine-et-Loire), sur la rive gauche du fleuve. Vins moelleux, liquoreux certaines années, au bouquet puissant et fin à la fois.
Récolte : 5 000 000 de bouteilles.

COTEAUX-DU-LOIR A.O.C. R Rs Bs 🍷🍷
Sur les bords du Loir dans les départements de la Sarthe et de l'Indre-et-Loire, le vignoble donne des vins semblables à ceux d'Anjou, sauf ceux d'A.O.C. Jasnières qui sont très secs.
Récolte moyenne : 100 000 bouteilles en rouge et rosé, 40 000 bouteilles en blanc.

COTEAUX-DU-LYONNAIS A.O.C. R Rs Bs 🍷🍷
Récoltés sur 49 communes des environs de Lyon, soit sur 400 ha. Les rouges sont issus du gamay, les blancs du chardonnay et aligoté.
Récolte moyenne : 1 300 000 bouteilles en rouge et rosé, 40 000 bouteilles en blanc.

COTEAUX-DU-TRICASTIN A.O.C. R Rs Bs 🍷🍷 🍷🍷🍷
L'aire se partage entre les départements de la Drôme et du Vaucluse, le centre étant Saint-Paul-Trois-Châteaux.
Récolte moyenne : 8 000 000 de bouteilles en rouge et rosé, 12 000 bouteilles en blanc.

COTEAUX-DU-VENDÔMOIS A.O.V.D.Q.S. R Rs Bs 🍷🍷
Récoltés sur 34 communes des environs de Vendôme (Loie-et-Cher). Vins proches de ceux de Touraine.
Récolte moyenne : 500 000 bouteilles en rouge et rosé, 80 000 bouteilles en blanc.

COTEAUX-VAROIS A.O.C. R Rs 🍷🍷 🍷🍷🍷
Vignoble autour de Brignoles (Var). Vins proches de ceux des Côtes de Provence.
Récolte moyenne : 7 000 000 de bouteilles.

CÔTES-CANON-FRONSAC A.O.C.
A.O.C. disparue au profit de celle de Canon-Fronsac.

CÔTES-D'AUVERGNE V.D.Q.S. R Rs Bs 🍷 🍷🍷
Vins de terroir, rustiques, récoltés sur 37 communes de l'arrondissement de Clermont-Ferrand, sur 11 de celui de Riom et sur 5 de celui d'Issoire (Puy-de-Dôme).
Récolte moyenne : 2 000 000 de bouteilles en rouge et rosé, 4 000 bouteilles en blanc.

CÔTES-DE-BERGERAC Voir à Bergerac.

CÔTES-DE-BLAYE A.O.C. Bs Bm 🍷🍷
Vins blancs seulement, récoltés sur les cantons de 3 communes dont Blaye (Gironde), sur la rive droite de la Garonne, face au Médoc.
Récolte moyenne : 1 000 000 de bouteilles.

CÔTES-DE-BORDEAUX-SAINT-MACAIRE A.O.C. Bm 🍷🍷
Vin blanc, moelleux ou demi-sec, provenant d'une zone située au nord-est de Langon (Gironde), sur la rive droite de la Garonne.
Récolte moyenne : 60 000 bouteilles.

CÔTES-DE-BOURG A.O.C. Voir à Bourg, Bourgeais.

CÔTES-DE-CASTILLON A.O.C. R 🍷🍷🍷
Rouge seulement provenant de 9 communes autour de Castillon-la-Bataille (sur la Gironde), sur la rive droite de la Dordogne, à la limite orientale du département.
Récolte moyenne : 14 000 000 de bouteilles.

CÔTES-DE-DURAS A.O.C.   R Bs Bm 🐛🐛🐛
Rouges et blancs provenant de la région de Duras (Lot-et-Garonne). Vins assez proches des Bordeaux.
Récolte moyenne : 5 000 000 de bouteilles en rouge.

CÔTES-DE-GIEN V.D.Q.S.   Voir à Coteaux-du-Giennois.

CÔTES-DE-LA-MALEPERE V.D.Q.S.   R Rs 🐛 🐛🐛
Vins provenant de 31 communes situées près de Carcassonne (Aude), vinifiés en presque totalité par une coopérative.
Récolte moyenne : 1 400 000 bouteilles.

CÔTES-DE-MONTRAVEL A.O.C.   Bs Bm 🐛🐛
Vins blancs récoltés sur Montravel (Dordogne) à la limite du département de la Gironde.
Récolte moyenne : 500 000 bouteilles.

CÔTES-DE-PROVENCE A.O.C.   R Rs Bs 🐛🐛 🐛🐛🐛
Récoltés sur 15 communes des Bouches-du-Rhône, sur 69 du Var et sur 1 des Alpes-Maritimes, sur une superficie de 18 000 ha.
Récolte moyenne : 80 000 000 de bouteilles en rouge et rosé, 6 000 000 de bouteilles en blanc.

CÔTES-DE-SAINT-MONT A.O.V.D.Q.S.   R Rs Bs 🐛🐛 🐛🐛🐛
Vins produits dans le Sud-Ouest du Gers et pour une toute petite partie à l'est des Landes, vinifiés en majeure partie par la coopérative de Saint-Mont.
Récolte moyenne : 2 500 000 bouteilles en rouge et rosé, 300 000 bouteilles en blanc.

CÔTES-DE-TOUL A.O.V.D.Q.S.   R Rs Bs 🐛 🐛🐛
Blanc, rouge et surtout gris, provenant de 9 communes près de Toul (Meurthe-et-Moselle).
Récolte moyenne : 500 000 bouteilles en rouge et gris, 12 000 bouteilles en blanc.

CÔTES-DU-BRULHOIS A.O.V.D.Q.S.   R Rs 🐛 🐛🐛
Entre Agenais et Gascogne, dans le Gers, le Lot-et-Garonne et le Tarn-et-Garonne.
Récolte moyenne : 700 000 bouteilles.

CÔTES-DU-CABARDÈS-ET-DE-L'ORBIEL
ou CABARDÈS A.O.V.D.Q.S.   R Rs 🐛🐛
L'aire concerne 14 communes au nord et nord-ouest de Carcassonne (Aude).

Récolte moyenne : 1 500 000 bouteilles.

CÔTES-DU-FOREZ A.O.V.D.Q.S. R Rs 🍷 🍷🍷

Vins issus de gamay, sur les coteaux de la rive gauche de la Loire, sur 21 communes, entre Lyon et Clermont-Ferrand (Loire).
Récolte moyenne : 500 000 bouteilles.

CÔTES-DU-FRONTONNAIS A.O.C.

pouvant être suivie du nom de FRONTON ou de VILLAUDRIC R Rs 🍷🍷 🍷🍷🍷
Dans les départements de la Haute-Garonne, du Tarn et de la Garonne, vins issus des cépages du Sud-Ouest dominés par la négrette, spécifique à la région.
Récolte : 9 000 000 de bouteilles.

CÔTES-DU-JURA A.O.C. R Rs Bs 🍷🍷🍷

Sur la bordure occidentale des monts Jura (Revermont), ce très ancien vignoble aux cépages principaux particuliers donne des vins originaux, dont le vin jaune et le vin de paille, rares il est vrai.
Récolte moyenne : 1 500 000 bouteilles de blanc et 300 000 bouteilles de rouge et rosé.

CÔTES DU LUBERON A.O.C. R Rs Bs 🍷🍷 🍷🍷🍷

36 communes sur la chaîne du Lubéron, dans le Vaucluse, se partagent l'aire d'A.O.C. dont 90% est traitée par la coopération.
Récolte moyenne : 16 000 000 de bouteilles dont 20% en blanc.

CÔTES-DU-MARMANDAIS A.O.C. R Rs Bs 🍷🍷 🍷🍷🍷

Sur les deux rives de la Garonne, dans l'arrondissement de Marmande (Lot-et-Garonne), l'aire s'étend sur 27 communes. En majorité sur la rive droite autour de Beaupuy, et en petite partie sur la rive gauche autour de Cocumont, dont les coopératives assurent 90% de la production.
Récolte moyenne : 6 000 000 de bouteilles dont 20% en blanc.

CÔTES-DU-RHONE A.O.C. R Rs Bs 🍷🍷 🍷🍷🍷

L'appellation concerne toute la vallée du Rhône qui par ailleurs comprend une quinzaine d'appellations communales ou de crus. Par ordre décroissant d'importance en volume, l'A.O.C. Côtes-du-Rhône se rencontre sur les départements suivants : Vaucluse, Gard, Drôme, Ardèche, Loire et Rhône. Récolte moyenne : 250 000 000 de bouteilles en rouge et rosé, 4 000 000 de bouteilles en blanc.

CÔTES-DU-RHÔNE-VILLAGES A.O.C. R Rs Bs 🍷🍷🍷

Certains vins répondant à des critères de production plus sévères et croissant sur des terroirs reconnus, prennent l'appellation Côtes-du-Rhône-Villages. Il s'agit de 48 communes de la Drôme, du Vaucluse et du Gard.
Récolte moyenne : 12 000 000 de bouteilles en rouge et rosé, 400 000 bouteilles en blanc.

CÔTES-DU-ROUSSILLON A.O.C. R Rs Bs 🍷🍷

L'aire est située sur 117 communes du département des Pyrénées-Orientales. Selon la vinification, les vins sont à boire jeunes ou après mûrissement en fût.
Récolte moyenne : 25 000 000 de bouteilles en rouge et rosé, 1 400 000 bouteilles en blanc.

CÔTES-DU-ROUSSILLON-VILLAGES A.O.C. R 🍷🍷🍷

L'appellation ne concerne que 25 communes de la vallée de l'Agly. Le terroir et les conditions de production plus sévères en font des vins de caractère plus harmonieux.
Récolte moyenne : 12 000 000 de bouteilles.

CÔTES-DU-ROUSSILLON-VILLAGES-CARAMANY et CÔTES-DU-ROUSSILLON-VILLAGE-LATOUR-DE-FRANCE A.O.C. R 🍷🍷🍷

D'ancienne renommée, ces deux terroirs présentent des vins d'un niveau de qualité remarquable.

CÔTES-DU-VENTOUX A.O.C. R Rs Bs 🍷🍷

Au pied du mont Ventoux, 52 communes dispensent des vins frais, fruités, nerveux.
Récolte moyenne : 30 000 000 de bouteilles en rouge et rosé, 250 000 bouteilles en blanc.

CÔTES-DU-VIVARAIS A.O.V.D.Q.S. R Rs Bs 🍷

Vins proches dans tous les sens du terme des côtes-du-Rhône, récoltés sur 12 communes de l'Ardèche et 2 du Gard.
Récolte moyenne : 4 000 000 de bouteilles en rouge et rosé, 200 000 bouteilles en blanc.

COUR-CHEVERNY A.O.C. Bs 🍷🍷

Vin produit sur 11 communes dont Cour-Cheverny (Loir-et-Cher), issu du seul cépage romorantin, assez proche du chardonnay. Vin peu alcoolique et assez fin.

CRÉMANT DE BORDEAUX A.O.C. B Rs 🍷🍷

Mousseux obtenu par la méthode classique (deuxième fermentation en bouteille) à partir de vins de base issus des cépages régionaux.

Production moyenne : 150 000 bouteilles.

CRÉMANT DE BOURGOGNE A.O.C.   B Rs 🍷🍷 🍷🍷🍷
Mousseux obtenu par la méthode classique, à partir de vins de base issus des cépages régionaux, sur l'ensemble de l'aire d'appellation.
Production moyenne : 4 000 000 de bouteilles.

CRÉMANT DE DIE A.O.C. Bs 🍷🍷
Mousseux obtenu par la méthode classique, à partir de vins de base issus du seul cépage clairette blanche, sur l'aire délimitée d'A.O.C. Clairette de Die.

CRÉMANT DE LIMOUX A.O.C. Bs 🍷🍷
Mousseux obtenu par la méthode classique, à partir de vins de base isssus des seuls cépages mauzac, chenin et chardonnay, sur l'aire de production définie pour la Blanquette de Limoux.

CRÉMANT DE LOIRE A.O.C. B Rs 🍷🍷
Mousseux issus de vins de base récoltés sur les aires d'appellations Anjou, Saumur et Touraine, élaborés par la méthode classique. Les cépages sont régionaux.
Récolte moyenne : 1 250 000 bouteilles.

CREPY A.O.C. Bs 🍷🍷
Vin provenant de 3 communes de Haute-Savoie, dont Douvaine, issu du cépage chasselas.
Récolte moyenne : 400 000 bouteilles.

CRIOTS-BÂTARD-MONTRACHET A.O.C. Bs 🍷🍷🍷🍷
Fameux grand cru sur la commune de Chassagne-Montrachet (Côte-d'Or) d'une superficie de 2 ha.
Récolte moyenne : 12 000 bouteilles.

CROZES-HERMITAGE A.O.C. R Bs 🍷🍷 🍷🍷🍷
Vins issus du cépage syrah pour les rouges et des cépages roussanne et marsanne pour les blancs, récoltés sur 11 communes autour de Tain-l'Hermitage (Drôme).
Récolte moyenne : 5 000 000 de bouteilles en rouge, 400 000 bouteilles en blanc.

ÉCHEZEAUX A.O.C. R 🍷🍷🍷🍷
Bien que sur la commune de Flagey-Échezeaux, le cru est géologiquement rattaché sur Romanée ou Richebourg. Les vins sont souvent commercialisés sous l'appellation Vosne-Romanée Premier Cru, plus universellement connue.
Récolte moyenne : 150 000 bouteilles.

EDELZWICKER B 🦌🦌
Cette mention sur une bouteille de vin d'Alsace A.O.C. indique qu'il s'agit d'un mélange de vins issus de cépages nobles. C'est le vin servi en flûte d'un litre ou en carafe dans les winstubs, ces bistrots à vins typiques de l'Alsace.

ENTRE-DEUX-MERS A.O.C. Bs 🦌🦌
Vin blanc sec provenant de l'aire délimitée située entre la Garonne et la Dordogne (Gironde) sur environ 3 500 ha.
Récolte moyenne : 12 000 000 de bouteilles.

ENTRE-DEUX-MERS-HAUT-BÉNAUGE A.O.C. Bs 🦌🦌
Vins de l'Entre-Deux-Mers récoltés sur le secteur du Haut-Bénauge, au nord des aires d'appellations Loupiac, Cadillac, etc.
Récolte moyenne : 1 200 000 bouteilles.

ÉTOILE (L') A.O.C. Voir à L'ÉTOILE.

FAUGÈRES A.O.C. R Rs 🦌🦌 🦌🦌🦌
Vins issus des cépages méridionaux, récoltés sur 7 communes dont Faugères (Hérault).
Récolte moyenne : 6 000 000 de bouteilles.

FIEFS VENDÉENS A.O.V.D.Q.S. R Rs Bs 🦌🦌
Vins récoltés sur 19 communes de la Vendée. Ceux de Vix et Pissotte sont assez renommés.
Récolte moyenne : 2 000 000 de bouteilles en rouge et rosé, 600 000 bouteilles en blanc.

FINE-BORDEAUX Appellation Réglementée
Eau-de-vie de vin d'A.O.C. Bordeaux issue des cépages ugni, colombard, merlot blanc, mauzac et ondenc.

FINE CHAMPAGNE A.O.C.
Eau-de-vie de Cognac issue de l'assemblage par moitié d'eaux-de-vie de Grande Champagne et de Petite Champagne.

FINS BOIS A.O.C.
Eau-de-vie provenant de l'aire d'appellation cognacaise sur les départements de Charente et de Charente-Maritime, débordant sur celui de la Gironde.

FITOU A.O.C. R 🐛🐛🐛

Rouge capiteux récolté d'une part près de Leucate, sur le bord de la mer, et d'autre part dans les Corbières. Les deux secteurs ont une seule appellation.
Récolte moyenne : 8 000 000 de bouteilles.

FIXIN A.O.C. R Bs 🐛🐛🐛

Vins rouges principalement, souvent déclarés en Côte-de-Nuits-Villages asemblés à d'autres. Quelques premiers crus.
Récolte moyenne : 400 000 bouteilles en rouge, 2 000 bouteilles en blanc.

FLEURIE A.O.C. R 🐛🐛🐛

L'un des 10 crus du Beaujolais, sur la commune de Fleurie (Rhône), sur une superficie de 710 ha.
Récolte moyenne : 5 500 000 bouteilles.

FLOC DE GASCOGNE A.O.C. B Rs

Vins de liqueur mutés à l'armagnac, titrant au moins 16% d'alcool (équivalent au Pineau des Charentes).

FRONSAC A.O.C. R 🐛🐛🐛

Vins fermes, charpentés, devenant souples avec l'âge, récoltés sur 6 communes dont Fronsac (Gironde), sur la rive droite de la Dordogne.
Récolte moyenne : 5 000 000 de bouteilles.

FRONTIGNAN A.O.C. V.D.N. 🐛🐛🐛

Vin doux naturel et vin de liqueur, provenant du cépage muscat doré de Frontignan, récolté sur Frontignan et Vic-la-Gardiole (Hérault). Le vin est présenté en bouteille traditionnelle à cannelures torsadées en relief.
Récolte moyenne : 2 400 000 bouteilles.

GAILLAC A.O.C. R Rs Bs Bm 🐛🐛 🐛🐛🐛

Vins récoltés sur 14 cantons du Tarn, dans les arrondissements de Castres et d'Albi.
Récolte moyenne : 6 000 000 de bouteilles en rouge et rosé, 4 000 000 de bouteilles en blanc.

GAILLAC PREMIERES CÔTES A.O.C. Bm 🐛🐛

Vins récoltés sur les coteaux de la rive droite du Tarn, sur 11 communes autour de Gaillac.

GAILLAC MOUSSEUX A.O.C. Bm Rs 🍷🍷

Vin mousseux obtenu selon la méthode rurale, le vin étant mis en bouteille un peu avant la fin de la fermentation, se poursuivant ainsi dans la bouteille.

GEVREY-CHAMBERTIN A.O.C. R 🍷🍷🍷

Vin rouge récolté sur Gevrey-Chambertin et Brochon (Côte-d'Or) sur une aire de 446 ha. Récolte moyenne : 1 650 000 bouteilles.

GIGONDAS A.O.C. R Rs 🍷🍷🍷

Vins rouges et rosés seulement récoltés à Gigondas (Vaucluse), issus principalement du grenache et des cépages régionaux sauf le carignan. Récolte moyenne : 4 000 000 de bouteilles.

GIVRY A.O.C. R Bs 🍷🍷🍷

Vins récoltés sur Givry (Saône-et-Loire), assez proches de ceux de la Côte de Beaune. Récolte moyenne : 800 000 bouteilles en rouge, 90 000 bouteilles en blanc.

GRAND-ROUSSILLON V.D.N. A.O.C. 🍷🍷

Appellation concernant des assemblages de vins doux naturels roussillonnais : Rivesaltes, Maury, etc. Production faible.

GRANDE CHAMPAGNE A.O.C.

Cru de Cognac, du plus haut niveau de réputation, situé en Charente sur environ 13000 ha. Appelé également Grande Fine Champagne.

GRANDE-RUE (La) A.O.C. R 🍷🍷🍷🍷

Grand cru, situé à Vosne-Romanée (Côte-d'Or) entre La Tâche et La Romanée, sur une superficie de 1,8 ha. Récolte moyenne : 6 000 bouteilles.

GRANDS-ÉCHÉZEAUX A.O.C. R 🍷🍷🍷🍷

Lieu-dit fameux de 9 ha, sur la commune de Flagey-Échézeaux (Côte-d'Or). Vins souvent commercialisés sous l'A.O.C. Vosne-Romanée Premier Cru. Récolte moyenne : 30 000 bouteilles.

GRAVES A.O.C. R Bs 🍷🍷🍷 🍷🍷🍷🍷

Séparée du Médoc par la rivière Jalle de Blanquefort, l'aire des Graves descend jusqu'à Langon, sur la rive gauche de la Garonne, entourant le Sauternais. La diversité des sites et des sols a valu la séparation d'un secteur de qualité dont les vins portent l'A.O.C. Pessac-Léognan. Récolte moyenne : 7 000 000 de bouteilles en rouge, 5 000 000 de bouteilles en blanc.

GRAVES SUPÉRIEURES A.O.C. Bm ♥♥♥
Appellation ne concernant que les vins blancs moelleux.
Récolte moyenne : 2 000 000 de bouteilles.

GRAVES DE VAYRES A.O.C. R Bs ♥♥♥
Enclave de 700 ha dans la région de l'Entre-Deux-Mers, sur la rive gauche de la Dordogne, sur 2 communes dont Vayres (Gironde). Vins rouges proches des Saint-Émilion.
Récolte moyenne : 1 600 000 bouteilles en rouge, 1 000 000 de bouteilles en blanc.

GRIOTTES-CHAMBERTIN A.O.C. R ♥♥♥♥♥
Cru fameux de 2,7 ha sur Gevrey-Chambertin (Côte-d'Or).
Récolte moyenne : 6 500 bouteilles.

GROS-PLANT DU PAYS NANTAIS A.O.V.D.Q.S. Bs ♥♥
Vin blanc sec, issu du vignoble situé principalement autour du lac de Grand-Lieu, mais également sur l'arrondissement de Nantes, Ancenis, Saint-Nazaire jusqu'en Maine-et-Loire et en Vendée.
Récolte moyenne : 28 000 000 de bouteilles.

HAUT-ARMAGNAC A.O.C.
L'une des 3 régions de production de l'armagnac et paradoxalement la moins élevée dans la hiérarchie. Ses eaux-de-vie sont généralement assemblées avec celles des autres secteurs sous l'appellation unique d'Armagnac.

HAUT-MÉDOC A.O.C. R ♥♥♥ ♥♥♥♥
Partie en amont de l'aire médocaine, limitée au sud par la Jalle de Blanquefort et au nord par Saint-Seurin-de-Cadourne. L'aire concerne 29 communes, en dehors des célèbres appellations communales de Margaux à Saint-Estèphe.
Récolte moyenne : 20 000 000 de bouteilles.

HAUT-MONTRAVEL A.O.C. Bm ♥♥
L'aire concerne 5 communes de la Dordogne, à la limite du département de la Gironde. Vins moelleux assez semblables à ceux des Côtes-de-Montravel.
Récolte moyenne : 160 000 bouteilles.

HAUTES-CÔTES-DE-BEAUNE et HAUTES-CÔTES-DE-NUITS   Voir à
Bourgogne-Hautes-Côtes-de-Beaune et Bourgogne-Hautes-Côtes-de-Nuits.

HERMITAGE A.O.C. (ou Ermitage) R Bs 🍷🍷🍷🍷 🍷🍷🍷🍷🍷
Avec ou sans H, l'aire concerne des parcelles des communes de Tain-l'Hermitage et de
Crozes-Hermitage. Vins rouges issus du syrah, blancs de la roussanne et de la marsanne.
La superficie est d'environ 125 ha.
Récolte moyenne : 460 000 bouteilles en rouge, 100 000 bouteilles en blanc.

IRANCY Voir à Bourgogne-Irancy.
Irancy pourrait devenir appellation communale courant 1995.

IROULEGUY A.O.C. Bs R Rs 🍷🍷
Vins des Pyrénées-Atlantiques, vins de montagne, rosés en grande majorité, frais et
fruités.
Récolte moyenne : 300 000 bouteilles.

JASNIÈRES A.O.C. Bs 🍷🍷🍷
Vin très sec, issu du chenin, récolté sur les communes de Lhomme et Ruillé-sur-Loir
(Sarthe).
Récolte moyenne : 100 000 bouteilles.

JULIENAS A.O.C. R 🍷🍷🍷
Cru du Beaujolais, sur 500 ha.
Récolte moyenne : 4 000 000 de bouteilles.

JURANÇON A.O.C. Bm 🍷🍷🍷
Blanc moelleux et parfois liquoreux, issu de vendanges plus ou moins tardives, près de
Pau (Pyrénées-Atlantiques).

JURANÇON SEC A.O.C. Bs 🍷🍷
L'aire d'appellation se confond avec celle du Jurançon (moelleux). La production totale
sec et moelleux est d'environ 3 000 000 de bouteilles.

KLEVNER DE HEILIGENSTEIN Voir à Alsace.

LADOIX A.O.C. R Bs 🍷🍷🍷
Vins récoltés sur la commune de Ladoix-Serrigny (Côte-d'Or) qui marque le début de
la Côte de Beaune.
Récolte moyenne : 300 000 bouteilles en rouge, 16 000 bouteilles en blanc.

LALANDE-DE-POMEROL A.O.C. R 🍷🍷🍷
Rouges récoltés sur les communes de Lalande-de-Pomerol et de Néac (Gironde).
282   Récolte moyenne : 5 000 000 de bouteilles.

LA TÂCHE   Voir à Tâche (La).

LATRICIÈRES-CHAMBERTIN A.O.C. R 🍷🍷🍷🍷🍷
Sur la commune de Gevrey-Chambertin (Côte-d'Or), l'aire couvre 7 ha.
Récolte moyenne : 32 000 bouteilles.

LAVILLEDIEU   Voir à Vins de Lavilledieu A.O.V.D.Q.S.

L'ÉTOILE A.O.C. Bs Bm 🍷🍷🍷
Vins blancs, jaunes, de paille et mousseux provenant des communes de L'Étoile, de
Plainoiseau, de Quintigny et de Saint-Didier (Jura) issus des cépages locaux.
Récolte moyenne : 360 000 bouteilles.

LIMOUX A.O.C. Bs 🍷🍷
Vins blancs tranquilles, issus du mauzac, sur l'aire d'A.O.C. Blanquette de Limoux
(voir ce nom).
Récolte moyenne : 8 000 bouteilles.

LIRAC A.O.C. R Rs Bs 🍷🍷🍷
Vins provenant de la commune de Lirac (Gard) et de quelques autres voisines. Les vins
appartiennent à la famille des Côtes-du-Rhône.
Récolte moyenne : 2 000 000 de bouteilles en rouge et rosé, 70 000 bouteilles en blanc.

LISTRAC-MÉDOC A.O.C. R 🍷🍷🍷
Listrac, situé dans le Haut-Médoc, dont le vignoble couvre quelque 500 ha, n'a pas eu
de château classé en 1855, mais certains jouissent d'une grande réputation de qualité.
Récolte moyenne : 3 000 000 de bouteilles.

LOUPIAC A.O.C. Bm 🍷🍷🍷
Loupiac (Gironde), sur la rive droite de la Garonne, donne des vins blancs moelleux ou
liquoreux certaines années. Une partie est toutefois vinifiée en sec, sous l'appellation
Bordeeaux.
Récolte moyenne : 1 000 000 de bouteilles.

LUSSAC-SAINT-ÉMILION A.O.C. R 🍷🍷🍷
Produits sur la commune de Lussac (Gironde), les vins s'apparentent à ceux de Saint-
Émilion.
Récolte moyenne : 6 500 000 de bouteilles.

MÂCON ou PINOT-CHARDONNAY-MÂCON A.O.C. Bs 🍷🍷

Vins pouvant être récoltés sur l'ensemble de l'aire d'A.O.C. Mâcon, issus des cépages chardonnay et pinot blanc.
Récolte moyenne : 700 000 bouteilles.

MÂCON BLANC SUPÉRIEUR A.O.C. Bs 🍷🍷

Même type de vin, sauf pour le degré d'alcool qui doit être au moins de 11°.
Récolte moyenne : 1 600 000 bouteilles.

MÂCON-VILLAGES ou MÂCON suivie du nom de la commune d'origine Bs 🍷🍷🍷

Vin blanc sec de bonne qualité. Le cépage chardonnay domine dans le Mâconnais (80%) et ce cépage entre parfois pour 100%.
Récolte moyenne : 15 000 000 de bouteilles, en majorité produites par la coopérative.

MÂCON (ROUGE ou ROSÉ) A.O.C. R Rs 🍷🍷

Vins issus des cépages gamay, pinot noir et gris, récoltés sur l'arrondissement de Mâcon et sur quelques communes de celui de Chalon.
Récolte moyenne : 320 000 bouteilles.

MÂCON SUPÉRIEUR ROUGE ou ROSÉ ou MÂCON suivie de la commune d'origine A.O.C. R Rs 🍷🍷

Conditions de production identiques à celles du Mâcon rouge, sauf en ce qui concerne le titre alcoométrique qui doit atteindre au moins 10°.
Récolte moyenne : 8 000 000 de bouteilles.

MADIRAN A.O.C. R 🍷🍷 🍷🍷🍷

Rouges foncés, puissants, issus principalement du tannat, récoltés sur 28 communes des Pyrénées-Atlantiques, sur 6 communes des Hautes-Pyrénées (dont Madiran), et sur 3 communes du Gers.
Récolte moyenne : 6 000 000 de bouteilles.

MARANGES A.O.C. R Bs 🍷🍷🍷

Cru éponyme et commun à trois communes, Cheilly, Sampigny et Dezize (Côte-d'Or).
Récolte moyenne : 1 200 000 bouteilles.

MARCILLAC A.O.C. R Rs 🍷🍷

11 communes autour de Marcillac (Aveyron) produisent ce vin rouge et parfois rosé, particulier du fait de son cépage principal fer-servadou.
Récolte moyenne : 600 000 bouteilles.

MARGAUX A.O.C. R 🍾🍾🍾 🍾🍾🍾🍾 🍾🍾🍾🍾🍾
Appellation communale du Médoc concernant 5 communes dont Margaux. Margaux, à elle seule, compte un premier cru (Château-Margaux), quatre seconds crus, quatre troisièmes et un quatrième au classement de 1855.
Récolte moyenne : 7 000 000 de bouteilles.

MARSANNAY et MARSANNAY ROSÉ A.O.C. R Rs Bs 🍾🍾🍾
Chenove, Marsannay et Couchey sont les trois communes les plus proches de Dijon (Côte-d'Or) dont les vins rouges prennent l'A.O.C. de Marsannay, les rosés celle de Marsannay rosé, d'ancienne réputation.
Récolte moyenne : 800 000 bouteilles en rouge et rosé, 100 000 bouteilles en blanc.

MAURY A.O.C. V.D.N. 🍾🍾🍾 🍾🍾🍾🍾
Malgré sa situation continentale, au nord des Pyrénées-Orientales, le Maury est plus proche d'un Banyuls que d'un Rivesaltes.
Récolte moyenne : 40 000 bouteilles en blanc, 5 000 000 de bouteilles en rouge.

MAZIS-CHAMBERTIN A.O.C. R 🍾🍾🍾🍾🍾
Lieu-dit fameux de Gevrey-Chambertin (Côte-d'Or), d'une superficie de 9 ha.
Récolte moyenne : 30.000 bouteilles.

MAZOYÈRES-CHAMBERTIN A.O.C. R 🍾🍾🍾🍾🍾
Appellation peu courante, les vins se confondant avec ceux de Charmes-Chambertin.

MÉDOC A.O.C. R 🍾🍾 🍾🍾🍾
Partie la plus proche de l'Océan, la superficie représente 2 300 ha donnant des vins de grande qualité.
Récolte moyenne : 25 000 000 de bouteilles.

MENETOU-SALON A.O.C. R Rs Bs 🍾🍾
Proches dans tous les sens du terme des vins du Sancerrois, Ménétou-Salon l'est aussi de Bourges (Cher).
Récolte moyenne : 350 000 bouteilles en rouge et rosé, 320 000 bouteilles en blanc.

MERCUREY A.O.C. R Bs 🍾🍾🍾
Bien qu'en Saône-et-Loire, les vins de Mercurey doivent être rattachés à la Côte de Beaune. Les rouges représentent 95% de la production. Récolte moyenne : 3 000 000 de bouteilles en rouge, 45 000 bouteilles en blanc.

MEURSAULT A.O.C. B R ❦❦❦ ❦❦❦❦

L'appellation concerne à 90% les vins blancs ; Meursault (Côte-d'Or) marquant le début du règne des grands vins blancs de Bourgogne.
Récolte moyenne : 2 000 000 de bouteilles en blanc, 90 000 bouteilles en rouge.

MINERVOIS A.O.C. R Rs Bs ❦❦ ❦❦❦

Vaste secteur sur les départements de l'Aude et de l'Hérault. Vins de coteaux évoluant bien.
Récolte moyenne : 26 000 000 de bouteilles en rouge et rosé, 300 000 bouteilles en blanc.

MONBAZILLAC A.O.C. Bm Bl ❦❦❦

Avec quelques autres communes de l'arrondissement de Bergerac (Dordogne), Monbazillac présente de remarquables vins liquoreux.
Récolte moyenne : 6 000 000 de bouteilles.

MONTAGNE-SAINT-ÉMILION A.O.C. R ❦❦❦

Montagne-Saint-Émilion (Gironde) présente des vins proches de ceux de Saint-Émilion.
Récolte moyenne : 8 000 000 de bouteilles.

MONTAGNY A.O.C. Bs ❦❦❦

Vin blanc récolté sur l'aire de Montagny et des communes voisines, dont Buxy (Saône-et-Loire).
Récolte moyenne : 750 000 bouteilles.

MONTHÉLIE A.O.C. R Bs ❦❦❦

Commune limitrophe de Meursault et de Volnay aux vins assez comparables. Récolte moyenne : 450 000 bouteilles en rouge, 12 000 bouteilles en blanc.

MONTLOUIS ou MONTLOUIS-VAL-DE-LOIRE A.O.C. Bs Bm

Située sur la rive gauche de la Loire, en face de Vouvray, l'aire de Montlouis (Indre-et-Loire) donne des vins de qualité sensiblement identique.
Récolte moyenne : 1 000 000 de bouteilles.

MONTLOUIS MOUSSEUX et MONTLOUIS PÉTILLANT A.O.C. B ❦❦

Vins effervescents, les pétillants de moindre pression sont obtenus par deuxième fermentation en bouteille.
Récolte moyenne : 500 000 bouteilles.

MONTRACHET A.O.C. Bs ❦❦❦❦❦

L'aire de 7,5 ha est répartie sur les communes de Puligny-Montrachet et de Chassagne-Montrachet (Côte-d'Or). Il s'agit du vin blanc le plus prestigieux de Bourgogne.
Récolte moyenne : 20 000 bouteilles.

MONTRAVEL A.O.C. Bs ❦❦

Les 400 ha de l'aire se faufilent entre celles des Côtes-de-Montravel et de Haut-Montravel (Dordogne). Les quelques vins rouges prennent l'appellation de Bergerac.
Récolte moyenne : 2 000 000 bouteilles.

MOREY-SAINT-DENIS A.O.C. R Bs ❦❦❦

Vins récoltés sur la commune de Morey-Saint-Denis (Côte-d'Or).
Récolte moyenne : 400 000 bouteilles en rouge, 140 000 bouteilles en blanc.

MORGON A.O.C. R ❦❦❦

L'un des 10 crus du Beaujolais, sur terrain schisteux (Rhône).
Récolte moyenne : 8 000 000 de bouteilles.

MOULIN-À-VENT A.O.C. R ❦❦❦

Le plus réputé des 10 crus du Beaujolais, vin de garde évoluant bien. 700 ha, en partie sur la Saône-et-Loire et le Rhône.
Récolte moyenne : 6 000 000 de bouteilles.

MOULIS A.O.C. ou MOULIS-EN-MÉDOC A.O.C. R ❦❦❦

L'aire couvre 400 ha, principalement sur Moulis (Gironde).
Récolte moyenne : 2 800 000 bouteilles.

MUSCADET ou MUSCADET-VAL-DE-LOIRE A.O.C. Bs ❦❦

L'aire couvre 10 000 ha et recouvre les autres appellations, Muscadet de Sèvre-et-Maine et Muscadet des Coteaux de la Loire. Une partie est commercialisée en primeur.
Récolte moyenne 25 000 000 de bouteilles.

MUSCADET DES COTEAUX DE LA LOIRE A.O.C. Bs ❦❦

L'aire, dont le centre est Ancenis, est située en amont de Nantes, de part et d'autre de la Loire.
Récolte moyenne : 2 000 000 de bouteilles.

MUSCADET DE SÈVRE ET MAINE A.O.C. Bs ❦❦❦
L'aire se situe de part et d'autre de la rivière nantaise Sèvre, sur quatre cantons de l'arrondissement de Nantes (Loire-Atlantique). La mise en bouteille sur lie donne des vins d'une grande élégance et finesse.
Récolte moyenne : 50 000 000 de bouteilles, dont près de 75% sur lie.

MUSCAT DE BEAUMES-DE-VENISE A.O.C. V.D.N. ❦❦❦
V.D.N. issu du cépage muscat dit de Frontignan, récoltés sur l'aire de Beaumes-de-Venise et d'Aubignan (Vaucluse).
Récolte moyenne : 1 200 000 bouteilles.

MUSCAT DE FRONTIGNAN A.O.C. Voir à Frontignan.

MUSCAT DE LUNEL A.O.C. V.D.N. ❦❦❦
L'aire est située entre Nîmes et Montpellier (Hérault). Conditions de production identiques à celles du Frontignan.
Récolte moyenne : 800 000 bouteilles.

MUSCAT DE MIREVAL A.O.C. V.D.N. ❦❦❦
Limitrophe de Frontignan, les conditions de production sont identiques aux deux appellations.
Récolte moyenne : 750 000 bouteilles.

MUSCAT DE RIVESALTES A.O.C. V.D.N. ❦❦❦
V.D.N. récolté sur l'aire Grand Roussillon, une partie de l'Aude et des Pyrénées-Orientales. Les vins ont peut-être un peu moins de finesse que les muscats de l'Hérault, l'encépagement étant moins exigeant.
Récolte moyenne : 12 000 000 de bouteilles.

MUSCAT DE SAINT-JEAN-DE-MINERVOIS A.O.C. V.D.N. ❦❦❦
L'aire est située sur la commune de Saint-Jean-de-Minervois (Hérault). Les conditions de production sont celles des autres muscats, sauf la teneur en sucre du vin terminé, qui doit être légèrement supérieure.
Récolte moyenne : 300 000 bouteilles.

MUSIGNY A.O.C. R Bs ❦❦❦ ❦❦❦❦
Vins récoltés sur la commune de Chambolle-Musigny (Côte-d'Or).
Récolte moyenne : 35 000 bouteilles en rouge, 1 200 bouteilles en blanc.

NUITS ou NUITS-SAINT-GEORGES A.O.C. R Bs 🦇🦇🦇
L'aire couvre 318 ha sur les communes de Nuits et de Prémeaux (Côte-d'Or).
Récolte moyenne : 1 250 000 bouteilles en rouge, 5 000 bouteilles en blanc.

PACHERENC DU VIC-BILH A.O.C. Bs Bm 🦇🦇
L'aire est celle du Madiran. Vin sec ou tendre selon l'encépagement.
Récolte moyenne : 300 000 bouteilles.

PALETTE A.O.C. R Rs Bs 🦇🦇🦇
Les vins de Palette sont rares et le quasi-monopole du Château Simone (Bouches-du-Rhône). Vins de caractère, très fins et distingués.
Récolte moyenne : 60 000 bouteilles en rouge et rosé, 20 000 bouteilles en blanc.

PASSETOUTGRAINS Voir à Bourgogne Passetoutgrains.

PATRIMONIO A.O.C. R Rs Bs 🦇🦇🦇
L'aire couvre une zone où se rencontrent schistes, molasses et éboulis calcaires très favorables à des vins de qualité. Patrimonio est la terre d'élection du nielluccio.
Récolte moyenne : 1 200 000 bouteilles en rouge et rosé, 150 000 bouteilles en blanc.

PAUILLAC A.O.C. R 🦇🦇🦇 🦇🦇🦇🦇 🦇🦇🦇🦇🦇
Appellation du Médoc, qui comprend un grand nombre de crus classés en 1855 (dont 3 premiers crus). Vins corsés et veloutés, aptes au vieillissement.
Récolte moyenne : 6 000 000 de bouteilles.

PÉCHARMANT A.O.C. R 🦇🦇🦇
Vins de coteaux (pé, puy, montagne) issus des cépages bordelais. L'aire s'étend à l'est de Bergerac (Dordogne).
Récolte moyenne : 1 200 000 bouteilles.

PERNAND-VERGELESSES A.O.C. R Bs 🦇🦇🦇 🦇🦇🦇🦇
Vins récoltés sur Pernand-Vergelesses (Côte-d'Or) réputés fermes et grands vins de garde.
Récolte moyenne : 400 000 bouteilles en rouge, 120 000 bouteilles en blanc.

PESSAC-LÉOGNAN A.O.C. R Bl 🦇🦇🦇 🦇🦇🦇🦇
Aire sur la commune au sud de Bordeaux. Terroir de Graves. Vins magnifiques.
Récolte moyenne : 5 000 000 de bouteilles.

PETIT-CHABLIS A.O.C. Bs 🍷🍷
Vin de la région de Chablis (Yonne), agréablement fruité, à boire jeune.
Récolte moyenne : 1 000 000 de bouteilles.

PETITE CHAMPAGNE A.O.C.
Appellation et aire de production de Cognac, venant hiérarchiquement après la Grande Champagne.

PINEAU DES CHARENTES ou PINEAU CHARENTAIS A.O.C. B Rs 🍷🍷🍷
Vin de liqueur produit sur l'aire d'appellation de Cognac. Le moût doit être utilisé sitôt la vendange, sans filtrage ni addition de produit œnologique. Il est muté avec du cognac d'au moins un an d'âge.

PINOT CHARDONNAY MÂCON   A.O.C.   Voir à Mâcon.

POMEROL A.O.C. R 🍷🍷🍷 🍷🍷🍷🍷 🍷🍷🍷🍷🍷
L'aire est située sur Pomerol et Libourne (Gironde).
Récolte moyenne : 3 500 000 bouteilles.

POMMARD A.O.C. R 🍷🍷🍷 🍷🍷🍷🍷
Vin rouge récolté sur Pommard (Côte-d'Or), ferme et puissant, de bonne conservation.
Récolte moyenne : 1 250 000 bouteilles.

POUILLY-FUISSÉ A.O.C. Bs 🍷🍷🍷 🍷🍷🍷🍷
Vins blancs (issus du chardonnay) récoltés sur les communes de Pouilly, Fuissé, Solutré, Vergisson et Chaintré (Saône-et-Loire). Les plus réputés du Mâconnais.
Récolte moyenne : 5 000 000 de bouteilles.

POUILLY-FUMÉ-VAL-DE-LOIRE Bs 🍷🍷🍷
Issu du cépage sauvignon ; ce vignoble du val de Loire autour de Pouilly (Nièvre) donne un vin sec, élégant, proche du Sancerre.
Récolte moyenne : 5 000 000 de bouteilles.

POUILLY-LOCHÉ A.O.C. Bs 🍷🍷🍷
Vin blanc issu du chardonnay récolté sur la commune de Loché (Saône-et-Loire).
Récolte moyenne : 150 000 bouteilles.

POUILLY-SUR-LOIRE A.O.C. Bs 🍷🍷
Vin blanc issu du chasselas, récolté sur l'aire de Pouilly-Fumé.
Récolte moyenne : 500 000 bouteilles.

POUILLY-VINZELLES A.O.C. Bs ☙☙☙

Sur les communes de Loché et de Vinzelles (Saône-et-Loire). Le vin est proche dans tous les sens du terme des Pouilly-Fuissé.
Récolte moyenne : 300 000 bouteilles.

PREMIÈRES-COTES-DE-BLAYE A.O.C. R Bs ☙☙ ☙☙☙

Vins récoltés sur les cantons de Blaye et sur deux autres limitrophes (Gironde), sur la rive droite de l'estuaire.
Récolte moyenne : 15 000 000 de bouteilles en rouge, 130 000 bouteilles en blanc.

PREMIERES-COTES-DE-BORDEAUX A.O.C. R Bs Bm ☙☙ ☙☙☙

L'aire s'étend sur 36 communes de la Gironde, sur la rive droite de la Garonne. La partie en aval, face à Bordeaux, est vouée aux vins rouges ; les vins blancs se trouvant en amont, entourant les enclaves formées des A.O.C. Cadillac, Loupiac et Sainte-Croix-du-Mont. Récolte moyenne : 10 000 000 de bouteilles en rouge, 3 000 000 de bouteilles en blanc.

PUISSEGUIN-SAINT-ÉMILION A.O.C. R ☙☙☙

Vins rouges récoltés sur Puisseguin (Gironde), répondant à toutes les conditions de production de Saint-Émilion.
Récolte moyenne : 4 000 000 de bouteilles.

PULIGNY-MONTRACHET A.O.C. Bs R ☙☙☙ ☙☙☙☙

Exquis et rares vins rouges, blancs réputés, les vins de Puligny-Montrachet (Côte-d'Or) font partie des grands de Bourgogne.
Récolte moyenne : 1 200 000 bouteilles en blanc, 40 000 bouteilles en rouge.

QUARTS-DE-CHAUME A.O.C. Bm ☙☙☙

Vins blancs issus du chenin blanc, récoltés sur Rochefort-sur-Loire (Maine-et-Loire) sur quelques lieux-dits dont Les Quarts. Vins d'une grande finesse, amples et de bonne garde.
Récolte moyenne : 80 000 bouteilles.

QUINCY A.O.C. Bs ☙☙☙

Vins blancs issus du sauvignon, récoltés sur Quincy (Cher) et Brinay. Les sols légers et sableux donnent des vins plus clairs et plus légers que ceux de Sancerre.
Récolte moyenne : 500 000 bouteilles.

RASTEAU A.O.C. V.D.N. R Bl ❦❦❦
Vin doux naturel provenant de Rasteau, de Cairanne et de Sable (Vaucluse), issu à 90% minimum des grenaches.
Récolte moyenne : 350 000 bouteilles en blanc, 16 000 bouteilles en rouge.

RÉGNIÉ A.O.C. R ❦❦❦
Dixième cru du Beaujolais, les vins proviennent de Régnié-Durette et de Lantignié (Rhône).
Récolte moyenne : 4 400 000 bouteilles.

REUILLY-VAL-DE-LOIRE A.O.C. Bs R Rs ❦❦❦
Vins blancs (issus du sauvignon) ; vins rouges et rosés issus du pinot, noir et gris, récoltés sur les communes de Reuilly et de Diou (Indre) et sur 5 communes voisines du Cher.
Récolte moyenne : 80 000 bouteilles en blanc, 50 000 bouteilles en rouge et rosé.

RICHEBOURG A.O.C. R ❦❦❦❦❦
Grand cru de Vosne-Romanée (Côte-d'Or) sur 8 ha.
Récolte moyenne : 30 000 bouteilles.

RICEYS Voir à ROSÉ DES RICEYS A.O.C.

RIVESALTES A.O.C. V.D.N. Bl R ❦❦❦
L'aire de production couvre 90 communes des Pyrénées-Orientales et 9 de l'Aude. Vin d'apéritif en blanc et de dessert en rouge, le rivesaltes se conserve. Un élevage spécial peut lui conférer l'A.O.C. de Rivesaltes Rancio.
Récolte moyenne : 9 000 000 de bouteilles en rouge, 25 000 000 de bouteilles en blanc.

ROMANÉE (LA) A.O.C. R ❦❦❦❦❦
Grand cru, de moins de 1 ha, sur Vosne-Romanée (Côte-d'Or).
Récolte moyenne : 4 000 bouteilles.

ROMANÉE-CONTI (LA) A.O.C. R ❦❦❦❦❦
Grand cru de 1,8 ha.
Récolte moyenne : 6 500 bouteilles.

ROMANÉE-SAINT-VIVANT (LA) A.O.C. R ❦❦❦❦❦
Grand cru sur Vosne-Romanée (Côte-d'Or) sur 9,5 ha. Les sols légèrement différents de ces trois crus célèbres dans le monde entier donnent des vins aux nuances subtiles qu'il est bien difficile de comparer, tant la dégustation simultanée est problématique...

Récolte moyenne : 25 000 bouteilles.

ROSÉ D'ANJOU-VAL-DE-LOIRE A.O.C. Rs 🍎🍎

Demi-sec, léger, agréable, ce vin est récolté sur l'ensemble de l'appellation Anjou.
Récolte moyenne : 20 000 000 de bouteilles.

ROSÉ DE LOIRE-VAL-DE-LOIRE A.O.C. Rs 🍎🍎

Vin rosé, sec, récolté sur les aires Anjou, Saumur et Touraine.
Récolte moyenne : 3 000 000 de bouteilles.

ROSÉ DES RICEYS A.O.C. Rs 🍎🍎🍎 🍎🍎🍎🍎

Vin rosé tranquille, issu du pinot noir récolté sur la commune des Riceys et les communes voisines qui se superposent à l'aire de production du Champagne. Certaines années sont favorables seulement. Vin rare d'une grande finesse.
Récolte moyenne : 40 000 bouteilles.

ROSETTE A.O.C. Bm 🍎🍎

Vin blanc moelleux des environs de Bergerac (Dordogne).
Récolte moyenne : 40 000 bouteilles.

ROUSSETTE DE SAVOIE A.O.C. Bs 🍎🍎🍎

Vin sec, fin et frais, l'appellation pouvant être suivie du nom de quatre crus : Frangy, Marestel, Monterminod ou Monthoux.
Récolte moyenne : 6 000 000 de bouteilles.

ROUSSETTE DU BUGEY A.O.V.D.Q.S. Bs 🍎🍎🍎

Récolté sur 65 communes du Bugey, dont Belley est la capitale (Ain), le vin est issu des cépages altesse et chardonnay.
Récolte moyenne : 70 000 bouteilles.

RUCHOTTES-CHAMBERTIN A.O.C. R 🍎🍎🍎🍎🍎

Sur la commune de Gevrey-Chambertin (Côte-d'Or), grand vin dans la lignée des Chambertin, et autres de la Côte de Nuits.
Récolte moyenne : 12 000 bouteilles.

RULLY A.O.C. Bs R 🍎🍎🍎

Vins bourguignons de la Côte chalonnaise, récoltés sur Rully et Chagny (Saône-et-Loire).
Récolte moyenne : 200 000 bouteilles en blanc, 600 000 bouteilles en rouge.

SAINT-AMOUR A.O.C. R ❦❦❦

L'un des 10 crus du Beaujolais, récolté sur Saint-Amour (Saône-et-Loire). Vin léger, souple, au nom charmant.
Récolte moyenne : 2 000 000 de bouteilles.

SAINT-AUBIN A.O.C. R Bs ❦❦❦

Les vins peuvent également prendre l'appellation communale de Saint-Aubin (Côte-d'Or) ou celle de Côte-de-Beaune-Villages.
Récolte moyenne : 200 000 bouteilles en rouge, 270 000 bouteilles en blanc.

SAINT-CHINIAN A.O.C. R Rs ❦❦❦

Vin récolté sur 20 communes dont Saint-Chinian (Hérault) sur deux secteurs, l'un de coteaux schisteux, l'autre au sud sur sols argilo-calcaires.
Récolte moyenne : 6 500 000 bouteilles.

SAINT-ÉMILION A.O.C. R ❦❦❦ ❦❦❦❦ ❦❦❦❦❦

Saint-Émilion, Saint-Émilion Grand Cru, vin de côtes ou de plateau, ils sont fins et de bonne garde, et leur légitime réputation est mondiale.
Récolte moyenne : 12 000 000 de bouteilles de Saint-Émilion, 18 000 000 de bouteilles de Saint-Émilion Grand Cru classé.

SAINT-ESTÈPHE A.O.C. R ❦❦❦ ❦❦❦❦

Vins récoltés sur Saint-Estèphe (Gironde), fins et délicats. On compte sur la commune 2 seconds crus, 1 troisième, 1 quatrième et 1 cinquième crus classés en 1855.
Récolte moyenne : 8 000 000 de bouteilles.

SAINT-GEORGES-SAINT-ÉMILION A.O.C. R ❦❦❦

Vins de la commune de ce nom (Gironde), semblable à ceux de Saint-Émilion et ceux de Montagne-Saint-Émilion.
Récolte moyenne : 1 250 000 bouteilles.

SAINT-JOSEPH A.O.C. R Bs ❦❦❦

Vins récoltés sur 23 communes du secteur de Tournon (Ardèche) et sur trois communes de la Loire. Proches de ceux de Crozes et des Ermitages, ils sont très intéressants par leur rapport qualité / prix.
Récolte moyenne : 1 650 000 bouteilles en rouge, 125 000 bouteilles en blanc.

SAINT-JULIEN A.O.C. R ❦❦❦ ❦❦❦❦

Vins rouges récoltés sur Saint-Julien-Beychevelle, sur Cussac et sur Saint-Laurent (Gironde), au sud de Pauillac. On compte sur Saint-Julien 5 seconds crus, 2 troisièmes et 5 quatrièmes crus classés en 1855.
Récolte moyenne : 5 500 000 bouteilles.

SAINT-NICOLAS-DE-BOURGUEIL-VAL-DE-LOIRE A.O.C. R Rs ❦❦❦

8 communes dont Saint-Nicolas-de-Bourgueil (Indre-et-Loire) couvrent l'aire d'appellation Bourgueil, mais seule Saint-Nicolas-de-Bourgueil peut prendre cette seule appellation communale. Vins tendres, délicats et finement bouquetés.
Récolte moyenne : 5 000 000 de bouteilles.

SAINT-PERAY A.O.C. Bs ❦❦❦

Vin blanc issu des cépages roussanne et marsanne récoltés sur Saint-Peray (Ardèche). Une partie du vin est rendu mousseux par la méthode classique, mais c'est le vin tranquille qui est le plus intéressant.
Récolte moyenne : 280 000 bouteilles.

SAINT-POURÇAIN A.O.V.D.Q.S. R Rs Bs ❦❦

20 communes se partagent l'aire d'appellation, dont Saint-Pourçain (Allier). Une partie issue du gamay est consommée en primeur.
Récolte moyenne : 2 000 000 de bouteilles en rouge et rosé, 500 000 bouteilles en blanc.

SAINT-ROMAIN A.O.C. R Bs ❦❦❦

Saint-Romain (Côte-d'Or) assemble une partie de ses vins avec ceux de communes voisines prenant l'A.O.C. Côte-de-Beaune-Villages.
Récolte moyenne : 200 000 bouteilles en rouge, 200 000 bouteilles en blanc.

SAINT-VERAN A.O.C. Bs ❦❦❦

L'aire concerne 7 communes et une petite partie de Solutré (Saône-et-Loire). Vin proche du Pouilly-Fuissé mais qui ne l'atteint pas tout à fait qualitativement.
Récolte moyenne : 3 200 000 bouteilles.

SAINTE-CROIX-DU-MONT A.O.C. Bm ❦❦❦

Une partie de la récolte seulement est vinifiée en blanc moelleux, l'autre en vin blanc sec, d'A.O.C. Bordeaux. Les moelleux sont récoltés en dernier, par tries successives, les raisins étant attaqués par le *botrytis cinerea*, la pourriture noble.
Récolte moyenne : 2 000 000 de bouteilles.

SAINTE-FOY-BORDEAUX A.O.C. R Bs Bm 🐌🐌 🐌🐌🐌

L'aire couvre plusieurs communes de la limite orientale de la Gironde. Les vins moelleux régressent au profit des secs. Les rouges sont plaisants.
Récolte moyenne : 400 000 bouteilles en rouge, 500 000 de bouteilles en blanc.

SANCERRE-VAL DE LOIRE A.O.C. Bs R Rs 🐌🐌🐌

Blancs issus du sauvignon, rouges et rosés issus du pinot noir, récoltés sur Sancerre et sur 13 communes du Cher, sur la rive gauche de la Loire.
Récolte moyenne : 10 000 000 de bouteilles en blanc, 3 200 000 bouteilles en rouge et rosé.

SANTENAY A.O.C. R Bs 🐌🐌🐌

Sur Santenay en Côte-d'Or et Rémigny en Saône-et-Loire. Une partie de leurs vins sont assemblés et prennent l'appellation Côte-de-Beaune-Villages.
Récolte moyenne : 1 600 000 bouteilles en rouge, 35 000 bouteilles en blanc.

SAUMUR-VAL DE LOIRE A.O.C. Bs Bm R 🐌🐌🐌

L'aire d'appellation concerne 28 communes de la région de Saumur (Maine-et-Loire), 9 communes du canton de Trois-Moutiers (Vienne) et 1, Tourtenay, des Deux-Sèvres.
Récolte moyenne : 3 000 000 de bouteilles en rouge, 4 500 000 bouteilles en blanc.

SAUMUR-CHAMPIGNY-VAL DE LOIRE A.O.C. R 🐌🐌🐌

10 communes autour de Saumur se partagent l'aire d'appellation. Vins riches, de garde, au bouquet puissant et subtil.
Récolte moyenne : 6 000 000 de bouteilles.

SAUMUR MOUSSEUX-VAL DE LOIRE A.O.C. Bs Rs 🐌🐌🐌

L'aire d'appellation couvre 92 communes du Maine-et-Loire principalement, mais aussi quelques-unes de la Vienne et des Deux-Sèvres. La réputation des « Saumur d'origine » n'est plus à faire.
Récolte moyenne : 10 000 000 de bouteilles en blanc, 800 000 bouteilles en rosé.

SAUSSIGNAC A.O.C. Bm 🐌🐌

Appellation du Bergeracois (Dordogne) concernant des vins blancs moelleux, tendres et fins mais non liquoreux.
Récolte moyenne : 100 000 bouteilles.

SAUTERNES A.O.C. Bm Bl 🍷🍷🍷 🍷🍷🍷🍷 🍷🍷🍷🍷🍷

Vins blancs généralement liquoreux récoltés sur les communes de Sauternes, Bommes, Fargues, Preignac et Barsac (Gironde). La production de quelques châteaux (d'Yquem en particulier) assure une réputation de perfection dans le monde entier.
Récolte moyenne : 4 000 000 de bouteilles dans les années favorables.

SAUVIGNON-DE-SAINT-BRIS A.O.V.D.Q.S. 🍷🍷 🍷🍷🍷

Vin blanc issu du cépage sauvignon, récolté sur 7 communes dont Saint-Bris-le-Vineux (Yonne).
Récolte moyenne : 400 000 bouteilles.

SAVENNIÈRES-VAL DE LOIRE A.O.C. Bs 🍷🍷🍷 🍷🍷🍷🍷

Vin blanc issu du chenin, provenant de 3 communes dont Savennières (Maine-et-Loire). Vin délicat sec mais pouvant être moelleux certaines années.
Récolte moyenne : 280 000 bouteilles.

SAVENNIÈRES-COULÉE DE SERRANT
et SAVENNIÈRES-ROCHE AUX MOINES A.O.C. Bs 🍷🍷🍷🍷

Les vins d'A.O.C. Savennières portant l'indication de leurs lieux-dits d'origine respectifs. Vins de haute réputation justifiée. Leur production est intégrée dans celle des Savennières.

SAVIGNY-LÈS-BEAUNE A.O.C. R Bs 🍷🍷🍷

L'aire ne concerne que la commune de Savigny (Côte-d'Or). Les vins sont souples et bouquetés, rapidement prêts à boire et néanmoins aptes à une bonne conservation.
Récolte moyenne : 1 400 000 bouteilles en rouge, 60 000 bouteilles en blanc.

SEYSSEL A.O.C. Bs 🍷🍷

Non seulement l'aire est sur 2 communes, Seyssel et Corbonod, mais également sur 2 départements, la Haute-Savoie et l'Ain. Vins fins, équilibrés.
Récolte moyenne : 250 000 bouteilles plus 50 000 bouteilles en mousseux.

TÂCHE (LA) A.O.C. R 🍷🍷🍷🍷🍷

Lieu-dit sur la commune de Vosne-Romanée. Superficie de 6 ha.
Récolte moyenne : 20 000 bouteilles.

TAVEL A.O.C. Rs 🍷🍷🍷

Rosé récolté sur Tavel et sur une partie de Roquemaure (Gard). Vin d'antique réputation.
Récolte moyenne : 3 000 000 de bouteilles.

TENARÈZE A.O.C.
L'une des trois aires de production de l'Armagnac, sur une partie du Gers et du Lot-et-Garonne. Les eaux-de-vie sont généralement assemblées avec celles des autres secteurs sous l'appellation Armagnac.

TOUL   Voir à Côtes-de-Toul.

TOURAINE-VAL DE LOIRE A.O.C.   Bs Bm Rs R 🐛🐛 🐛🐛🐛
L'aire d'appellation s'étend sur plus de 125 communes de l'Indre-et-Loire, sur près de 40 de Loir-et-Cher et sur 1 de l'Indre (Azay-le-Ferron). Vins issus des cépages régionaux et de quelques autres tels gamay, chardonnay, pinot meunier, etc., tous légers et agréables dans leur jeunesse.
Récolte moyenne : 18 000 000 de bouteilles en blanc, 20 000 000 de bouteilles en rouge et rosé.

TOURAINE-AMBOISE-VAL DE LOIRE A.O.C.   R Rs Bs 🐛🐛 🐛🐛🐛
Le nom d'Amboise peut être ajouté à celui de Touraine pour les vins récoltés sur la commune d'Amboise et sur 8 autres (Indre-et-Loire), s'ils sont issus des cépages désignés et vinifiés selon les conditions définies.
Récolte moyenne : 800 000 bouteilles en rouge et rosé, 300 000 bouteilles en blanc.

TOURAINE-AZAY-LE-RIDEAU-VAL DE LOIRE A.O.C.   Bs Rs 🐛🐛🐛
Le nom d'Azay-le-Rideau peut être ajouté à celui de Touraine pour les vins blancs et rosés récoltés sur Azay-le-Rideau et sur 8 communes voisines.
Récolte moyenne : 200 000 bouteilles en blanc, 100 000 bouteilles en rosé.

TOURAINE-MESLAND-VAL DE LOIRE A.O.C.   Bs Rs R 🐛🐛🐛
Le nom de Mesland peut être ajouté à celui de Touraine pour les vins récoltés sur 6 communes dont Mesland (Loir-et-Cher), s'ils sont issus des cépages désignés et vinifiés selon les conditions définies.
Récolte moyenne : 200 000 bouteilles en blanc, 1 100 000 bouteilles en rouge et rosé.

TOURAINE MOUSSEUX-VAL DE LOIRE A.O.C.   B Rs R 🐛🐛
Vins récoltés sur l'ensemble de l'aire d'appellation Touraine, rendus mousseux par la méthode classique de deuxième fermentation en bouteille.
Récolte moyenne : 300 000 bouteilles en blanc, 150 000 bouteilles en rouge et rosé.

TURSAN A.O.V.D.Q.S.   R Rs Bs 🐛🐛
Vins provenant des cantons d'Aire-sur-Adour, Geaune, Grenade-sur-Adour, Hagetmau et de Saint-Sever (Landes), ainsi que de 2 communes du Gers.
298   Récolte moyenne : 800 000 bouteilles en rouge et rosé, 800 000 bouteilles en blanc.

VACQUEYRAS A.O.C. R Rs Bs 🍷🍷🍷
Vins récoltés sur Vacqueyras et Sarrians (Vaucluse), proches des Gigondas et Châteauneuf-du-Pape.
Récolte moyenne : 2 500 000 bouteilles.

VALANÇAY A.O.V.D.Q.S. R Rs Bs 🍷🍷
L'aire concerne 14 communes, dont Valançay (Indre), Selles-sur-Cher (Loir-et-Cher).
Récolte moyenne : 600 000 bouteilles en rouge et rosé, 200 000 bouteilles en blanc.

VIN DE CORSE A.O.C. V.D.N. R Rs Bs 🍷🍷🍷
Un grand nombre de parcelles délimitées du territoire corse constitue l'aire d'appellation générale Vin de Corse, suivie ou non d'une appellation locale.
Récolte moyenne : 3 000 000 de bouteilles en rouge et rosé, 300 000 bouteilles en blanc.

VIN DE CORSE AJACCIO Voir Ajaccio A.O.C.

VIN DE CORSE-SARTÈNE, CALVI, COTEAUX DU CAP-CORSE, FIGARI et PORTO-VECCHIO A.O.C. R Rs Bs 🍷🍷 🍷🍷🍷
L'appellation Vin de Corse, suivie ou non d'une appellation locale, concerne des vins rouges, rosés et blancs qui doivent répondre à des conditions de production strictement définies, tant en ce qui concerne les aires de plantation que l'encépagement, la richesse en sucre naturel, le degré alcoométrique, etc.
Récolte moyenne de l'ensemble des appellations locales : 4 500 000 bouteilles en rouge et rosé, 250 000 bouteilles en blanc.

VIN DE SAVOIE et VIN DE SAVOIE suivie d'un nom de cru A.O.C. R Rs Bs 🍷🍷🍷
Tous vins de qualité, les blancs sont plus intéressants que les rouges, sauf pour les rouges issus du cépage mondeuse. D'une façon générale, les vins blancs présentent une réelle finesse et la légèreté de la brise de montagne. Le Chignin-Bergeron (cépage roussanne) est d'une grande distinction.
Récolte moyenne : 12 500 000 bouteilles.

VIN DE SAVOIE-AYZE MOUSSEUX (ou PÉTILLANT) A.O.C. Bs 🍷🍷🍷
Ayze (Haute-Savoie) propose un vin mousseux ou pétillant très agréable issu des cépages régionaux : gringet, altesse, roussette d'Ayze et mondeuse blanche.

VIN DE SAVOIE MOUSSEUX (ou PÉTILLANT) A.O.C. Bs 🍷🍷
Produit sur toute l'aire d'appellation, l'encépagement est moins exigeant que pour les vins d'Ayze. Vin de diffusion locale.

VIN DU BUGEY A.O.V.D.Q.S. R Rs Bs 🦆🦆

L'appellation peut être suivie d'un nom de cru (Virieu, Montagnieu Manicle, Machuraz, Cerdon). L'aire d'appellation porte sur 65 communes de l'Ain. Vins proches de ceux de Savoie.

Récolte moyenne : 600 000 bouteilles en rouge et rosé, 800 000 bouteilles en blanc.

VINS D'ENTRAYGUES-ET-DU-FEL A.O.V.D.Q.S. R Rs Bs 🦆

Vins récoltés 6 communes de l'Aveyron et sur 2 du Cantal.

Récolte moyenne : 40 000 bouteilles en rouge et rosé, 10 000 bouteilles en blanc.

VINS D'ESTAING A.O.V.D.Q.S. R Rs Bs 🦆

Vins récoltés sur 3 communes de l'Aveyron, dont Estaing.

Récolte moyenne : 30 000 bouteilles en rouge et rosé, 3 000 bouteilles en blanc.

VINS DE LAVILLEDIEU A.O.V.D.Q.S. R Rs Bs 🦆

Vins récoltés sur 2 communes de la Haute-Garonne (dont Lavilledieu) et sur 10 du Tarn-et-Garonne.

Récolte moyenne : 200 000 bouteilles en rouge et rosé.

VINS DE MOSELLE A.O.V.D.Q.S. Bs R 🦆

Vins récoltés sur 16 communes de la Moselle.

Récolte moyenne : 40 000 bouteilles en blanc, 22 000 bouteilles en rouge.

VINS DE L'ORLÉANAIS A.O.V.D.Q.S. R Rs Bs 🦆 🦆🦆

Vins rouges, gris (rosés) et blancs récoltés sur 19 communes de la rive droite de la Loire, 6 communes de la rive gauche aux environs d'Orléans (Loiret).

Récolte moyenne : 650 000 bouteilles en rouge et gris, 4 000 bouteilles en blanc.

VINS DU HAUT-POITOU A.O.V.D.Q.S. R Rs Bs 🦆🦆

Vins récoltés sur 45 communes de la Vienne et sur 2 des Deux-Sèvres.

Récolte moyenne : 4 000 000 de bouteilles en rouge et rosé, 2 000 000 de bouteilles en blanc.

VINS DU THOUARSAIS A.O.V.D.Q.S. R Rs Bs 🦆🦆

Vins proches de ceux d'Anjou, récoltés sur 16 communes de l'arrondissement de Bressuire (Deux-Sèvres).

Récolte moyenne : 80 000 bouteilles en rouge et rosé, 100 000 bouteilles en blanc.

300

VOLNAY A.O.C. R 🍎🍎🍎 🍎🍎🍎🍎
Vin récolté sur Volnay (Côte-d'Or). Ceux récoltés sur plusieurs lieux-dits de la commune de Meursault prennent l'appellation Volnay-Santenots.
Récolte moyenne : 900 000 bouteilles.

VOSNE-ROMANÉE A.O.C. R 🍎🍎🍎 🍎🍎🍎🍎
L'aire s'étend sur Vosne-Romanée et sur Flagey-Echezeaux (Côte-d'Or). Vins de haute réputation.
Récolte moyenne : 650 000 bouteilles.

VOUGEOT A.O.C. R Bs 🍎🍎🍎
L'aire de l'appellation communale couvre 16,5 ha, le Clos de Vougeot plus de 50 ha. Il ne faut donc pas confondre les deux appellations.
Récolte moyenne : 32 000 bouteilles en rouge, 6 000 bouteilles en blanc.

VOUGEOT (Clos de)   Voir à CLOS DE VOUGEOT   A.O.C.

VOUVRAY-VAL DE LOIRE A.O.C. Bs Bm 🍎🍎🍎 🍎🍎🍎🍎
Vins récoltés sur 8 communes, dont Vouvray (Indre-et-Loire). Secs ou moelleux, ils sont de bonne garde.
Récolte moyenne : 8 500 000 bouteilles.

VOUVRAY MOUSSEUX et VOUVRAY PÉTILLANT A.O.C.   B
Une petite partie de la production peut être transformée en mousseux ou pétillant (moindre pression). La production de l'un ou l'autre de ces types de vin est très irrégulière, en fonction tant de l'année que du marché : de 2 000 000 à 4 000 000...

ANNEXE
Adresses utiles

◆

COMITÉS INTERPROFESSIONNELS DES VINS ET SPIRITUEUX

◆

Ces organismes officiels et semi-publics, composés de délégués des producteurs et des négociants, ainsi que de représentants des différents services administratifs, jouent un rôle important à tous les niveaux de la production, de la promotion et de la commercialisation des vins des grandes zones de production. Une de leurs missions est également d'informer les consommateurs : la plupart des comités disposent d'un secrétariat et de matériels divers appropriés : cartes, prospectus, listes de producteurs, etc. L'amateur trouvera toujours un excellent accueil auprès de ces comités et les renseignements d'ordre général qu'il peut désirer.

◆ **Alsace**
C.I.V.A. (Comité interprofessionnel des vins d'Alsace ; prend aussi le titre de Centre d'information des vins d'Alsace)
12, avenue de la Foire aux Vins
B.P. 1217
68012 Colmar Cedex
Tél. 89 20 16 20

◆ **Anjou**
Conseil interprofessionnel des vins d'Anjou et de Saumur (C.I.V.A.S.)
Hôtel des Vins « la Godeline »
73, rue Plantagenet
B.P. 2327
49023 Angers Cedex 02
Tél. 41 87 62 57

◆ **Armagnac**
Bureau national interprofessionnel de l'Armagnac
Place de la Liberté
B.P. 3
32800 Eauze
Tél. 62 09 77 46

◆ **Beaujolais**
Union interprofessionnelle des vins de Beaujolais
210, boulevard Vermoral
69400 Villefranche-sur-Saône
Tél. 74 02 22 10

◆ **Bergerac**
Conseil interprofessionnel des vins de la région de Bergerac
2, place Docteur Cayla
24104 Bergerac Cedex
Tél. 53 57 12 57

◆ **Bordeaux**
Conseil interprofessionnel des vins de Bordeaux
1, cours du 30 juillet
33075 Bordeaux Cedex
Tél. 56 00 22 66

♦ **Bourgogne**
Comité interprofessionnel
de la Côte-d'Or et de l'Yonne
pour les vins d'appellation d'origine
contrôlée de Bourgogne
12, boulevard Bretonnière
21204 Beaune Cedex
Tél. 80 74 70 20

Comité interprofessionnel
de Saône-et-Loire pour les vins d'A.O.C.
de Bourgogne et Mâcon
Avenue Maréchal de Lattre de Tassigny
B.P. 113
71000 Mâcon
Tél. 85 38 20 15

♦ **Cahors**
Union interprofessionnelle
des vins de Cahors
430, avenue Jean Jaurès
B.P. 61
46002 Cahors Cedex
Tél. 65 23 22 24

♦ **Calvados**
Bureau national interprofessionnel
des Calvados et eaux-de-vie de cidre
31, rue St Ouen
14000 Caen
Tél. 31 75 30 90

♦ **Champagne**
Comité interprofessionnel
du vin de Champagne
5, rue Henri Martin
B.P. 135
51204 Epernay
Tél. 26 54 47 20

♦ **Cognac**
Bureau national
interprofessionnel du Cognac
23, allée du Champ de Mars
B.P. 18
16101 Cognac Cedex
Tél. 45 35 60 89

♦ **Corse**
Comité interprofessionnel
des vins de l'île de Corse
6 rue Gabriel Péri
Maison Verte
15, boulevard du Fangu
20200 Bastia
Tél. 95 31 37 36

♦ **Côtes de Provence**
Comité interprofessionnel
des vins « Côtes de Provence »
3, avenue Jean Jaurès
83460 Les Arcs-sur-Argens
Tél. 94 73 33 38

♦ **Côtes-du-Rhône**
Comité interprofessionnel
des vins des Côtes-du-Rhône
Maison des Vins
6, rue des trois faucons
84000 Avignon
Tél. 90 27 24 00

♦ **Fitou-Corbières-Minervois**
Conseil interprofessionnel
des vins Fitou-Corbières-Minervois
113, route Nationale
11200 Lézignan-Corbières
Tél. 68 27 03 64

♦ **Gaillac**
Comité interprofessionnel
des vins de Gaillac
Maison du Vin, abbaye Saint-Michel
81600 Gaillac
Tél. 63 57 15 40

♦ **Languedoc**
Union professionnelle
des coteaux du Languedoc
Mas Saporta
B.P. 9
34972 Lattes Cedex
Tél. 67 92 20 70

♦ **Limoux**
Syndicat interprofessionnel
de la Blanquette de Limoux
20 avenue du Pont-de-France
11300 Limoux
Tél. 68 31 12 83

♦ **Minervois**
Maison du Minervois
10, boulevard Louis Blazin
34210 Olonzac
Tél. 68 91 21 66

♦ **Pays nantais**
Comité interprofessionnel
des vins d'origine du Pays nantais
Maison des Vins
Bellevue
44690 La Haye-Fouassière
Tél. 40 36 90 10

♦ **Pineau des Charentes**
Comité national
du Pineau des Charentes
45 avenue Victor Hugo
16100 Cognac
Tél. 45 32 09 27

♦ **Roussillon**
Comité interprofessionnel
des vins doux naturels
19 avenue de Grande-Bretagne
66000 Perpignan
Tél. 68 34 42 32

♦ **Savoie**
Comité interprofessionnel
des vins de Savoie
3, rue du Château
73000 Chambéry
Tél. 79 33 44 16

♦ **Touraine**
Comité interprofessionnel
des A.O.C. de Touraine
19 square Prosper Mérimée
37000 Tours
Tél. 47 05 40 01 et 47 05 44 09

♦ **I.N.A.O.**
138, avenue des Champs-Elysées
75008 Paris
Tél. (16.1) 45 62 54 75

TABLE DES MATIÈRES

Aux Éditions Sang de la terre

Le Vin authentique, Docteur Sylvain Bihaut

Vous intéresse-t-il d'être tenu au courant des livres publiés par l'éditeur de cet ouvrage ?
Envoyez simplement vos nom et adresse aux
éditions Sang de la terre - Bornemann
62, rue Blanche, 75009 Paris.

Maquette et réalisation technique : Synonymes

Imprimé par les presses de Jouve (Mayenne)
pour le compte des Éditions Bornemann.

Dépôt légal : décembre 1995
Numéro d'impression : 231580V